# 女になれない職業

いかにして300本超の映画を監督・制作したか。

浜野佐知
*Hamano Sachi*

ころから

# 目次

【資料】

# 序章

あるインタビューで「あなたにとって、映画とは何ですか？」と問われた。カメラの前で、一瞬何を聞かれているかわからなかった私は、「職業ですけど」と答えて、相手をひどく失望させてしまった。期待されたのは、映画への夢やロマンを情熱的に語る言葉だったのだろう。しかし、19歳でピンク映画★の現場に飛び込み、23歳で監督となり、30代で映画制作会社を立ち上げた私にとって、映画はプロとして食っていく現実そのものだった。

　私は、1971年からピンク映画の監督として生きて来た。かつて日本映画界の大手5社★体制からはみ出した独立プロが、超低予算でエロとセックスを売り物にしたのがピンク映画だ。女である私がどうしてそんな映画の業界に飛び込んだかというと、それ以外に映画の監督になる道が全く閉ざされていたからだ。大手5社の演出部の就職条件は「大卒・男子」だった。ドキュメンタリーの分野には女性監督が何人か存在したが、地味で儲からないと男たちが手放した分野だった。

　主流である劇映画に女の監督は存在しなかった。田中絹代《たなかきぬよ》★のように有名な女優が巨匠たちの助けを借りて監督になる例はあったが、助監督修業から叩き上げて監督になった女は私が初めてだろう。

　だが、ピンク映画の現場に入った私を待っていたのは、日々当たり前のように襲いかかってくるセクハラやパワハラだった。ハラスメントという言葉もなかった時代だ。女優以外に女のいない現場で、私は男優やスタッフたちにとって気軽にちょっかいを出せるオモチャのようなものだったのだろう。だが、これは自分で選んだ道だ。どれほどつらくても、ここから逃げるわけにはいかない。

35ミリフィルム★で撮影する時代で、演出部に限らず、撮影部、照明部など、いずれも厳しい技術的な訓練を受ける徒弟制度をくぐり抜けなければならない。どのパートにも女は存在しなかった。

私は男たちとの戦いを決意した。何が何でも監督になる。誰も歩かなかった道を歩く。私はサングラスをかけた。涙は見せない。これが私の戦闘服だ。

助監督として3年が経った頃、現場に監督が来ないというアクシデントが起き、私はプロデューサーから急きょ監督を命じられた。このアクシデントがなかったら今の私はなかっただろう。ピンク映画を女に監督させることなど、誰も想定していなかったからだ。これは私にとってチャンスだった。女でもエロは描ける。私は、ピンク映画で初めての女性監督になり、女にしか撮れないエロを撮ろう。

ピンク映画が男の監督と男の観客で成立している以上、映画は男の性的妄想に満ち溢れていた。レイプされても突っ込まれれば喘ぎ、女は男によって「女」にされていく。そんな馬鹿な！　と思うことば

**ピンク映画**◉成人向けのポルノ映画として専門館で上映。１９６２年の小林悟監督作品『肉体の市場』がピンク映画第1号とされている。70年代、80年代前半には全国２００館を超える専門館があったが、その後急速に衰退、２０２２年現在では30館を切っている。

**大手5社**◉戦後、日本の大手映画会社は、松竹、東宝、大映、新東宝、東映、日活の6社あったが、１９６１年に新東宝が経営破綻し、５社となった。

**田中絹代（１９０９～１９７７）**◉俳優・監督。１９２４年女優デビュー。国際的な映画祭での評価も高い。１９５３年監督デビュー。６本の作品を発表。近年、監督としての再評価が進んでいる。

**35ミリフィルム**◉１８９１年エジソンが発明した映写機のフィルムの規格で、劇場用のフィルムは世界的に35ミリに統一された。映画用として、他にフィルム幅が8ミリ、16ミリ、70ミリなど。２０１０年代に撮影・上映共にデジタルが主流となり、日本では生産が停止された。

かりだったが、どうやら作り手の男たちは、本気で信じているようだった。

世間の男たちの認識も似たようなものだった。そこには「女の性欲」は存在しなかった。ならば、女の私が、女の主体的な欲望を撮る。「女はこうあるべき」という既成のモラルを壊す。これがピンク映画での私の一貫したテーマとなった。

私は旦々舎《たんたんしゃ》と名付けた制作会社を立ち上げ、ピンク映画を作り続けた。いつしか時代も代わり、AV（アダルトビデオ）の出現で、女の性欲は市民権を得たようにみえた。だが、男社会が認めた女の性欲は、男が欲情する対象が大前提だった。それは、若い女であり、腰を振って男を迎え入れる都合のいい女の性欲だった。

かつてセックスは生殖のためのものであった。戦時中に結婚し、戦後私を産んだ母は、全裸でセックスをしたことがないと言っていた。下着だけを下ろして挿入し、射精するだけのセックス。優しい父だったが、母にも性欲があることなど思い至らなかったのだろう。それでも、男は射精すれば快感を得ることが出来る。女の快感だけが無視され続けてきたのだ。

私はピンク映画で、女の身体が欲望と快感で解放されていく様を撮り続けた。ビデギャル★やAV女優たちの登場は私にとって大きな武器となった。芝居はアマチュアでも、性的演技はプロ中のプロだ。当時ＡＶ業界では「口内発射」が流行していたが、浜野組ではそれを逆手にとって、出された精液を口移しで男に飲ませる「ザーメン返し」が定番となった。もちろんＡＶと違ってピンク映画はすべて芝居であり、精液も助監督が作った疑似だったが、男優たちは一様に顔をしかめ、女優たちは嬉々として演じた。女が嫌がることはしない。女が気持ちいいことだけを追い求める。それが浜野ピンクだった。

１９９８年、私は旦々舎の自社制作作品『第七官界彷徨―尾崎《おさき》翠《みどり》★を探して』で初めて一般映画に挑んだ。96年の東京国際映画祭・カネボウ国際女性映画週間で私は日本の女性監督として認められていないことを知ったからだ。３００本を超えるピンク映画を作り続けてきてなお、それがピンク映画というマイナーなジャンルであるが故に、私は映画監督として存在しない。ピンク映画界は何人も日本映画を背負って立つ映画監督を輩出している。マイナーであろうとも日本映画の一ジャンルだ。恥じることなどない。

私がカウントされなかったのは、女性映画祭の視野にピンク映画というジャンルが入っていなかったからだろう。エロ映画を女性監督が撮っていることが許せなかったのかもしれない。だが、私にしてみれば、今までの人生も仕事もすべて無きものにされたのと同じだ。私は私

**ビデギャル**◉初期のアダルトビデオ（ＡＶ）に出演する「若い女性」を指した。その後「ＡＶ女優」という呼称が一般的になる。

**尾崎翠（１８９６〜１９７１）**◉作家。代表作「第七官界彷徨」。１９３２年、頭痛薬の中毒で郷里鳥取に戻され、その後沈黙を守る。「幻の作家」と評されたが、１９９８年浜野佐知が代表作と謎の後半生を『第七官界彷徨―尾崎翠を探して』で映画化。

を取り戻すために腹をくくった。

だが、それは新たな困難との闘いでもあった。映画化権を巡って尾崎翠を私物化する文芸評論家との死闘、1億円にも及ぶ制作費、世界的な舞台女優である白石加代子《しらいしかよこ》★さんのキャスティング。ピンク映画の監督の手に負えるものではなかった。応援してくれる人たちもまた無謀だと懸念した。だが、私は負けない。たとえ全てを失っても突き進む。それは、私の尊厳をかけた戦いだった。

冒頭のインタビューは『第七官界彷徨―尾崎翠を探して』が完成し、ある映画祭で受賞した際に受けたものだった。ピンク映画から一般映画に転身した男性監督の多くは、二度とピンク映画に戻って来ない。だが、私はこの第一作が評価されてもピンク映画を撮り続けた。それが私の「職業」だったからだ。そして、私の撮るべきテーマは、ピンク映画だろうと一般映画だろうと変わりはなかった。

「女の性を女の手に取り戻す」

これが私の映画人生をかけたテーマだった。

一方、私はジレンマも抱えていた。ピンク映画が男性向けのプログラムピクチャー★である限り、女性の観客は皆無に等しい。性の場で女の役割を演じている女性にこそ届く映画が必要だった。一般映画で女のセックスを真正面から描く。男社会に爆弾を投げ込むような破壊力を持つ映画を作る。

私も50代になり、「女を上がった」と言われる年齢になった。だが、閉経すれば性欲はなくなる、というのは男社会の勝手な思い込みだ。現に私は性欲を失っていない。それどころか、生理や生殖から解き放たれて、大いなる性の自由を得ているではないか。

桃谷方子《ももたにほうこ》★さんの原作を得て、2001年、「ババアのセックス」をテーマにした映画『百合祭』が完成した。男社会からなきものとされてきた高齢女性の性愛を描いたのだ。きわどいテーマは承知だった。勃起を不可欠とするセックスにNOを突きつけ、老いたからこそ得ることのできる自由な性愛を提示する。私でなければ撮れないテーマであり、私が「今」撮るべきテーマだった。

完成から21年、高齢者の豊かな性愛を提示した『百合祭』は世界中を席巻し、「歳をとった女はこうあるべき」という既成のモラルを覆した。

『雪子さんの足音』（2019年。木村紅美《きむらくみ》★原作）では、私は老女の中に潜む欲望と、その解放を描いた。孫の世代の青年との交情を、主演の吉行和子《よしゆきかずこ》★さんは「異次元だから可能な、男と女のエロスが流れています。ぞくっとします」とパンフレットに書いてくれた。90歳で孤独死する老女の、死の間際のエロスである。

**白石加代子（1941〜）**◉俳優。70年代、早稲田小劇場の看板女優として活躍。国際的な評価も高い。多くの舞台、映画などに出演。ライフワークは『百物語』。

**プログラムピクチャー**◉映画館の2本立て、3本立てのプログラムを埋めるために量産された娯楽映画。

**桃谷方子（1955〜）**◉作家。札幌に生まれ、同人誌に異色作を発表。1999年「百合祭」で北海道新聞文学賞を受賞。2001年、浜野佐知が映画化。他に「青空」「恋人襲撃」「馬男」など。

**木村紅美（1976〜）**◉作家。2006年「風化する女」で文學界新人賞。「月食の日」と「雪子さんの足音」で芥川賞候補。後者を2019年に浜野佐知が映画化。最近作に「あなたに安全な人」。

**吉行和子（1935〜）**◉俳優・俳人・エッセイスト。劇団民藝に入り、1955年初舞台。同年映画デビューも。1969年退団してフリーに。主な出演作に『愛の亡霊』（大島渚監督1978）『百合祭』（浜野佐知監督2001）など。

時代の流れの中で映画はフィルムからデジタルへ移行し、誰でも簡単に映画が撮れるようになった。プロの現場では徒弟制度は崩壊し、演出部をはじめ、各パートに女性スタッフが飛躍的に増えた。

ピンク映画は徐々に衰退し、全国の劇場数も30館を切った。作品数も激減し、私も2016年を最後に、ピンク映画を撮っていない。

決して男社会に媚びない。そう心に決めて生きて来た。私が惹かれる女たちもまた、孤高の女たちだ。

映画『百合子、ダスヴィダーニヤ』(2011年)で描いた、ロシア文学者・湯浅芳子《ゆあさよしこ》★と作家・中條《ちゅうじょう》(宮本)百合子《ゆりこ》★との女同士の愛、今準備中の新作のヒロイン・金子文子《かねこふみこ》★の命をかけた鮮烈な闘争。私はこれからも「女」を撮り続けていくだろう。それが「映画」という武器を手にした私の闘いなのだから。

**湯浅芳子(1896~1990)**◉ロシア文学者。チェーホフ、ツルゲーネフ、ゴーリキイなどの作品を翻訳。マルシャークの戯曲「森は生きている」は今も上演を重ねている。20代半ばで中條(後の宮本)百合子と出会い、一時期共同生活を送る。著書に『いっぴき狼』など。

**中條(宮本)百合子(1899~1951)**◉作家。18歳で「貧しき人々の群」を発表し作家デビュー。米国留学中に結婚するが、その後離婚。湯浅芳子と出会い、共にソ連旅行。共産主義に傾倒し、宮本顕治(後の日本共産党書記長)と結婚。戦後民主主義文学者として活躍する。

**金子文子(1903~1926)**◉虚無主義者・無政府主義者。父母が出生を届けず無籍者として育つ。9歳で朝鮮に住む叔母・祖母に引き取られるが、虐待を受け16歳で帰国。19歳で朝鮮人朴烈と出会い共同生活。関東大震災で検束され、その後大逆罪で死刑判決。恩赦で無期になるが自ら縊死。

# 1章

# ふたつの原風景

■徳島

自分の家が流れていくのを見た。私が2歳くらいの時だったと思う。私は母の背におぶわれて、裏山の中腹から荒れ狂う海を見ていた。やがて津波のような波が堤防を越えたかと思うと家が土台ごとフワッと浮き上がり、まるでスローモーションのようにゆっくりと沖に流されて行った。母の背が小刻みに震えていたのを覚えている。

私は徳島県鳴門市で生まれた。生家は香川県との県境にあり、徳島駅から蒸気機関車に乗って香川県の讃岐相生駅まで行き、ボンネットバスで山を一つ越えて戻らなければならないような海と山に囲まれた小さな村にあった。

広い土間に〝おくどさん〟と呼ばれるかまどがあるような古い家だった。天井裏には家の守り神としてアオダイショウが住みついていた。時々ドサリと音を立てて天井から居間に落ちて来る〝アオ〟という名の蛇が、私の遊び相手だった。

職業軍人だった父は、敗戦で故郷に戻り、漁師として生計を立てていた。土間から海の堤防までは5メートルくらいの距離しかなく、母はお昼時になると堤防の上で七輪に火を起こして、海からポンポン船で父が来るのを待った。やがて、船が近づいて来て、父が投げてくれた魚を焼いて食べるのが母と私のお昼御飯だった。

だが、襲い掛かって来た台風がすべてを奪った。家と船を流され、父は漁師を続けることが出来なくなり、私たち一家は母の実家を頼って徳島市に移り住んだ。

そこで弟が生まれ、私たちは4人家族になった。だが、生活は貧しかった。父は日本が負けたことが許せず、軍人恩給すら受け取ることをしなかった。

私は小学校に入学したが、その年の運動会にお弁当を持っていけなかった。母はふかしたサツマイモを持たせてくれたが、私は皆の前でそれを食べることが出来なかった。見かねたのだろう、担任から「浜野、先生の弁当を半分やるから一緒に食べよう」と声を掛けられて、私は思わず教室を飛び出していた。恥ずかしかったからではない。哀れみを受けたようで、悔しかったのだ。私は校庭の片隅の水飲み場で水をガブガブ飲みながら泣いた。

ある時、クラスメートの給食費が紛失する事件が起き、私が疑われた。どんなに知らないと言い張っても、担任たちにランドセルの中まで調べられた。家が貧しいというだけで疑われたことは、私にとって耐えがたい屈辱だった。結局、給食費はクラスメートが家に置き忘れていたことがわかり濡れ衣は晴れたが、この事件以来、私は誰とも口をきかなくなった。朝礼で名前を呼ばれても返事をせず、授業で指されても答えなかった。それでも学校へは毎日通った。行くことが私の意地だった。担任にもサジを投げられ、私はクラスで孤立したが、それが私を疑った大人たちへの精いっぱいの抵抗だった。

　人間が人間を、貧富の差で差別することを、私はこの時学んだ。

### ■静岡

　徳島でも生活が成り立たなかったのだろう。静岡で小さな美術工芸品の工房を経営していた母の弟からその仕事を譲り受け、私たち一家は静岡市に引っ越した。私は、安倍川に近い小学校に4年生で転校した。

　新しい学校でたくさん友達を作って、たくさん話をしようと期待に胸を膨らませていた。だが、新しい学校でも待っていたのは差別だった。私の話す阿波弁をからかわれ、国語の教科書を読まされるとクラス中に笑いが沸き起こった。担任すら笑いをこらえるような素振りを見せた。愕然としたが、やがてそれは怒りに変わった。私は徳島で生まれ育った。私の話す言葉は私の言葉だ。それをなぜ級友たちに笑われなければならないのだ。笑われる理由などない。

　私は友達を作ることを諦めた。その代わり、成績では誰にも負けない、と決意した。クラスで一番になって、私を笑った級友や担任を見返してやりたかった。まだその小学校から女子が受かったことがないという県下一の中学を受験することを目標に定め、私は必死に勉強した。

　当時、安倍川の土手下の河川敷には、朝鮮人が住むバラックがひしめき合って建つ「0《ゼロ》番地★」と呼ばれる場所があった。そこに住む同じクラスの良子ちゃんは、クラスの男子たちからいつも「臭い、汚い」といじめられていた。学校側も見て見ぬふりをし、級友の親たちは、0

**0番地**◉住居表示のない場所。多くは国有地で、道路、河川、水路、河川敷など。

番地に住む子供とは口をきくな、と言い聞かせていた。

私はそんな良子ちゃんが気にかかって仕方なかったが、なかなか声をかけられないでいるうちに良子ちゃんは学校に来なくなってしまった。

私は心配でたまらなくなり、思い切って0番地に行ってみた。密集するバラックからは薄い煙が立ち上り、強烈な煮炊きの匂いが漂う土手の中腹で、良子ちゃんはボロボロに破れた教科書を胸に抱いて泣いていた。

お父さんに、日本人は敵だ、日本の学校なんかに行くな、と言われて教科書を破られてしまったのだと言う。良子ちゃんは日本で生まれて、日本で生きて来た。なのに、大人たちの恨みつらみで、何故こんな目に合わなければならないのか、学ぶ権利を奪われるのか、私には納得できなかった。

その日から私は学校帰りに土手に通った。私の教科書でふたりで毎日勉強をした。良子ちゃんも喜んでくれたが、私も楽しかった。良子ちゃんは私の方言を笑わなかった。私も良子ちゃんがどこに住んでいようと関係なかった。良子ちゃんは私の初めての友達だった。

だが、ある日、土手で勉強している私たちのところに良子ちゃんのお父さんがやって来た。お父さんは「日本人に近寄るな！」と良子ちゃんを殴り、「日本人はとっとと帰れ！」と私に向かって怒鳴った。お父さんに引きずられて帰る良子ちゃんは泣いていた。理不尽だと思った。なぜ、私たちの友情を、楽しい時間を、大人たちの憎しみで引き裂かれなければならないのか。私はそれ以来良子ちゃんに会うことはなかった。

日本社会に差別され、0番地で生きざるを得なかった人たちは、子供だった私を憎悪の対象とするほどに日本を憎んだ。

北朝鮮への帰還事業で良子ちゃん一家は祖国に帰ったと聞いたが、良子ちゃんは幸せに暮らしただろうか？

人間が人間を、国籍や人種で差別することで、私は初めての友達を失った。

中学受験も近づいた6年の2学期の終業式だった。私は手渡された通信簿を見て驚いた。5段階評価でオール5が並んでいた。国語や算数だったらわかる。勉強もしたし、自信もあった。だが、体育まで5なのは解せなかった。私は逆上がりも出来ない。体育が5であるはずがなかった。私は職員室に理由を尋ねに行った。担任は「附属中に合格したら浜野は本校初の女子だからな。このほうが内申書に有利なんだ」と悪びれもせずにそう言った。学校ぐるみでインチキをしている。瞬時にそう理解した私は、「私の本当の成績にしてください」と通信簿を突き返した。仮にも教育者だ。どうしてこういうことが出来るのだろう。もし、そのインチキの評価で合格したとして、それが何の意味があるというのだ。いや、合格したことが逆に私から尊厳を奪い、一生負い目を感じて生きていかなければならないことにどうして気づかないのだろう。学校の名誉のために、私を利用する。それは、私の人生などどうなってもいいと言われたに等しかった。

私は教師や学校を信頼できなくなり、勉学への意欲を急速になくしていった。

## ■映画との出会い

私が受験した国立大学の附属中学は系列の小学校からエスカレーター式に進級する生徒がほとんどで、他校からは40名ほどしか入学できない難関だったが、受験科目が国語と算数、面接試験だけだったので私は合格した。この合格を父はとても喜んで、毎朝スクーターで私を校門まで送るのが日課となった。

静岡で生活を立て直そうとした父はいつも忙しかったが、映画が好きで、母と弟の家族4人で毎週土曜日に映画を観に行き、帰りにラーメンやソフトクリームを食べるのが唯一の一家団欒だった。市の中心地には「映画街」(現・シネマストリート)と呼ばれる通りがあり、30館近くもの映画館が立ち並んでいた。「銀幕週報」という映画情報新聞を見ながら観たい映画を決めるのが楽しみだった。

中学生になってしばらくたった土曜日の朝、父が突然「ごめん、今日は映画に行けないかもしれない」と言いだした。私は週に一度の楽しみが奪われたようで「いやだ、絶対に行く」と言い張った。父は困ったように「お父ちゃん、頭が痛いんよ。だから今日は我慢してな。ごめんな」と言った。それが私が聞いた最後の父の言葉だった。

午後に意識不明になった父は、救急車で搬送され、そのまま病院で死んだ。死因は戦争で受けた銃弾の破片が血流に乗って脳に運ばれ出血した、と説明を受けたが、本当のところはわからない。

父はまだ41歳だった。あのまま鳴門の海で漁師を続けていたら、こんなに早く死んだだろうか。家を流され、家族を抱え、慣れない土地で慣れない仕事をせざるを得なかった苦悩やストレスが、父の死を早めてしまったような気がしてならない。

母は専業主婦だった。たった1日で夫を亡くし、中学に入ったばかりの私と小学生の弟を抱えて途方に暮れただろう。母の弟はすでに徳島に戻り、静岡には頼れる親戚も知人もいなかった。行政に相談しても「母子寮に行け」と、にべもなかったという。当時、母子寮は一家の主を亡くした妻や子供が入る施設で、差別される対象だった。母子寮などに入所したら子供たちがいじめられる、高校や大学への進学も出来ないだろう、そう考えた母は働こうとしたが、手に職のない子持ちの36歳の女にまともな仕事などあるはずもなかった。

母は覚悟を決めたのだろう。父の工房を継ぐ決意をし、職人さんたちに技術を学び始めた。工房の仕事は、鮑の貝殻の薄板を剥がして花鳥などの型で抜き、漆で絵を描いて工芸品に仕上げるというものだったが、母は早朝から深夜まで働いた。職人さんたちが帰った後も工房から型を抜く金槌の音がいつまでも聞こえていたのを覚えている。

映画を観に行く余裕はなかった。「観たい」と言うことも出来なかった。私は土曜日になるといつのまにかひとりで映画街に通うようになっていた。お金がないので映画を観ることはできないが、映画館の壁面の手書きの看板や入り口近くに貼られたポスター、場面写真を見て回るだけでも私にとっては家族の時間が続いているようで楽しかった。

通い始めて2カ月くらい経った頃だろうか、ポスターを眺めていた私に、ひとりのおじさんが声をかけてきた。

「お嬢ちゃん、映画、好きかい?」

黙って頷いた私に、「そうか、じゃ、一緒においで」といって歩き出したおじさんは映画館に入って行き、後を追った私をスクリーンの裏の階段を上がった小さな部屋に連れて行ってくれた。部屋の真ん中には大きな2台の映写機が並んで置かれ、部屋中にフィルム缶が積み上げられた、そこは映写室だった。

「ここがおじさんの仕事場なんだ。職人さんだ。ここから映画は生まれるんだよ」

おじさんは映写機にフィルムをかけ、「覗いてみな」と言って、小さな窓を指した。

映写機が回り始め、暗い館内に小さな映写窓から真っ直ぐに光が伸びて、スクリーンに映像が映し出された。音楽が流れ、役者が動き、物語が紡がれていく。それは紛れもなく映画だった。私はその時の感動を忘れない。

私はその日から学校帰りに毎日映写室に通った。映写窓から映画を観続ける私に、映写技師だったおじさんは映画についていろいろなことを教えてくれた。映画が35ミリのネガフィルムで撮影され、プリントと呼ばれるポジフィルムで上映されることも私は知った。

「映画はな、生き物なんだ。プリントは暑い時には汗をかくし、寒い時には縮こまる。おじさんの仕事はいつもこいつを一番いい状態に仕上げて、お客さんに観てもらうことなんだよ」

いつしか私は映写技師のおじさんの話す「映画」に魅せられていった。監督になりたいなどという大それた望みはなかったが、このおじさんのようにいつか私も映画に関わる仕事がしたい、という想いはこの時に芽生えたのだろう。

## ・反抗の兆し

一方、私の中学での成績は下がって行った。級友は医者や弁護士など豊かな家庭の子供が多かった。自身の家庭環境を恨んだことはなかったが、徐々に級友たちとは話が合わなくなっていった。クラスで私は「ビーチ」(浜)というあだ名で呼ばれていたが、「ビーチは学校帰りに映画館に通っているようだ」という噂が立ち始めた。当時は映画館に中学生が一人で行くなど不良扱いでしかなかったが、そんな私に声を掛けて来たクラスメートがいた。

芳江という名の彼女は隣の市の開業医の娘だったが、私を本気で心配してくれ、私も彼女に心を開いた。私たちは毎日放課後になるといろいろなことを話し合った。彼女になら私は生い立ちも何もかも素直に話すことが出来た。学校で話すだけでは足りなくて、私たちは家に帰ってからも電話で何時間も話し続けた。会えない日曜日は心に穴が開いたようだった。私は映画を観ることより彼女との時間の方が大切になって行った。

ある日の放課後、私は担任に職員室に呼ばれた。行ってみるとそこに母がいた。

　毎晩の長電話に彼女の親から苦情が出たのだという。夜遅くまで工房で働いていた母はそのことを知らなかったが、申し訳なさそうに謝っていた。私が電話をしていただけで、なぜ母が謝らなければならないのか、私には理解できなかった。担任は困ったような顔をして、「芳江のお母さんはお前たちがエス★ではないかと心配しているんだ」と言った。エス？　思いがけない言葉だった。エスとは女の子同士の友情を超えた関係を指す言葉だ。そんなことを疑われるとは思ってもいなかったが、大人がそんな目で私たちを見ていたと知って、私は動揺し、どう反論していいかわからなかった。

　私は彼女が好きだった。心から信頼できて、母にも言えないことを言えるたった一人の親友だと思っていた。なのに大人が憶測で私と彼女との間にズカズカと入って来たような気がして、私は打ちのめされた。

　電話を禁じられ、門限を決められた彼女は私と話すことが出来なくなった。短い休み時間に顔を合わせることぐらいしか出来なくなった私は寂しくてたまらなかった。私も彼女も望んでいないことが、大人たちの思惑で決められてしまったことを私は許せなかった。私から親友を奪う権利は誰にもないはずだ。

　私は大人を憎んだ。

　中学3年になり、級友たちは高校受験で忙しくなって私と彼女の距離はますます離れた。私は受験勉強に力を入れる気にもならずにいたが、それでも県立の女子高に合格した。彼女は県下一の進学校である共学の県立高校に進み、会うこともなくなった。私が不良のレッテルを貼られ、停学になって修学旅行に行けないことが噂になった時、「ビーチは不良なんかじゃない」と私の高校に掛け合ってくれたことを後で知った。連れて行くと何をするかわからないという理由で修学旅行に行けず、暴れるのではないかと恐れられて卒業式にも出席できなかったが（2週間遅れで卒業証書を受け取った）、大人が壊そうとした私たちの友情が彼女の中に残っていたことが嬉しかった。

## ■三つの自分

　高校時代の私はメチャクチャだった。まるで多重人格者のように三つの自分を抱えていた。

## 〈スケバン〉

学校は面白くなかった。授業をサボって校門近くのおでん屋に入り浸った。毎回担任が探しに来て教室に連れ戻されたが、テストを白紙で提出したり、反抗的な態度ばかり取っていた。

学校が終わると私は街に遊びに出かけるようになり、毎晩ダンスホールで踊り明かした。ツイストが流行り、ジュークボックスからはダンスミュージックが流れていた。

2年生になる頃にはダンパ(ダンスパーティ)を企画し、パー券(パーティ券)を売って遊ぶお金を稼いだりした。

お酒も飲んだし、煙草も吸った。遊び仲間も増えていった。ただ、そんな遊び仲間にも女への差別があり、女子は男子にいいように遊ばれることも多かった。やりたい盛りの悪ガキたちだ。レイプまがいの事件も起きた。私はそれが許せなかった。

私は他校の男子高校生たちを集めて子分にし、女子にひどいことをした奴を見つけ出しては子分たちを使ってきちんと詫びを入れさせた。遊び仲間の女子たちから頼られ、いつしか私はスケバンと呼ばれるようになっていた。

## 〈民主青年同盟〉

学校に行かなくなった私を心配して、毎朝家まで自転車で迎えに来るクラスメートがいた。近所の牛乳店の娘だったが、その牛乳店は牛乳と一緒に日本共産党の機関紙「アカハタ」(現・しんぶん赤旗)や「民主青年新聞」を配達していて、私の家にも「アカハタ日曜版」(現・しんぶん赤旗日曜版)と「民主青年新聞」が届くようになった。母が勧められて購読したのだろう。毎朝迎えに来てくれる同級生への感謝の気持ちだったのかも知れない。

だが、その民青新聞が私を変えた。

私はその新聞で原水爆禁止運動を知り、沖縄の祖国復帰運動を知った。静岡県焼津漁港のマグロ船「第五福竜丸」がアメリカの水爆実験で被爆したことも知った。その新聞は、私が今まで抱えていたモヤモヤに出口を与えてくれたようだった。社会の中での差別が明確に批判されていた。弱い者が苦しめられていく構図がわかりやすく解説されていた。私はその新聞にのめり込んでいった。深夜遊んで帰っても布団の中に懐中電灯を持ち

エス◉「sister」から派生し、女学生同士の擬似恋愛的な関係を指す。

込んで、むさぼるように読みふけった。

私は「日本民主青年同盟★」の同盟員になることを決意した。もっと社会を、そして何が正しいのかを知ることを欲した。民青は15歳から30歳までの若者で構成され、なかでも若い同盟員だった私は昼の時間の全てを同盟活動に充て、1964年に広島で開催された「第10回原水爆禁止世界大会」に静岡の高校生代表として参加した。広島にはまだ生々しい原爆の記憶が残り、被爆者たちの憤怒と苦悩を肌身で感じて私は震えた。

私の父は職業軍人だった。フィリピンでパラシュート部隊を率いていた父は、自分が食べなくても部下に食料を分け与えた、と口癖のように言っていた。過酷な戦況の中で部下を見殺しにせざるを得なかった自身への負い目だったのだろうか。その父もパラシュートで降下中に機銃掃射で受けた銃弾の破片が原因で死んだ。父の死も戦死だったのだ。

私の中に「戦争」という二文字が強く刻み込まれた。


**〈映画〉**


民青でも地区の高校生班のキャップとなり、昼は民青、夜はスケバンという二足のワラジを履いて過ごした。だが、映画を忘れることは出来なかった。日曜日になると私はアルバイトに精を出し、映画を観に行くお金を捻出した。時間さえあれば、洋画、邦画を問わず浴びるように映画を観た。スケバンも民青もどちらも根っこは同じ自分だと思っていたが、映画館の暗闇の中にいる時だけが唯一安息出来る時間だったのかも知れない。

高校3年になった頃、私は邦画を観ていて何か居心地の悪さを感じるようになった。最初はそれが何なのかよくわからなかったが、徐々にスクリーンでの女の描き方がおかしいのではないか、と思い始めた。特に女優たちの言葉使いが気になった。

「……でございますわ」「……になりますわよ」「おやめになって」「いけませんことよ」

演じる役は違っても、映画の中の女たちの台詞が皆同じ口調、同じイントネーションなのだ。こんな言葉使いをする女は私の身近にはいない。女とはこういうもの、と決めつけられているような違和感があった。もちろん下町のおかみさんや土俗的な百姓女もスクリーンに登場した。しかし、それは男にとって「性」の対象とはならず、と言わんばかりの描かれ方だった。

何故、女をこんな風にしか描けないのか？　これは「女」という性への差別なのではないか？　男に守られるだけの女、それが映画で描かれる女であるなら、日本映画は男にとって都合のいい女しか描いていない。

私は邦画に見切りをつけ、洋画ばかりを観るようになった。女性の描き方がカッコいい映画、女が男と対等な関係を持つことが当たり前のように描かれている映画。そんな映画が作りたい。それが映画を観るだけでなく、映画を作る側になりたいと思ったきっかけだった。

高校を卒業した私は上京し、東京写真専門学院に入った。映画を学びたかったが、当時は映画を学ぶための大学も専門学校もなかった。不本意ではあったが、そこで学んだフィルムの現像や焼き付けは、かつて映画は生き物だと私に教えてくれた映写技師のおじさんの言葉がリアルに理解できたようで嬉しかった。

専門学校は御茶ノ水にあり、私は学生寮のあった千葉の下総中山から総武線で通いながら、映画への足掛かりを探した。2年に進級した頃、私は草月《そうげつ》アートセンター★が作品を公募することを知った。これはチャンスだ。映画の作り方も知らなかったが、誰よりも映画を観てきたという自負があった。私は同じ寮に暮らす学生たちを誘って短編を作ることを決意した。脚本と監督は私。フィルムは16ミリと決めたが、カメラマンをどうするかが難問だった。8ミリが趣味の学生はいたが、16ミリとなるとプロのカメラマンでないと無理だ。制作資金を母や親戚にも借りた私の最初の作品だ。趣味の延長のようなものにしたくなかった。この応募で映画界への道を拓きたかった。

寮は中山競馬場の近くにあった。土日の開催日になると駅から競馬場にむかう通称おけら街道★と呼ばれる道が人で溢れ、新聞やテレビの報道車両も行きかっていた。私は競馬場に行って、パドックで馬の姿をカメラで追っていたテレビ局のカメラマンに声を掛けた。映画を撮れるカメラマンを探していることを伝えると、まだ助

**民主青年同盟**◉正式には日本民主青年同盟。日本共産党の指導のもとにある青年組織で、15歳から30歳までが参加。

**草月アートセンター**◉旧・草月会館を本拠に1958年に勅使河原宏によって設立された組織。60年代のジャズ、現代音楽、実験映画、アニメーションなど、前衛的な芸術・文化を牽引する。

**おけら街道**◉「おけら」はギャンブルに失敗して無一文になること。

手だが映画の撮影部として働いている友人がいる、と連絡先を教えてくれた。私はすぐさま彼に連絡をし、協力を頼んだ。彼にとっても初の一本立ちだ。快く引き受けてくれ、映画を撮れる条件が揃った。

ロケ地は静岡県浜岡町の浜岡砂丘と決めた。砂丘の波打ち際に朽ちかけた漁船が打ち上げられ、何年も放置されているのを知っていたからだ。その船を私は舞台にしたかった。

朽ちた船に住む狐の面を被った全裸の少女を主人公にしたシナリオを書き、キャスティングに取り掛かったが、誰も手を挙げない。無理もなかった。仲間は皆二十歳前の学生だし、最初から最後まで全裸で砂にまみれる役をやりたい女子なんていない。仕方なく私が演じることになってしまった。主役をやれるような器量は持ち合わせてはいなかったが、まあ、全編狐の面を被っているので、何とかなるだろう。セリフもない無言劇だったように記憶している。

ロケ中は静岡の私の実家で合宿し、母が食事の世話をしてくれた。ロケ期間は1週間ほどだったが、私にとっては初めて映画と向き合った夢のような時間だった。

撮影したフィルムの現像や編集もカメラマンの紹介でプロに頼むことが出来、私の初めての作品は30分の映画として完成した。この短編は公募で選ばれ、スクリーンで上映された時の感動と興奮の中で、私はこれで映画への道が拓けたと信じた。

だが、そんな道など拓かれていないことを、私はすぐに知るようになる。それは私が「女」だったからだ。

# 2章

# ピンク映画へ

## ■若松プロ

公募作品が上映されると、スポーツ新聞や週刊誌から取材が殺到した。ある女性週刊誌は4ページの特集を組み、大々的に報じてくれた。だがそのほとんどは「19歳の女の子がオールヌードで映画を撮った」という興味からだった。深夜番組「11PM（イレブンピーエム）」にも出演したが、この時は司会の藤本義一氏が映像の一部を紹介し、内容をきちんと評してくれて安堵したのを覚えている。

だが、映画界のどこからも誘いはかからなかった。応募作品の他の男性監督たちはテレビ映画を制作している国際放映などに就職が決まったという話も聞こえてきた。焦った私は大手の映画会社に片っ端から電話したが、監督になりたいと言うと、呆れられ、笑われた。監督になるためには、撮影所に演出部として就職しなければならなかったが、その就職条件が「大卒・男子」だったのだ。「高卒・女子」の私は最初から門前払いだった。

くそったれ！　女になれない職業があってたまるか！　愕然としたが、それが現実だった。映画界の壁は、高く、厚く、強固だった。誰に相談しても、女が監督？　と相手にされなかった。女が映画の現場に入りたいなら記録★か結髪《けっぱつ》★しかない、と言われたが、私がなりたいのは監督だ。女の監督でしか、女の描き方は変えられない。映画の作り手が男しかいないから、女を差別し、軽視し、蔑視しても気付かない。私が映画を作る。女が映画を作る。そして、男が描いてきた女性像を変える。

そう決意したが、道はなかなか拓かれなかった。手応えすらなく行き場を失った私は東京写真専門学院を卒業後、いったん静岡に帰ることを余儀なくされた。市内にあるコマーシャルフォトスタジオに就職したが、映画への道をどうしても諦めることが出来なかった。

私は再び上京し、渋谷の連れ込み旅館街のなかにある古ぼけたアパートを借りて、渋谷や新宿の映画館に通い始めた。映画の本編よりも最後に流れるクレジットタイトルに目をこらした。大手5社以外に映画を作っている会社はないのだろうか？　それを探すのが目的だった。

ある日、私は新宿の映画館で『金瓶梅《きんぺいばい》』（1968年）という映画を観た。中国の古典を原作としたエロス大作のような映画だったが、最後のクレジットに「製作・若松プロダクション」、「監督・若松孝二《わかまつこうじ》★」という表示があった。

私は、すぐさま電話帳で住所を調べ、その足で原宿の若松プロを訪ねた。運よく若松監督に会うことが出来たが、「女の助監督なんかいらない」とケンもホロロに追い返されてしまった。

だが、ここで諦めるわけにはいかない。やっと見つけた映画界への入り口なのだ。

私は、若松プロのあるセントラルアパートの近くに引っ越し、無視されても無視されても若松プロに通い続けた。

毎朝部屋中に散乱した空の酒瓶や煙草の吸い殻を掃除し、ソファに脱ぎ捨てられたシャツや靴下を洗濯し、夜毎の宴会の買い出しに行き、料理を作った。

「女は生理があるから神聖なカチンコ★は持たせられねえ」、「映画は男のロマンだ、女にわかるか?」などと理不尽なことを言われながら3カ月くらい経った頃だっただろうか。監督で脚本家でもある大和屋竺《やまとやあつし》★さんが若松監督に「若ちゃん、これからの日本映画界に女の監督がひとり位いたっていいんじゃないの」と言ってくれたのだ。

当時の若松プロは若松監督を筆頭に大和屋竺、足立《あだち》正生《まさお》★、沖島勲《おきしまいさお》★、助監督に小水一男《こみずかずお》★（通称ガイラ）や秋山《あきやま》

---

**記録**◉現在のスクリプター。映画の撮影現場で各シーンの状況を記録し、カットとカットの繋がりがスムーズに行くようにする。

**結髪**◉現在のヘアメイク。

**若松孝二（1936〜2012）**◉映画監督・プロデューサー。1963年ピンク映画で監督デビュー。1965年若松プロダクション設立。反体制の異色作を多数送り出した。晩年の『実録・連合赤軍　あさま山荘への道程』『キャタピラー』も内外の高い評価を受ける。

**カチンコ**◉撮影現場でスタートを合図する道具。蝶番式の拍子木と、その下の小さな黒板がセットとなっている。黒板にはシーン番号、カット番号、テイク番号が記される。

**大和屋竺（1937〜1993）**◉映画監督・脚本家。日活に入社し助監督となるが、若松孝二作品の脚本を共同執筆。1966年若松プロ『裏切りの季節』で監督デビュー。日活を退社し若松プロへ。監督作に『荒野のダッチワイフ』『処女ゲバゲバ』など。

**足立正生（1939〜）**◉映画監督・脚本家。1961年監督作『椀』で学生映画祭大賞。若松プロに加わり『堕胎』で商業映画監督デビュー。71年パレスチナに渡り『赤軍　PFLP・世界戦争宣言』を撮影・制作。日本赤軍に合流し、2000年帰国。『幽閉者　テロリスト』『断食芸人』を監督。

**沖島勲（1940〜2015）**◉映画監督・脚本家。1969年『ニュー・ジャック&ヴェティ』で監督デビュー。テレビアニメ『まんが日本昔ばなし』で脚本を担当。

**小水一男（1946〜）**◉映画監督・脚本家・俳優・写真家。1966年に若松プロ入社。1970年に『私を犯して』で監督デビュー。監督作に『ラビットセックス　女子学生集団暴行事件』『ほしをつぐもの』など。

未知汚《みちお》★（通称オバケ）などがいたが、大和屋さんは「若松プロの頭脳」と言われ、若松監督が受けるインタビューの受け答えの原稿まで書いていた。若松さんは大和屋さんには頭があがらないらしく、「そうか、あっちゃんがそう言うなら、まあ、いいか」としぶしぶ私を助監督見習いとして扱ってくれるようになった。

若松プロの直近の現場は足立組『性遊戯』（１９６８年）で、私はサードとして付くことになり、チーフがガイラ、セカンドがオバケだった。

演出部はチーフがスケジュールを組み、セカンドが衣装や小道具をそろえ、サードがカチンコと役割が決まっていた。私は女には持たせられないはずの「神聖なカチンコ」を打つことになったが、これが難しかった。「カチンコ3年」と言われるくらいの職人技なのだ。私はその日からセントラルアパートの屋上で練習を始めたが、なかなかカチンッ！　という小気味のいい音を出すことが出来ず、毎日のように中指に血豆を作った。

オバケは私と同じ歳で気安さもあったのだろう、小道具の集め方などを教えてくれたが、学園紛争で荒れた大学のバリケードに忍び込んで勝手に備品を持ち出したり、書店から高価な本を黙って持ってきたりした。「いや、借りてるだけだよ」とこともなげに言われて私も何度かやらされたが、不思議とオバケの言うとおりにやるとうまくいった。後にオバケが「原宿の万引き王」と呼ばれ、それが勲章のように称えられていることを知ったが、あの騒乱の時代だったからこそだろう。

仕事が終われば毎日のように新宿に通った。フーテン族★と呼ばれる若者たちがたむろする「喫茶風月堂《ふうげつどう》」や、新宿三丁目の映画館「アンダーグラウンド蠍座《さそりざ》」が溜まり場だった。いつの間にか新宿が私の居場所となっていた。

## ■初めての現場

足立組『性遊戯』は東京近郊の一軒家がロケ現場だった。スタッフやキャストの総勢15名ほどが合宿しての撮影だったが、そこで思わぬ出来事が起きた。

合宿と言っても女優以外は雑魚寝である。女のサード助監督のための部屋はない。私は女優の部屋の片隅で寝ることになったが、初めての現場の緊張と疲れですぐに寝入ってしまった。深夜、物音で目を覚ますと、いつの間にか隣の布団で役者同士のリアルなセックスが始まっていた。息づかいがすぐそばから聞こえ、私は起きていることを悟られないように息を潜めたが、眠らなければ明日の仕事に差し支える。私は思い切って「明日の朝も早いし、眠らないといけないのでやめて欲しい」と頼んだ。しかし、私の存在など意に介さないのだろう、一向にやめる気配はない。私は仕方なく布団を引きずって部屋を出ると、廊下の隅で眠った。

翌朝、サードごときが役者に意見したと大問題になっていた。スタッフから「お前が悪い。ふたりに謝れ」と責められ、私は混乱した。怒られるだけならまだしも、なぜ謝らなければならないのだ。納得がいかない私はそのまま現場を飛び出してしまった。所持金もなく若松プロのある原宿まで歩き始めたが、歩きながら体が震えるような恐怖が襲ってきた。取り返しのつかないことをしてしまったのではないか、もう二度と映画の世界に戻れないかも知れない……。

だが、たとえ謝って許してもらえても、私はそんな自分を許せないだろう。私は私の納得できる道を行くしかない。撮影現場から原宿まで歩いた8時間は、私に新たな覚悟を決めさせる道程となった。

事務所では若松監督が私を待っていた。監督は私を叱りはしなかったが、「どんな理由があっても、助監督が現場を放棄するのは失格だ」と言われ、「じゃあ、辞めます」と若松プロを辞めてしまった。だから、私は時々若松プロ出身のように言われ、自分でも出発点は若松プロです、と言うことがあるが、現場に就いたのはたった1日だったのだ。後に若松監督から「お前は俺の現場に就いたことなんかないんだから、若松プロ出身のような顔してんじゃねえよ」と苦笑交じりに言われたが、あの時の生意気な見習いが監督になったことを喜んでくれただろうか。

**秋山未知汚（道夫。1948～2018）**◉プロデューサー・俳優・編集者・他多数。1960年代後半、若松プロで脚本、音楽、ポスター制作、助監督など担当。「秋山未知汚」名義で役者として出演。その後多彩な分野で活躍。

**フーテン族**◉1960年代後半、新宿駅東口周辺に、特に明確な目的なく集まった若者たちを指す。ファッションなどから「和製ヒッピー」とも呼ばれた。

## ■フリーの助監督へ

勢いで若松プロを辞めてしまったものの、映画につながる道を見つけることが出来ないでいた。新宿の蠍座や風月堂には相変わらず入り浸っていたが、ある日、フーテン仲間からブルーコメッツが映像を撮れる人間を探しているという情報を得た。当時の音楽業界はGS（グループサウンズ）の全盛期で、ジャッキー吉川とブルーコメッツは「ブルー・シャトウ」という曲を大ヒットさせていた。ともかく話を聞いてみようと私は事務所を訪ねた。コンサートで歌うバックに流す映像が欲しいという。ブルコメのマネージャーは私が若い女なので不安そうだったが、プロのチームを組むことを条件に引き受けることが出来た。この仕事は私にとって再び映画のスタッフとつながるチャンスだった。私は足立組で撮影部のチーフ助手だった斉藤雅則《さいとうまさのり》（クレジット名・久我剛）さんに連絡を取り、カメラマンを頼んだ。斉藤さんから照明部の出雲静《いずもせい》二《じ》（クレジット名・秋山和夫）さんを紹介され、3人でチームを組んだ。私が監督・構成だ。今考えるとずいぶん無謀なことをしたものだが、三浦半島の海と空をモチーフにした映像は気に入ってもらえたようだった。出雲さんはその後、照明技師として私の作品を20年余にわたって支えてくれることになる。

私は斉藤さんや出雲さんに制作会社や監督を紹介してもらい、フリーの助監督としてピンク映画の現場に戻った。今度こそ！　と張り切ったが、待っていたのは（今の言葉で言えば）セクハラ＆パワハラの嵐だった。

最初に就いた現場は、『好色一代　無法松』（１９６９年・六邦《ろっぽう》映画）だった。監督は武田有生《たけだゆうせい》★、ロケ地は信州・別所温泉。『無法松の一生』のピンク版といった内容で、無法松に港雄一、未亡人に辰巳典子、大学生に野上正義《のがみまさよし》といったキャスティングだった。港雄一は「犯し屋」の異名を持つ強面《こわもて》が売りの男優だったが、「おい、女助監督、ちょっと来い」と呼ばれて行くと、いきなり浴衣の裾をめくって裸の下半身を露出した。スタッフたちも皆面白そうに私の反応を見ている。「キャー！」と叫んで狼狽えれば男たちの思うつぼだ。悔しかったが、何も見なかったふりをして仕事に戻った。男の世界に間違って紛れ込んできた若い女。私は格好のオモチャだったのだろう。

地方ロケと言えば酒がつきものだ。撮影が終了すると私は旅館の布団部屋の隙間で寝たが、深夜酔っ払った制作部が部屋を間違えたふりをして入ってくる。私は布団の下に包丁を隠して、いざとなると振り回して撃退した。ただ、当時の映画の現場はパート分けがきっちりできていて、たとえぺえぺえでも演出部のスタッフに撮影部や照明部は手出ししない。制作部は演出部と仕事がかぶることもあり、下っ端助監督など言うことを聞く子分のように思っていたのだろう。私は技術パートに頼んで、撮影や照明の機材置き場で寝させてもらったりした。

監督がトイレに行くと、お尻拭きの紙を持ってトイレの前で待たされた。キャストやスタッフの給仕を終え、食事をしようと箸を取った途端、「助監督が座って飯を食うな！」と味噌汁椀が飛んできた。食事も出来ずに現場に飛び出す私を見かねて、旅館の仲居さんがこっそりおにぎりをくれたこともあった。私はそのおにぎりをトイレで用を足しながら食べた。それでもつらいとは思わなかった。女がひとりで男たちの中に混じるのだ。女であることを理由に追い払われないよう必死だった。

真冬の山の中のロケで風邪をひき、高熱でフラフラになってしまった私は「役に立たない助監督はいらない」と言われて、深夜雪の降る真っ暗な山道をひとり歩いて町に降りた。悔しかった。風邪をひいてしまったのは自分の責任だ。こんなことで現場を追われたら……。そう考えるだけで、いてもたってもいられなかった。救急病院を探し、「死んでもいいから明日の朝までに熱の下がる注射をして欲しい」と頼んで呆れられたが、私は本気だった。「女は役に立たない」と言われて排除されるくらいなら、このまま死んだ方がましだった。

### ・ピンク映画界への疑念

この武田組のロケは、私に「ピンク映画」という現実をまざまざと見せつけた。このままピンク映画をやり続けることが出来るのか私は悩んだ。つらかったからではない。女だというだけで、あまりにも理不尽な仕打ちだ。映画監督になりたい、その思いは変わらない。だが、ピンク映画で監督になったからといって、本当に撮りたいものが撮れるのか？

**武田有生**（1932〜）◉映画監督・脚本家。1965年『好色あんま日記』で監督デビュー。パートカラーの発案者とも言われている。

新東宝の社長だった大蔵貢《おおくらみつぎ》氏★の「女優を妾にしたのではない。妾を女優にしたのだ」という有名な言い草があるが、ピンク映画界の内部も相当に乱れていた。監督と女優、タレント事務所の社長と所属女優などのトラブルも日常茶飯事で、女に言うことを聞かせるには肉体関係に限るとばかりの風潮だった。女同士の争いも起こった。夫(監督)が女優を家に引き入れ、妻が自殺する事件も起きた。

私には解らなかった。女にとって、性とは、セックスとは何なのか？　私に体験がなかったわけではない。だがそれは、心までも預けてしまうようなものではなかった。ある日、私と仲がよかった女優が私に言った。「私、二番手になっちゃった」。所属するタレント事務所の社長と彼女の仲は知っていた。彼女は一途に社長を愛していた。だが、その社長が19歳の新人女優に手をつけたのだ。「怒ればいいのに」と言った私に、「いいの、尽くしていればいつかまた私が一番になれるかも知れないし……。それに、私ももう歳だから……」と彼女は半ば諦めたように答えた。そんな馬鹿な、と思った。彼女だってまだ20代半ばではないか。

だが、女＝若さ、という価値観が日本社会を覆っていたことも事実だった。25歳になれば「売れ残りのクリスマスケーキ」、30歳を過ぎれば「賞味期限切れの弁当」と嘲笑され、男に相手にされなくて当たり前、という風潮だった。

〝女〟とは何なのか？　ピンク映画で描かれる女性たちもまた、レイプされても感じる女、抱かれると男に縋りついてしまう女、女は子宮で考える、とばかりの描かれ方だった。ピンク映画は社会の中の女性差別を増幅しているのではないか。ピンク映画界への疑念が、私の中に芽生えていた。

## ■新宿ゴールデン街

静岡に戻る気にはなれなかった。映画監督への夢を諦めたわけでもなかった。ただ、今何をなすべきなのか、どこに向かうべきなのか、わからなくなっていた。ピンク映画から距離を置いて考える時間が欲しかった。

私はその頃、新宿三番街の「小茶《こちゃ》」という小さな飲み屋に毎晩のように通っていた。映画関係者や演劇人の溜まり場のような店だったが、小茶のおばちゃんは食えない助監督の私を本当の娘のように可愛がってくれた。だが、いつまでもおばちゃんに甘えるわけにはいかない。何とか映画以外で食う方法はないものか。そう考え始めた時、三番街に近接するゴールデン街に空き店舗が出たことを知った。私が店をやったら、映画仲間が飲みに来てくれるのではないか。そんな安直な考えで、母を説得し、資金を出してもらってその店を借りた。母も心配だったのだろう。上京して新宿に部屋を借り、店を手伝ってくれることになった。

3カ月が経った頃、サラリーマン風の男ふたりが入って来て、舐め回すように私と母を見た。「俺、若い方な」、「じゃ、俺は年増でいいや」。ゴールデン街がかつて青線★だったことは知っていたが、ショックだった。当たり前のように女を買おうとする男がいる。女を値踏みする男がいる。この社会の中で〝女の性〟とは何なのか?

私は飲み屋を続ける意欲を失くし、ピンク映画の現場に戻った。帰る場所は映画しか無かった。今度こそはどんなことがあっても、映画から逃げない。何が何でも監督になる。その覚悟だった。

## ■再び、現場へ

セクハラやパワハラは覚悟の上だったが、悩まされたのがトイレだった。山間地や海岸などロケ地の近くにトイレがないことも多かった。女優は制作部が車で公衆トイレまで運ぶが、助監督が車を出してくれとは口が裂けても言えない。男たちは堂々と立ちションをしているが、女だって出来ないことはない。鳴門のおばさんたちは野良着の裾をヒョイとめくって畑でしていたではないか。なりふり構ってはいられない。私はシャツを腰に巻いて立ちションすることにした。周りはさすがにギョッとしたようだったが、そのうちに若いスタッフたちが暗幕で回りを囲ってくれるようになった。見ている方が恥ずかしかったのだろう。

**大蔵貢**(1899~1978)◉戦前、無声映画の活動弁士から映画館経営者となる。戦後、新東宝の社長に就任し『明治天皇と日露大戦争』などのヒット作を生む。1960年に解任され、翌年新東宝は倒産。1962年、大蔵映画を設立する。

**青線**◉1946年、連合国最高司令官総司令部(GHQ)によって日本の公娼制度は廃止されたが、従来の遊廓地帯などを特殊飲食店街として黙認したのが「赤線地帯」。それに対し裏口で買売春を行う私娼街を「青線地帯」と呼んだ。

トイレよりも問題だったのが生理だった。当時はタンポンなどなく、生理用品はアンネと呼ばれるナプキンだった。多い日には2時間おきくらいに交換しなければならない。私はナプキンを何枚も重ねて使ったが、現場で走り回るのが助監督だ。いつ失敗するか気が気ではなかった。

女優さんたちはどうしているのだろう？　カラミの撮影と生理がぶつかることだってあるはずだ。女の助監督の私は、時々女優さんから生理用品の買い物を頼まれることがあった。そんな時、私はそれとなくどう対処しているのか聞いた。カラミの撮影といっても、今と違ってかなりソフトなものだ。映倫の規制で乳首は見せられないし、男女の腰と腰が重なってもNGだったが、それでも生理には苦労しているようだった。海綿を入れて前貼りを貼るという人が多かったが、なかにピルを飲んでいるという女優さんがいた。詳しく聞いてみると、ピルは避妊薬だが、飲み続けている間は生理が来ないので撮影に合わせて調整すると言う。衝撃だった。そんなことが出来るなら、私にとって夢の薬だ。

私は休みの日になると電話帳に載っている薬局に片っ端から電話を掛けた。ピルが解禁される30年前で、扱っている薬局はなかったが、生理痛の治療などに使う医者もいるという情報を得た。私は、いくつもの産婦人科を受診し、生理痛を訴えたが、ピルを処方してくれるところはなかった。だが、諦めることはできない。生理を自在にコントロールできたら、私は私の体から自由になれるのだ。私は、ピルを教えてくれた女優さんに連絡を取り、彼女もコネで紹介してもらったという渋谷の産婦人科医院でやっと入手することが出来た。生理は通常28日周期で来る。20日間ピルを飲み続け、止めて1週間前後で生理になるように調整するのだが、現場はそううまくは回ってくれない。タイミングを調整できないまま2カ月近くも飲み続けることもあり、ホルモンのバランスを崩して顔や手足がパンパンにむくんだ。

酒の失敗もあった。映画が完成した後の打ち上げで男のスタッフたちに交じって飲むのは、何か一人前と認めてもらえたようで嬉しかった。ある時、新宿の飲み屋で体の大きな照明部が一升瓶をラッパ飲みしたことがあった。「女に出来るか？」とからかわれて、私も負けじとラッパ飲みした。その後の記憶はない。気がついたのは原宿の東郷神社前の歩道だった。後で聞いたところによると、タクシーを降りて車道に倒れ込んだ私を東郷女子学生会館の学生が目撃し、何人かで歩道にまで引きずってくれたのだという。そのまま車道に倒れていたら車に轢かれて死んでいただろう。

あの頃の私は「男並みになること」「男に負けない仕事をすること」だけを目指してガムシャラだった。いつも「負けてたまるか！」とだけ思っていた。それでもつらいことはあった。相手が男なら私も闘い甲斐があった。「コンチクショー！　負けるものか！」と頑張れた。だが、女優さんからのイジメにはどう対処していいかわからず途方に暮れた。

現場で出会った女優さんたちは、同性としての私を嫌がるタイプと可愛がってくれるタイプに分かれた。嫌がるタイプの女優さんは、ほとんどが撮影所の大部屋出身で、ピンクに出れば主役が張れる、と移って来た人たちだった。芝居はうまかったが同時にプライドが高く、裸になることに抵抗感を持っていた。相手が男なら仕事として割り切れるが、同性の目に裸を晒《さら》したくはなかったのだろう。私はイヤとはいえないやり方でイジメられた。真冬の湖で小道具のハンカチを氷の張った湖面に落とされ、取りに行かされた。薄い氷は私の体重を支え切れず、下半身ずぶ濡れになって戻った私は「もうひとつ同じものを用意しておけばよかったのに」とせせら嗤われた。

私を可愛がってくれる女優さんたちは、素人からいきなりピンクに出るようになった人たちが多かった。いろいろな理由で裸になることを決意した人たちだが、私という同性を頼りにしてくれた。年齢が近かったこともあっただろう。特に1歳年上だった白川和子《しらかわかずこ》さん★とは現場以外でも親しくなった。白川さんの部屋に泊まった時は、お互いに映画への夢を語り合い、「私もサチも今はピンクだけれど、いつか本当に自分が納得できる

**白川和子（1947〜）**◉俳優。女子大在学中に劇団に入る。1967年向井寛監督のピンク映画でデビュー。1971年日活ロマンポルノの専属女優となる。1973年引退。1976年『青春の殺人者』で女優復帰。浜野監督作品『第七官界彷徨―尾崎翠を探して』『百合祭』に出演。

映画を作ろうね」と励まし合った。いつの間にか白川さんは私をサチと呼び、私は白川さんを和子と呼ぶようになっていた。

1971年に日活がロマンポルノ★をスタートさせ、和子は第一作の『団地妻　昼下がりの情事』の主演に引き抜かれた。大手の一角だった日活は傾きかけた社運をかけてポルノ映画に進出したが、それまではアクション映画や青春映画を作って来た会社だ。ポルノを撮るノウハウを持っていなかったのだろう。和子たちピンク女優だけでなくスタッフもリクルートされた。私も演出部として誘われたが、私はそれまで自分を育ててくれたピンク映画を裏切るようなことはできなかった。

和子も悩んでいたようだった。ピンクであれば成人映画館限定の上映だが、ロマンポルノは全国区だ。家族や親戚の目に触れることもあるだろう。だが、ピンクとロマンポルノでは規模も予算も作り方も大きく違う。女優として生きるなら、思い切って行くべきだ、と私は和子に進言し、和子は「サチが監督になったら、私、必ず出るからね」と約束してくれた。

同年、私は監督となり、その後27年にわたってピンク映画を撮り続けたが、ロマンポルノ引退後、テレビや一般映画で活躍する和子に声を掛ける機会はなかった。だが、1998年に初の自社（旦々舎）制作で『第七官界彷徨―尾崎翠を探して』を撮ることになった時、私は和子に出演を依頼して、あの時の約束を覚えているかどうか尋ねた。和子は「もちろん、覚えているわよ！セリフがない役だって出るわよ！」と力強く答えてくれ、私の一般映画進出を喜んでくれた。

第74回毎日映画コンクール（2019年）の「田中絹代賞」を和子が受賞し、「一番先にサチに知らせて、喜んでもらいたかった」と電話をもらった時は、共にピンク映画からスタートした和子の受賞と友情が心から嬉しかった。

## ■女助監督への視線

「面白い女の助監督がいる」と評判になった頃、私にもやっと一人前の演出部としての仕事が来るようになった。もちろん「女であること」に伴う面倒はついて回ったが、多少の事には動じなくなっていた。

例えば、助監督の仕事のひとつにロケセット探しがある。大手のように自前の撮影所を持たないピンク映画は、すべての撮影を現存する場所や建物でまかなうのだが、そう簡単には貸してもらえない。いまでこそピンク映画という名称は定着しているが、当時は「ハダカ映画」「お色気映画」「桃色映画」などと呼ばれていたのだ。仕方なく自主映画と偽って借りるのが常套手段だったが、それではカラミ(ベッドシーン)の撮影が出来ない。私はラブホテルなら貸してくれるのではないかと考えた。同じセックスを扱う職種なのだ。ある時、お城のようなラブホテルがマスコミで話題になり、私は早速交渉に行った。社長が直々に応対してくれ、快く貸してもらえることになったが、ロケハンさせてもらった部屋はみな宮殿のように豪華で、この時の映画の設定(学生カップルのセックスシーン)としてはいささか無理があった。決めかねている私を見て、社長は「もう一部屋、特別な部屋がある」と地下に案内してくれた。そこはムチや拘束具が用意されたSM部屋で、「ここは私のプライベートルームでね、よかったら試してみませんか?」と私の肩に手を置いた。ピンク映画を仕事にしている女はエロいに違いない、と思われたのだろう。私は首から下げていたロケハン用のカメラで室内の写真を撮り、「戻ったら監督やスタッフに見せて相談します。社長さんが写っていたらその写真はお返ししますね」と言った時の社長の狼狽《うろた》えた顔は忘れられない。それ以降、私の依頼が断られることはなかった。

　こうした「女＝ピンク＝好色」といった色眼鏡で見られることは多々あったが、いちいち怒ったり嘆いたりしていたのでは仕事にならない。軽く受け流して立ち回るくらいの度胸と対処法は身につけていた。

　女でよかったと思ったこともある。真冬の軽井沢で別荘を借りて撮影したときだ。合宿でのロケは自炊が基本だ。当然のように女の私が炊事担当だが、一軒の別荘で展開するストーリーなので食事シーンも多い。私は夕食の準備の時に、小道具としてのご飯を余分に炊き、取り分けておいた。撮影が押して食事シーンは深夜になり、セッティングをしようと冷蔵庫を開けると、ご飯がない！　お腹が空いたスタッフが無断で食べてしまったのだ。私は、茶碗を片手に現場を飛び出した。冬の、

**ロマンポルノ**●1971年、経営難に陥った日活が成人映画をメインにした際のレーベル名。多くの若手監督を輩出する。1988年制作終了。

深夜の、軽井沢の別荘地だ。真っ暗闇の中を、どこか一軒くらい灯の点いている別荘はないか、と私は必死に走り回った。やっとかすかな灯を見つけてドアを叩き、不審そうに顔を覗かせた住人に、私は茶碗を突きつけて「これにご飯を一杯だけください」と叫んだ。

さぞ住人は驚いたことだろう。だが、ドアを叩いたのが若い女だったから話を聞いてくれたのだと思う。これが胡散臭い男の助監督だったら、決してドアは開けられなかったに違いない。

私は、ご飯の盛られた茶碗を大事に抱えて現場に戻った。

### ■ふたりの師匠（本木荘二郎と梅沢薫）

その頃、よく声をかけてくれたのが本木荘二郎《もときそうじろう》★監督だった。本木さんは『七人の侍』や『蜘蛛巣城』をはじめとする黒澤明作品のプロデューサーだったが、「お金にだらしがなく東宝をクビになった」「女癖が悪く身を滅ぼした。だからピンクに落ちぶれて来た」と言われていた。私が本木組に就いた頃は50代半ばくらいだったと思うが、生来の女好きからか女優さんにはとても優しかった。

カラミの撮影で女優さんの胸やお尻を愛撫するアップのカットなど、男優さんの代わりに監督自ら触ってしまう。普通だったら嫌がられるところだが、本当に嬉しそうに触るので、女優さんたちも苦笑しながら諦めているようだった。

しかし、私にとっては本木さんの演出方法はとても勉強になった。女性の体をパーツに分けてドアップで撮り、編集でつないでいく。見事なモンタージュだった。

女に優しい本木さんは、カラミの撮り方も優しかった。ニコニコと頷きながら、女優の嫌がることは一切しない。私が経験したそれまでの現場は、レイプや暴力など女の肉体をモノのように扱う作品が多かったので、目を開かされた思いだった。助監督仲間からは「本木荘二郎は、女と見ればすぐに手を出すから気をつけろ」と忠告されたが、私は声がかかると喜んで飛んで行き、カラミの撮り方を必死で学んだ。

本木さんは1977年に、当時住んでいた新宿・成子《なるこ》坂下《さかした》のアパートで亡くなっているのが発見された。62歳だったという。私も打ち合わせで何度か行ったが、古びて貧しいアパートの一室だった。私は今でもカラミの演出法のお師匠さんは本木荘二郎監督だと思っている。

　カラミの演出法を学んだのが本木監督なら、私に芝居の演出法を教えくれたのが梅沢薫《うめざわかおる》★監督だった。

　私が初めて梅沢組に就いたのは、『ピンク映画10年史　性のあけぼの』だった。ピンク映画は1962年の『肉体の市場』（小林悟《こばやしさとる》★監督）が第1号と言われていて、それから10年近いピンク映画の歴史をドキュメンタリー風に描いた作品だった。ロケ地に海辺を探しているというので、私は草月アートセンターの応募作品を撮った静岡県浜岡町の浜岡砂丘をロケハンしてもらい、朽ちた漁船もそのまま残っていて、監督は気に入ったようだった。

　ロケは大掛かりなものだった。ピンク映画の撮影風景を撮るのだが、実際に使うカメラはアリフレックスの35ミリ、劇用カメラはミッチェルの70ミリだった。私はミッチェルや移動車を砂丘まで運ぼうとしたが、その重量はとても私の手に負えるものではなかった。男女の体力差を思い知らされて悔しかったが、力で勝てないなら、女であることが優位になる方法を考えるようになった。

　梅沢監督は、女だからと差別するようなことはなかった。逆に「せっかく女の助監督なんだから、男には出来ないやり方で現場に気をつかってくれ」と言われ、私は梅沢組で「お母ちゃん」と呼ばれるようになった。私はこの呼び名が嫌でたまらなかったが、今思うと、「お母ちゃん」と呼ぶことでスタッフの意識を「女」という存在から遠ざけようとしたのかもしれない。

　梅沢組で私はセカンド助監督に昇格し、チーフは中《なか》村幻児《むらげんじ》★氏だった。梅沢監督は衣装ひとつ、小道具ひと

**本木荘二郎**（１９１４〜１９７７）◉映画プロデューサー・映画監督。１９３８年、東宝入社。助監督からプロデューサーに転じ、黒澤明の諸作品などプロデュース。１９５７年東宝退社。１９６２年ピンク映画監督デビュー。別名義で２００本近く監督する。

**梅沢薫**（１９３４〜１９９８）◉映画監督・脚本家。大学中退後、俳優として出演していたが、若松孝二との出会いによって成人映画へ。１９６５年監督デビュー。１９７１年日活ロマンポルノ裁判で、他社からの買取作品の監督として巻き込まれる。近年再評価が進む。

**小林悟**（１９３０〜２００１）◉映画監督・脚本家。１９５９年、新東宝の菅原文太主演『狂った欲望』で監督デビュー。大蔵映画に移り、１９６２年『肉体の市場』を監督。ピンク映画の第１号とされる。東活、大蔵映画などで大量の作品を監督し、総数４５０本以上とも。

**中村幻児**（１９４６〜）◉映画監督・プロデューサー・「映像塾」主宰。ピンク映画で多くの作品を制作した後、筒井康隆原作の『ウィークエンド・シャッフル』で一般映画に進出。

つとっても「幻児はどう思う？　お母ちゃんはどう思う？」とふたりの意見を聞いた。その上「箸の持ち方ひとつ、飯の盛り方ひとつで、その人物の背景がわかる」とハッパをかけられ、私は張り切って、チーフの用意した小道具が気に入らないと、自前で別の小道具を用意した。チーフにしてみれば、実に鬱陶しいセカンドだったろう。現場で衝突することもしばしばだった。監督は助監督同志の争いを苦笑して眺めながらも、時には私の小道具を採用してくれた。現場は梅沢流の学校だったのだ。

「東元薫」名義でも作品を発表していた梅沢監督は日本シネマやミリオンフィルムなどの配給作品を年間10本以上も撮り続け、私も梅沢組の一員として寝る間もない程の忙しい日々を過ごした。後に私が監督となり、ピンク映画を量産することが出来たのも、この時の体験が学ばせてくれたのだと思う。

私は梅沢監督に「脚本の行間を読め」と徹底的に教え込まれ、たった一行のト書き★を大きく膨らませてスクリーンに映し出す演出の妙を学んだ。

## ■青年群像

当時のピンク映画は撮影日数5日～7日、総制作費300万円が通常だった。制作プロダクション「青年群像」を主宰する大井《おおい》由次《よしつぐ》氏★はテレビのプロデューサー出身で「安く、早く」のテレビドラマ制作の方法論を映画に持ち込み、実践した。当時、映画人はテレビ関係者を「テレビ屋」「電気紙芝居屋」と呼び、自らを「活動屋」と称してテレビを下に見るところがあった。大井さんはそんな映画人を相手にせず、テレビ界から監督を引っ張ってきて手早くピンク映画を作った。

私は梅沢組のチーフ助監督として初めて青年群像の仕事をし、大井さんと出会った。大井さんはいきなり私に「プロデューサーになる気はないか？」と聞き、私は「監督になります」と答えた。大井さんは「そうか、3年我慢しろ、そうしたら監督にしてやる」と言い、私は「はい」と答えた。一度、大井さんに何故私を選んだのか聞いてみたことがある。大井さんは即座に「監督はお父さん、制作主任はお母さん」と答えた。現場では制作費という大金が動く。私は青年群像専属の「お母さん」としてお金を任されるようになった。私は電話代の10円までも計算して予算を組み、プロデューサー直属の制作主任として現場を取り仕切った。

大井さんは私を自分の後を継ぐプロデューサーとして育てたかったのだろう。だが、いかにプロデューサーが映画制作での最高権力者とはいえ、作品は監督のものだ。私は大井さんにどう説得されようとも、監督以外に考えられなかった。

まず、私は大井さんに申し出て、脚本に参加させてもらった。青年群像では企画は大井さんが立て、脚本はシナリオライターに依頼していたが、それをそのまま撮ったのでは予算に合わないこともある。ピンク映画の身の丈にあった脚本《ホン》直しは毎度のことで、私は大井さんの自宅に泊まり込み、予算を組み、スケジュールを組み、5日の撮影日数で撮り上げることが出来るように脚本を直していった。この経験はその後の私の映画人生に大きく役立った。自分の制作会社を設立し、ピンク映画を量産するようになった時も、自社制作で一般映画を撮り始めた時も、私自身の手で予算とスケジュールを組むことが出来たからだ。真に撮りたいところにお金をかける。そのためにスケジュールを調整し、脚本に手を入れる。私自身がプロデューサーを兼ねたからこそ出来ることだった。

脚本が出来て具体的な準備の段階になると、私はキャスティングとロケセット探しに奔走した。時には「夢のような豪華絢爛な邸宅」とか、「優雅なドレスを身にまとった貴婦人」などが出てくることがある。とてもピンク映画の予算で手の届く世界ではないが、それが作品にとって必要なものであれば、私は決して手を抜かなかった。探して、探して、探し回った。この時は「優雅なドレスを身にまとった貴婦人」は浅香《あさか》なおみ(作家・鈴木いづみ)をキャスティングし、「夢のような豪華絢爛な邸宅」は某国の大使館を借りて撮影した。他にも漫画家・高《こう》信《しん》太郎《たろう》氏の自宅や、ファッションデザイナーのコシノジュンコさんのマンションを借りて撮影したこともある。私にこうした人脈が出来たのは、新宿ゴールデン街での出会いが大きかった。映画人、文化人、芸術家たちがたむろ

**ト書き**◉脚本のセリフ以外の部分。登場人物の動きや場面の状況などを説明している。

**大井由次**(1934〜)◉映画プロデューサー・映画監督。TV映画、PR映画、教育映画などの制作を担当。岩波映画での記録映画の制作を経て成人映画へ。青年群像代表。監督する際は「小諸次郎」名義。

するゴールデン街の店や客はピンク映画だからといって差別するようなことはなく、脚本が気に入ると進んで協力してくれた。

## ■監督デビューへ

青年群像で働き始めてから1年が経った頃、監督が撮影初日にバックレるというアクシデント★が起きた。スタッフもキャストも集合している。私は大井さんの指示を仰いだが、返事は「わかった。お前が代わりにやれ」だった。大井さんにしてみれば、撮影を中止や延期にすれば多額の損害が出る。脚本の最終稿は私が直した。スケジュールも私が組んだ。この作品の内容を一番把握している私が適任だと判断したのだろう。大抜擢だったが、私にしてみれば、カット割りなど一行もしていない。演出するという視点で脚本を読んでもいない。「ピンチヒッターでもホームランを打てる」と私を説得する大井さんに、次こそ監督として正式にデビューさせるという約束を取り付け、私は初めての監督作に挑んだ。

現場は大混乱だった。いきなりの監督交代で、しかも前代未聞の女監督だ。私も監督修業をしてきたつもりだったが、自分なりのものでしかなかった。こう撮りたいという希望はあっても、それを的確に現場で役者や技術パートに伝える技量がなかった。撮っても、撮っても終わらなかった。江戸川の土手でのナイトオープンで空が白々と明け始めた。役者のマネージャーからは苦情が出る。現場全体に、どうすんだよ、という雰囲気が漂い、私は孤立した。まさに針のムシロだったが、絶対に妥協しない、と私は覚悟を決めた。自分を信じることでしかこの場を乗り切ることは出来ない。私は、監督なのだ。すべてのリスクと責任を負わなければならない立場として、現場をやり抜く。それしか私に出来ることはなかった。監督という職種が、ただ自分の撮りたいものを撮るだけの能天気なものではないことを、私はこの時心に刻んだ。

この作品は『女体珍味』というタイトルでミリオンフィルムから配給され、観客や館主の評判もよかったが、なぜか監督名が「浜佐知子」になっている。

この時の約束で、半年後に正式な監督デビューが出来ることになった私は、当時の風俗でもあったフーテンの女の子が自らの意志でセックスを経験することで成長していく脚本を書いた。だが、このホンに配給会社からクレームがついた。主人公の少女が自ら全裸になり、男に向かって「ねえ、やろうよ」と言うセリフが問題になったのだ。「若い女がそんなことを言うわけがない」「女からそんなことを言われたら、男は萎える」「女はいやよ、いやよ、と恥じらいながら股を開くのがいいんだ」……。

女が積極的に欲情することを認めない、古色蒼然とした男たちのセックス観だった。女のセックスはそんな単純なものじゃない。そう主張したが、通るわけもなかった。意地になった私は大井さんに「このセリフを削るなら降りる」と迫った。大井さんは「サチ、セリフなんか現場でいくらでも変わるだろう?」そう言って私をなだめた。暗に「台本になくても現場で言わせればいいじゃないか」と言ったのだ。

私は主役を演じられる女優を探し始めた。「ねえ、やろうよ」と言い放つ女を体現してくれる女優が欲しかった。私はフーテンのたまり場だった新宿の「風月堂」にたむろしていたキスム南という18歳の女の子を主人公に起用した。映画など出たことのない素人だったが、インド人とのハーフで強い意志を感じさせる目を持ち、自ら主体的に欲情する役にはぴったりだった。私は、果敢に行動する女を描くことで、性の主客転倒を図りたかった。

5日間の撮影だったが、今思い返してもよくあんな無茶ができたものだと思うくらいのハードスケジュールだった。ロケ地は静岡県の浜岡砂丘、富士スピードウェイを皮切りに、新宿の繁華街、多摩川の土手、狭山湖、廃墟、遊園地など広域にわたった。メインの出演者はほとんど演技経験のない若者たちだ。眠ることの出来ない現場だったが、私にとっては正に勝負の5日間だった。

キスムの「ねえ、やろうよ」というセリフはアップで撮り、初号試写★でクレームがつくことを覚悟していたが、思いがけずそのまま通った。編集や録音をやり直し、プリントを焼き直す手間とお金を1本のピンク映画にかけられなかったのだろう。

私のデビュー作『十七才すきすき族』は1972年に公開された。当初配給会社がつけたタイトルは『十七才

**バックレる**◉「とぼける」「シラを切る」の意から「逃げる」。
**初号試写**◉スタッフや配給会社などが、最初に出来上がったプリントを見て最終チェックする。

好き者族』だったが、公開時に急きょ『十七才すきすき族』に変わった。「好き者」という言葉が映倫審査を通らなかったのだが、今なら間違いなく「十七才」の方が通らない。

この時から私は監督名を「浜野佐知」とした。本名は「浜野佐知子」なのだが、配給会社から「ピンク映画の監督を続けるなら女の名前じゃない方がいい」と言われたからだ。女が撮るセックス映画で男の観客が満足するはずがない（エロい気持ちになるはずがない）。だから、男の監督名にしたほうがいい、という提案なのだが、さすがにそれは承服しかねた。結局、妥協案として「子」を取れば男か女か分からないだろうということになり、以後、私は「浜野佐知」と名乗っている。

こうして私は、ピンク映画の現場から這い上がった、ピンク映画史上初の女性監督となったが、デビューしたからといって、監督ばかり出来たわけではない。監督出来るのは年に1～2本くらいで、ほとんどは青年群像のメインスタッフとして助監督はもちろん、プロデューサー補や制作などあらゆる現場の仕事をこなした。時にはかつて梅沢組で私の上だった中村幻児氏が監督とし

1972年公開『十七才すきすき族』ポスター。正式な監督デビュー作品。

て呼ばれ、私がチーフ助監督として就くことを知ると「サチが助監督なら俺は降りる」と大井さんに訴えた事もあった。よほど梅沢組での私を鬱陶しいと思っていたのだろう。この時は幻児さんが助監督を連れてきて、私はプロデューサー補として現場に就くことで何とか折り合いをつけた。こう書くと私と幻児さんは犬猿の仲のように思われるかも知れないが、後に幻児さんが雄プロを立ち上げ、私が旦々舎を立ち上げてからは、ピンク映画界で共に戦う仲間意識のようなものが生まれて、私も監督として雄プロで何本か撮らせてもらっている。

今、手元に当時の監督作の台本が何冊か残っている。赤茶けて、ページをめくるだけで破れそうな代物《しろもの》だが、台本の表紙には仮題と制作プロダクションしか明記されていない。ピンク映画は今もそうだが、現場での台本タイトルは、公開時には配給会社がつけた、いかにもピンクなタイトルに変わる。例えば、私のデビュー作の脚本タイトルは『青春エレジー』だったが、それが『十七才すきすき族』として公開される。だから、私が何という映画を撮り、何年に公開されたのか、私にもわからない。手元に残る台本から推測すると、私の2本目は『春の

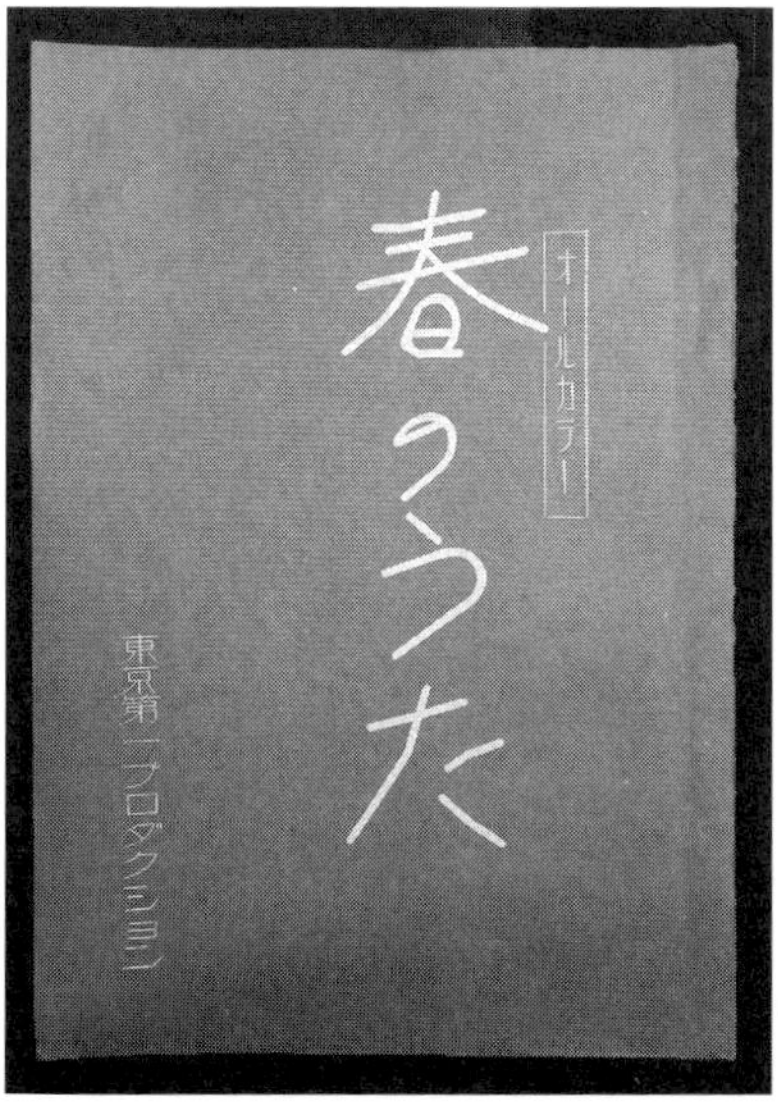

**監督2作目の『発情!! チューリップ姐ちゃん』の台本。**

**『十七才すきすき族』台本。**

うた』(仮題)で、公開タイトルは『発情!! チューリップ姐ちゃん』。背中にチューリップの刺繍のある皮ジャンを着た女パチプロの話で、阿佐ヶ谷駅前のパチンコ屋を借りてロケしたことを覚えている。制作は「東京第一プロダクション」とあるので、東映ニューポルノ★から配給されたのだろう。台本の表紙に大きく「オールカラー」と謳われている。

それまでピンク映画ではパートカラーが主流だった。ストーリー部分はモノクロで、カラミになると突然カラーになるという手法だったが、食卓を転がる林檎からカラーにするような自然な流れを好む監督もいれば、深紅のバラの花弁のような抽象的なカットを好む監督もいて、監督同士アイデアを競い合うようなところもあった。

手元の『セックス・ファンタジー』『青い鳥』などの台本はストーリーの記憶やカット割りのくせなどから私の監督作のはずだが、今となっては公開タイトルは調べようがない。

映画を監督出来ることは私にとって大きな充実だったが、20代前半の若い女が年上の男のスタッフや役者に囲まれて、セックスを描く映画を撮るのだ。思い通り

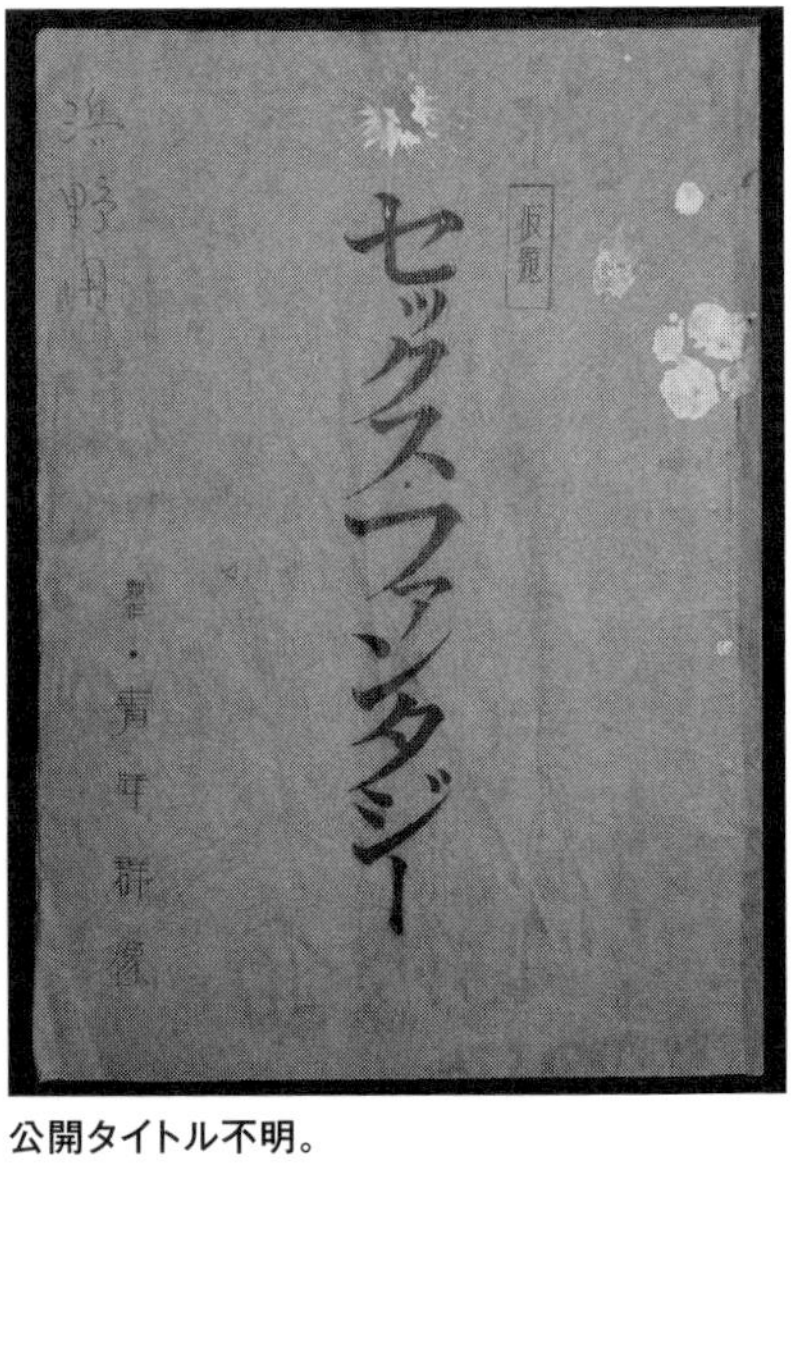

公開タイトル不明。

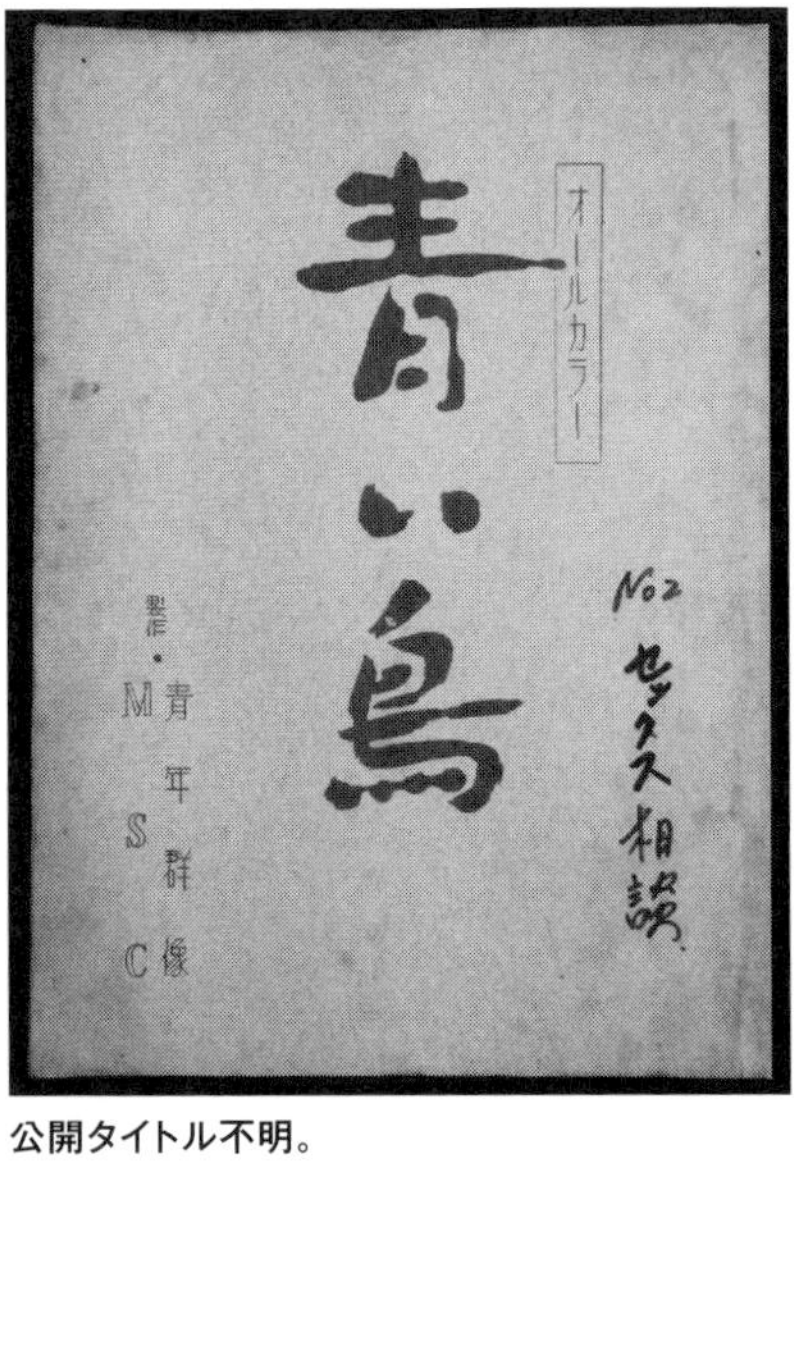

公開タイトル不明。

にいくことは少なかった。少しくらい変だなと思っても、配給会社やプロデューサーの言うことは聞かなければならなかった。ピンク映画の作り手たちも女を誤解していた。ペニスをヴァギナに突っ込めば女は自動的に感じる、くらいの認識しかなかった。

現場でもトラブルが起きた。女優の身体の上で腰を振る男優の尻をアップで撮ろうとした時、「男の尻なんか撮るな！」と怒鳴られ、拒否されたことがあった。男の尻を観たって客は喜ばない、という言い分だが、女の監督に尻を晒《さら》すことが屈辱だったのだろう。また、スタッフにも男としてのプライドがあり、撮影中は監督の私の言う通りに動いてくれても、休憩時間になると「サチ！お茶！」とアゴで使われた。そうでもしなければ、年下の女に監督として命令される現実を自分の中で合理化出来なかったのだろう。

このままで、私は自分の撮りたい映画を撮れるのだろうか？

プロデューサーの大井さんは、そんな私の鬱屈《うっくつ》を見抜いたのだろう。「3本の内2本は我慢しろ、そうしたら3本目は思い通りに撮らせてやる」と言ってくれたが、その「3本目」がいつになるのかわからなかった。

青年群像で5年を過ごした頃、私は青年群像からいったん距離を置いた方がいいのではないかと思うようになった。このまま青年群像にいても、監督として一本立ちは出来ない。私は大井さんを尊敬していたし、今も大井さんが映画人としての私を育ててくれたと感謝しているが、青年群像では監督以外の責任ある仕事が多すぎた。

私は現場が好きだ。現場が命、だったといえるかも知れない。だからこそ、がむしゃらに突っ走ってきたが、私は一人前の映画監督と言えるのか？

私が抜けた後の青年群像を思うと、なかなか決断することが出来なかったが、大井さんはそんな私の煩悶《はんもん》を見抜いたのだろう。ある日唐突に「好きにしていいぞ。お前がいなくても何とかなる」と言われ、予定していた次の現場を降ろされてしまった。自分が望んでいたにもかかわらず見捨てられたようでショックだったが、後に

**東映ニューポルノ**◉東映が70年代に制作した「500万ポルノ」（「300万」のピンク映画に対して）を指すが、東映および東映セントラルフィルムが配給した買取作品を含む場合もある。

スタッフから現場がトラブルたびに「サチがいればこんなことは起きなかった」と大井さんが言っていたと聞いた。大井さんは私の気持ちを尊重してくれたのだ。大井さんに報いるためにも早く一人前の監督になろう、と私は背中を押された思いだった。だが、青年群像専属だった私に他からの監督依頼は皆無だった。

私は食べるために映画以外の仕事を模索するようになった。主客転倒だが、映画監督として生きるためにも生活の基盤は必要だった。

私は27歳で新宿・落合に小さなスナックを出した。席料を800円とし、ウィスキーもビールもアルコールは全て持ち込みOKとした。このシステムは、近隣のお金のない学生たちに受け、何とか店を軌道に乗せることが出来た。

生活の心配のなくなった私は、再び映画監督として生きるための方法を探り始めた。そんな私の気持ちを察したかのように、突然大井さんから電話が掛かって来た。久しぶりに聞く声だった。撮影に私の店を使わせて欲しいという依頼だったが、青年群像では大井さん自身が「小諸次郎」という名で監督をしているという。翌日大井さんは撮影部や照明部、助監督を引き連れてロケハンにやって来た。懐かしい顔だった。台本を見ながら打ち合わせをするスタッフたちが羨ましかった。自ら距離を置いたはずなのに、映画の現場こそが私の居場所なんだ、と心からそう思えた。私はいてもたってもいられなくなり、その場で大井さんに青年群像に戻りたい、と伝えた。大井さんはちょっとびっくりしたような顔をしたが、「そうか、わかった」と答え、この「小諸組」に私は監督補として就いた。血が騒ぐ、とはこういうことだったんだと心底思った。なんで6年もリタイアしていたんだろう、と自らの判断を悔いた。

私は青年群像に「監督」として戻り、『衝撃マントル・純生本番』(1982年)や『裏ビデオ・生撮りの女』(1983年)などを撮った。それまで35ミリのフィルム作品しか撮ってこなかった私が初めて1インチのビデオテープで撮ったのが、沖縄ロケした東映芸能ビデオ制作(1982年)の夏麗子主演『青い珊瑚礁・限りなくワイセツに』と『ディープキッスは♀《ナニ》にして』、日野繭子主演『艶・夢幻淫蕩』の3本だった。嘉手納基地、那覇空港、首里城、コザ、無人島などを撮影して回ったが、夜になると東映芸能ビデオ沖縄支社の担当社員が男のスタッフたちを夜の街に誘い出す。撮影は朝早いのに、深夜ぐでんぐでんで戻ってきて、私は酔っ払った大井さんに、「この作品を理解しているのはお前しかいない。頼んだぞ」と言われて、何言ってんだか、と呆れてしまった。私は女だから誘われなかったが、男たちにとってはこういう接待は当たり前の事だったのだろう。

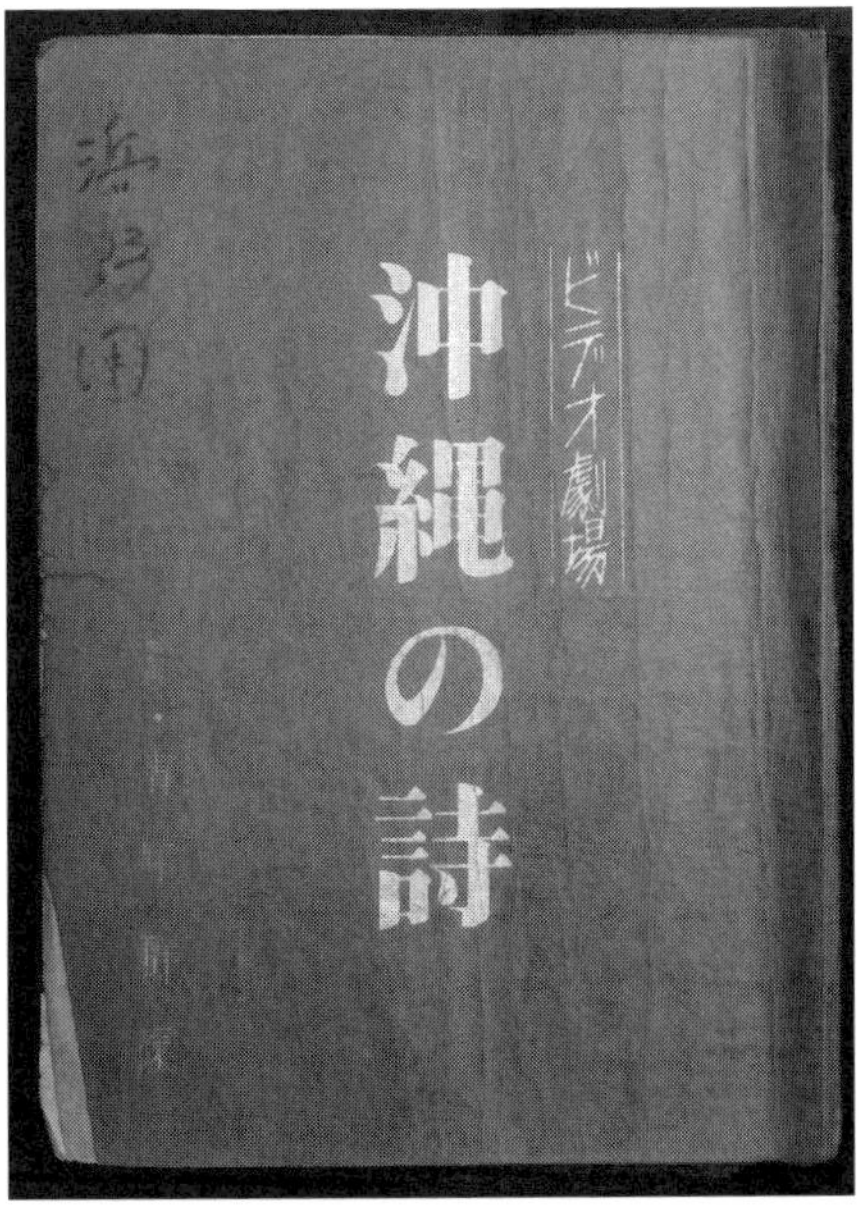


沖縄ロケした3作の台本。

# 3章

# 自分の会社を作る

■旦々舎

この沖縄ロケに取材者として同行したのが、その後長年にわたって監督と脚本のコンビを組む山崎邦紀《やまざきくにのり》だった。山崎は白夜書房の外部編集者としてエロ劇画誌や風俗情報誌を編集する傍ら、スポーツ新聞の風俗ライターでもあった。

沖縄ロケから戻ったある日、山崎から突然、「僕の学生がディレクターズ・カンパニー★のシナリオ公募で、惜しくも選に漏れた脚本があるんだけど」と相談された。山崎は東放学園で編集概論の講師もやっていて、学生の脚本が上位5本に残ったが最終審査で落ちたという。多少酔っ払っていた私は、「ピンク映画だったら、どんなホンでも映画になるよ」と言ってしまった。シナリオを読んでみると、何と、若い男の子たちのプロレスの話だ。更に主人公がインポテンツの設定になっている。さすがに、これをどうピンクにすればいいのだ、と頭を抱えたが、青春映画としてみればしっかりとした脚本だった。

私は山崎と相談し、トレーナー2人を女性に設定した。漫画家でもあった桃《もも》の木舞《きまい》★と、ピンク女優の田口あゆみをキャスティングし、台本タイトルは『闘魂伝説』とした。山崎が元の脚本をピンク映画バージョンに改稿したが、彼にとっても初めての脚本執筆である。だが、この脚本を引き受けてくれる制作会社があるとは思えなかった。こうなったら自分の会社を作るしかない。私が映画監督として撮り続けるためにも自分の会社が必要だった。

1985年5月、私は37歳で株式会社旦々舎を立ち上げ、『闘魂伝説』はミリオンフィルム（現・ヒューマックス）から『桃の木舞・SEXドリーム』として配給された。

私はミリオンフィルムと契約を結び、本格的にピンク映画を作り始めた。私がプロデューサーであり、監督である。制作費の一切を握る立場になれば、誰はばかることなく好きなものを撮れる。脚本は引き続き山崎が担当したが、ミリオンフィルムからの発注はピンク映画のメインシリーズのひとつである「痴漢電車もの」が多かった。山崎はエロ漫画家で痴漢の現役でもある小多魔若史《おたまじゃくし》氏を私に紹介し、彼の漫画を原案に小多魔若史本人と山崎が痴漢役で出演する脚本を書いた。

私は、それまでセットに組まれた模造電車で撮影されることの多かった痴漢シーンを、現実に走っている電車で撮った。エキストラを動員し、車内の一角を満員にして撮影する。空いている車内の片隅だけが突如ラッシュ状態になるのだから、乗客はさぞ驚いたことだろう。

現役の痴漢が出演し、実際に走っている電車内で撮影するドキュメンタリータッチが好評だったのか、86年には続けて4本もの痴漢電車を撮っている。

私は今まで誰も撮ったことのないような過激な映像を撮ることが面白くてならなかった。電車以外でも新宿駅前の電話ボックスでカラミを撮ったり、繁華街で全裸にコートを羽織っただけの女優を走らせたりした。陰毛など1本たりともご法度の時代に、画面いっぱいにドアップで本物の陰毛を映した。もちろん、毎回映倫とは揉めた。私のピンク映画の歴史は映倫との戦いの歴史だったともいえる。エロを表現するなら歴史を塗り替えるエロを撮る。女の裸も、女の陰毛も、女の性器も、女の身体だ。こんなに美しいのに、なぜ猥褻と断じられなければならないのか？　それが私の主張だった。

私は男の監督たちが描く「幻想の女」をぶち壊したかった。男たちの欲情に水をぶっかけ、男たちが作り上げてきたピンク映画にケンカを売りたかった。

山﨑もまた「男の欲情のシステムを相対化する」こ

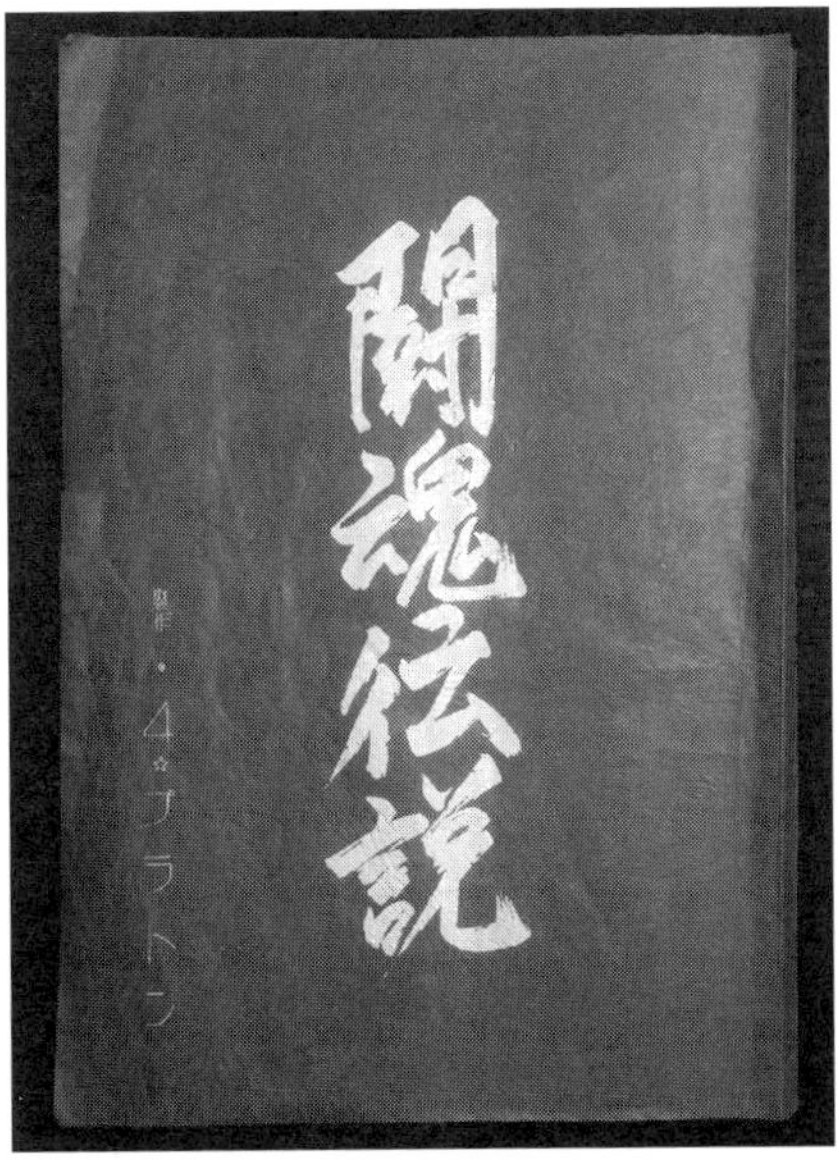

『桃の木舞・ＳＥＸドリーム』台本。製作が「4☆プラトン」となっているのは、旦々舎立ち上げ以前のため。

**ディレクターズ・カンパニー**◉長谷川和彦を中心に、9人の新進気鋭の監督が作った映画制作会社。他に石井聰亙、井筒和幸、池田敏春、大森一樹、黒沢清、相米慎二、高橋伴明、根岸吉太郎。１９８２年設立、１９９２年倒産。

**桃の木舞（１９６２～）**◉俳優・漫画家・作家。20代前半、劇団に所属し浜野監督作品に主演。その後、漫画家として少年誌に連載を持つ。小林よしのりの秘書になり漫画にも登場。１９９６年小説「薔薇の鬼ごっこ」（「末永直海」名義）を書いて文学賞を受賞する。

とを脚本のテーマに掲げていた。そんな山﨑脚本は次第にフェミニズムの影響を色濃く受けていくようになり、私が撮りたかったものが何であるかを自覚させるキッカケとなった。

ピンク映画業界では「浜野佐知」という名は知れ渡ったが、社会的に認知されるには時間がかかった。ある時、スポーツ新聞からにっかつロマンポルノのスターだった小《お》川美那子《がわみなこ》との対談依頼があった。ロマンポルノとピンク映画の違いを現場の女同士で話し合えたら面白いだろう、と私は引き受けたが、集合場所が新大久保駅前だという。通常は新聞社か喫茶店での取材が多いので、変だな、とは思ったが、当日案内されたのは駅裏のラブホテルの一室だった。

すでに到着していた小川美那子は全裸にバスローブを羽織っただけの姿だ。

「じゃ、始めますので、監督も脱いでベッドに上がってください」

一瞬呆気にとられたが、どうやら狙いは全裸対談だったらしい。男社会からすれば「女のピンク映画監督」などはスケベ女の代表でしかないのだろう。「私は監督だ」と断って帰ってきたが、腹に据えかねて、新聞社と担当部長宛に抗議の内容証明を送って謝罪させた。性に関わる仕事をする女が、社会でどのような目で見られるか、如実に突き付けられたのだ。ピンク映画の中だけでいい気になっている場合ではない。戦うべき敵は男社会の中にある。

## ・エクセスとの出会い

1988年にはロマンポルノが終焉した。しかし、直営館に映画を配給しなければならないにっかつ営業部が主体となって、新日本映像株式会社が設立され、「エクセス・フィルム」というレーベル名でピンク映画の制作・配給を開始した。

その第1作目である『盗聴魔　妻たちの性態』を撮ってからは、エクセスが私の主戦場となった。ミリオンフィルムはすでにピンク映画から撤退し、私は新東宝配給の作品を制作していたが、エクセスの参入でピンク映画業界の空気が大きく変わった。陣頭指揮を執ったのは、日活ビデオフィルムズから配属されてきた小松俊一氏で、「ピンク映画とは、セックスを商品とし、観る観客たちを欲情させるものでなければならない」というのが哲学だった。小松さんは女優の身体の細部を舐めるようにドアップで撮る私の手法を気に入って、アダルトビデオの女優を起用することを条件に次々と撮らせてくれた。予算も他の新東宝、大蔵が従来通りの300万円だったのに対し、エクセスは450万円だった。

寝る暇もないような日々が始まった。1988年は9本、89年13本、90年14本、91年9本、さらにそれまで脚本のみだった山﨑が監督デビューした92年は14本、93年17本、94年20本、95年20本と旦々舎の制作本数は増え続けた。

撮影日数は4日とはいえ、35ミリのフィルム作品だ。企画を立て、脚本を仕上げ、キャスティング、ロケハン等の準備、撮影、編集、オールラッシュ、アフレコ、ダビング、初号試写、とやらなければならない過程は決まっている。どんなにガチガチにスケジュールを組んでも企画から完成までに1カ月はかかる。これが年間15本を超えると、たえず台本を3冊携帯し、撮りながら準備をし、撮りながら仕上げをする、という綱渡りのような状況になる。

ピンク映画のスタッフが世代交代してきたことも、私

撮影現場。右手に鉛筆、左手に台本。手前はカメラ「アリフレックス35」。

には追い風になった。かつて雪駄にダボシャツ、捩じり鉢巻きだった技術パートも、しゃれたジャージを着こなす若い人たちが増えてきた。彼らは監督が女であってもさほど抵抗感は持たず、自分たちのパートの仕事に専念してくれた。こうしてやっと撮りたいものが撮れるようになった私は、てっぺん越え（深夜12時を過ぎる事）どころか朝方まで粘りに粘って撮影することで「地獄の浜野組」などというありがたくないネーミングで恐れられた。

いつしか私はピンク映画の売れっ子監督となっていたが、映画青年的な監督や彼らを応援するマニアからは、カラミばかり撮る「ピンク映画を駄目にした三悪人」と陰口を叩かれた。三悪人とは、浜野佐知、小林悟、新田《にった》栄《さかえ》★の三人と思われるが、エグイ描写で売る多作濫作の職人派と目されたのだろう。

だが、それはある意味、勲章だった。私にとってピンク映画は、男中心の性的価値観との戦いの場だったからだ。男の心情や内面をせせら笑い、女の主体的な欲情を描いた作品が、館主や観客たちの人気を集めたことは本望だった。

かつてエクセスには関西館主会という集まりがあって、

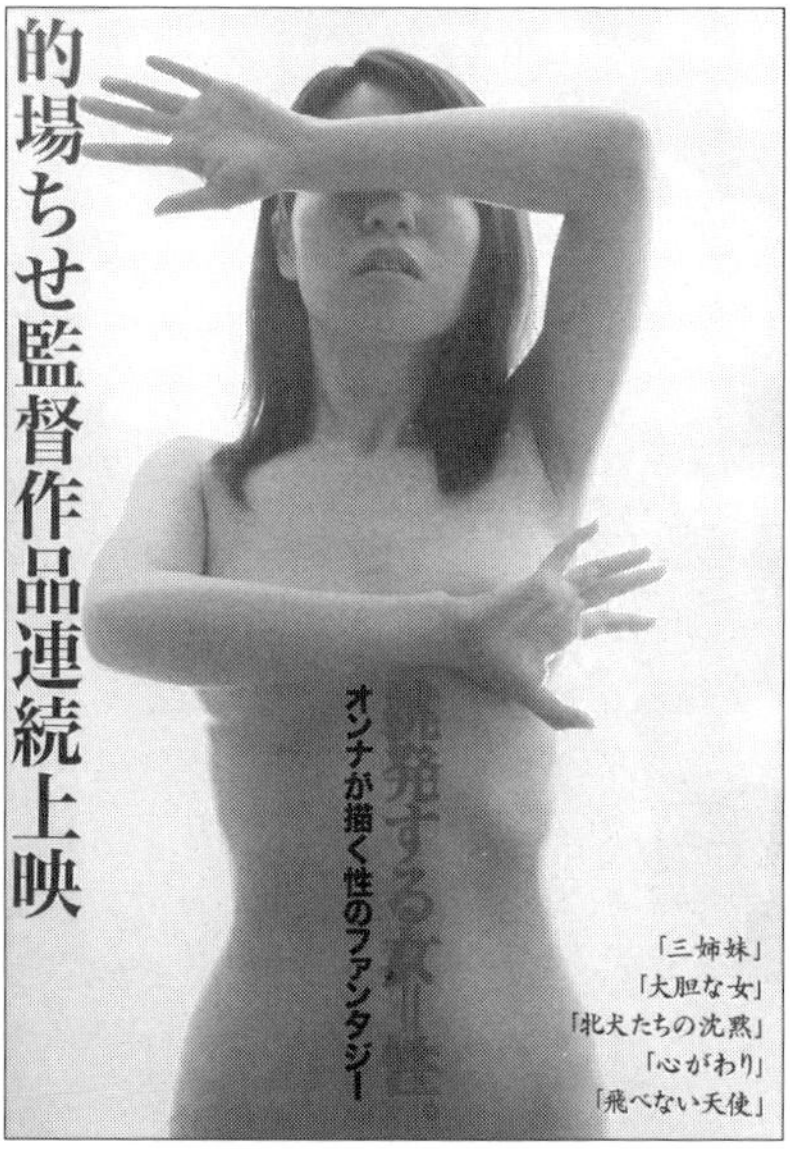

銀座シネパトスで「的場ちせ」監督作品を連続上映。

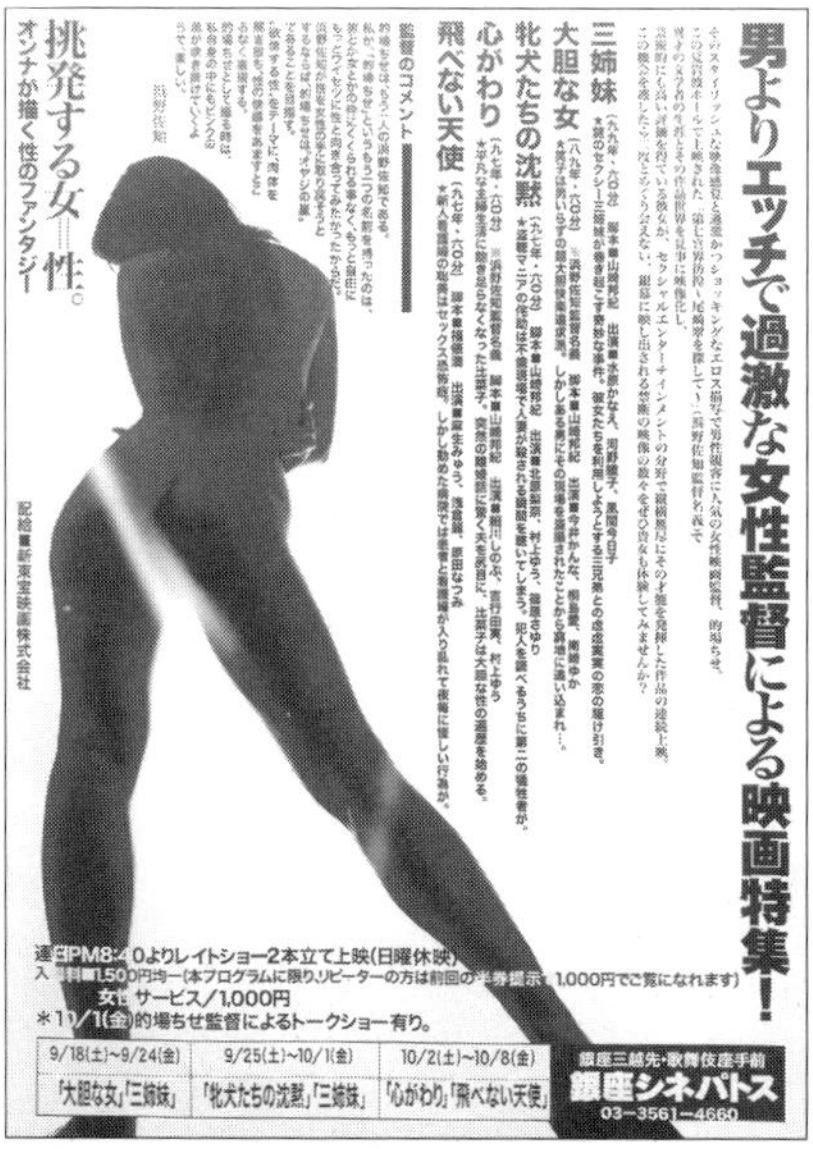

惹句「男よりエッチで過激な女性監督による映画特集！」

私は何度か新年会などで呼ばれたが、年配の館主さん達が私のピンク映画を喜んでくれたのは嬉しかった。成人映画館にとって客が入る映画かどうかは死活問題なのだ。男の監督たちの独りよがりな映画は観客にそっぽを向かれ、初日に上映を打ち切って配給会社に送り返す館主もいた。エクセスの小松さんは、新人監督に私の映画をお手本にさせ、「これがピンク映画だ」とレクチャーしたという。私が男の監督たちに毛嫌いされる所以でもある。

当時は上野駅の近くに、エクセスと新東宝の専属館が隣り合わせに並び、盆や正月には両館で私の新作が掛かった。さすがにこれはまずいだろう、と興行担当から注文がつき、新東宝での監督名を「的場《まとば》ちせ」とした。かつては監督が女の名前では客がしらけるとまで言われたが、この時「出来るだけ女と判る監督名にしてくれ」と要望されたのは、女(私)の撮るエロの方がイヤラシイと認識されたからだろう。

### ■AV女優たち

私はそれまで東映芸能ビデオや新東宝ビデオといった映画会社のビデオ制作部からの発注でVシネマを撮ることはあったが、AVを撮ったことはなかった。

映画とビデオの決定的な違いは、35ミリのフィルム1巻(400フィート)は4分しか撮れず、回しきったところでフィルムチェンジをしなければならない。片やビデオテープは30分でも1時間でも長回しが出来、リアルなセックスを同時進行で撮れる。

当初AVはレンタルが主流で、販売価格は1万5000円前後と高価だったが、全国規模で展開する「ビデオ安売王」が93年頃からセルビデオ(3000円程度の安価AV)の販売を開始した。安売王としては販路を拓くためにレンタルAVよりストーリー性が必要だったのだろう、ピンク映画の監督たちに制作を依頼し始めた。映画の監督ならまともなものを作るだろうという思惑だったのか、もしくは映画監督による作品という売りが欲しかったのかはさだかではないが、45分から60分の作品3本セットで1200万円という破格の制作費だった。映画

**新田栄**(1938〜)◉映画監督。北村淳名義で俳優活動の後、1982年東活で監督デビュー、多数の作品を撮る。その後、エクセス、新東宝で監督する。

に比べればカラミに割く尺《しゃく》★が多い分、撮影日数も１日か２日ですむ。ロケ場所もホテルかマンションの一室があれば足りる。利益はピンク映画の比ではなかった。

ピンク映画もそうだが、ＡＶ制作も全て請負である。契約した制作費で作品を作って納品し、いくら残せるかがプロデューサーの手腕だ。だが、私はどうしても監督として撮りたいことの方を優先してしまい、ピンク映画はほとんど赤字に近かった。

旦々舎の経営の為にもＡＶを撮ろう、私はそう決意して安売王以外でも現映社やジャパンホームビデオ、大陸書房などでＡＶを撮り始めた。撮りたいテーマがあったわけではない。会社を存続させなければならないからだ。

ＡＶの撮影現場に通常台本は存在しない。ペラ１〜２枚の設定と進行表があるだけだ。だが、私は脚本を用意し、スタッフもピンク映画の「浜野組」で組んだ。そうしなければ、何を、どう撮ればいいか分からなかった。本番はいわば男優任せのセックスだ。「よーい、スタート！」はかけられても、「カット！」をいつかけていいか分からない。男優がいつ射精に向かうのか私にはさっぱり分からなかった。あまりにだらけたカメラワークに思わずカットをかけたら、男優に「今イクところだったのに」と抗議された。カメラマンは同じ男だから分かっていたのだろう、「次は僕がカットをかけましょうか」と言った。同じエロでも、ＡＶはピンク映画とは全く異なるものだった。私は監督としての自信を無くし、ＡＶを撮ることが出来なくなっていった。

そんな私にとって救いだったのがＡＶ女優たちだった。私が現場で知る限り、カメラの前でエクスタシーに達する女優などいなかった。カメラがピストンする男優の尻をアップで撮っている時、喘ぎ声を出しながら煙草を吸っている女優がいた。カメラが自分の顔に近づいてきたら、今にもイキそうな表情を作る。ＡＶ女優は女優といっても素人だが、プロとして自分の仕事、役割は承知していた。

私は彼女たちにとって「ＡＶに出演する」とは何か、を知りたいと思った。そんな時、サン出版の『シネマロード』という月刊誌からＡＶ女優への連載インタビューの依頼があった。Ａ４の誌面４ページに及ぶロングインタビューで、直接本人に会える。これは私にとって一石二鳥だった。エクセス・ピンクの主演も探すことが出来る。当時何冊も発刊されていたAV情報誌で私はインタビュー相手を探し始めた。山手線で情報誌を見ていた時、隣に座っていた中年女性からいきなり、「あなたみたいな女がいるから駄目なのよ！　上野千鶴子先生の本でも読みなさい！」と罵倒されたことがあった。この時はさすがに私も腹が立ち、「私のどこが駄目なのですか！」と言い返した。AV情報誌を見るのは仕事のためだ。赤の他人にとやかく言われる筋合いはない。どうして私が上野千鶴子に学ばなければならないのだ。

私に同性の味方などいなかった。私の仕事が同性に毛嫌いされることも覚悟の上だ。だが、私の仕事を軽蔑することだけは許さない。

シネマロード誌でのインタビューは、私に新しい世界を開いた。毎月ふたりのAV女優にインタビューしたが、1時間の約束が意気投合して2時間にも3時間にも及ぶことはざらだった。菊池エリ、前原裕子、北村美加、白木麻耶、藤沢まりの、冴島奈緒、栗原早紀、早瀬理沙、樹まり子、豊丸など70人は超えただろう。私は毎月の締め切りに追い立てられることになったが、彼女たちに会うことは楽しかった。皆、AV女優であることを恥じるような気持ちはみじんもないように思えた。もちろん公の取材だ。事務所から都合の悪いことについては箝口令を敷かれていることもあったろう。有名になりたい、お金が欲しい、理由も様々だったろう。だが、私が会った彼女たちには、間違いなく「自分が選択した」という気概があった。私は初めて同性の味方を得たような気がして嬉しかった。

88年のAV界「第一次淫乱ブーム」では、沙也加、千代君、亜里沙などが次々に登場してきたが、その中心的存在が豊丸だった。男を喰いつくすような獰猛なセックス、咆哮するような喘ぎ声。男たちの度肝を抜いたが、会ってみるといたって礼儀正しく、理知的な女性だった。私はそのあまりのギャップに驚いたが、「豊丸を演じるのが私の仕事。そりゃ、怖いですよ。男優もスタッフも面白がってなんでもあそこに突っ込んでくる。でも、大根だって、すりこぎだってイッて見せる。それがAV女優としての私のプライドだから」

尺◉フィルムの長さ。カットやシーンの時間。

私は『豊丸の変態クリニック』(88年エクセス公開)などピンク映画2本に主演してもらった。映画のセックスシーンはすべて疑似だ。だが、豊丸のカラミは、まるで本番かと思わせるような気迫で、まさにプロの真髄に触れたようだった。

「私、主役のキャラじゃないからね」と笑った亜里沙は、2本同時挿入やフィストファックが売りだった。亜里沙にはスワンビデオの「肉林パーティ2×2」というAVに出てもらったが、男優ふたりを相手に涼しい顔で自分の中に入れてみせた。

「別に2本入れたって気持ちいいわけじゃない。だけど派手だし、画《え》になるでしょ」

皆、自分がどうすればAV界で生き残っていけるか真剣勝負だった。

〝ワニとファックした女〟をキャッチフレーズに登場してきたのが貝満ひとみだ。

『貝満ひとみ　なんでもいらっしゃい!』(91年エクセス公開)でも亀や蛸とカラんでもらったが、平然と大きなリクガメの頭を股間に押し付け、蛸を乳房に這わせて喘いだ。私は亀や蛸が窒息して死んでしまうのではないかと心配になったが、自分が現場で何を望まれているか把握しているのだろう。

『変態姉妹　亭主交換』(93年エクセス公開)の現場では、暇さえあればたえず自分の性器を覗き込み、手鏡でチェックしながら、クリームを塗っていた。

「ここが本当の私の顔だから、いつだって見せられるように綺麗にしておかないとね」

私が彼女たちから得たのは、半端な覚悟では言えない言葉の数々だった。そして、その言葉たちは、私に新たな覚悟をもたらした。ピンク映画で、女の性を、女の手で、女の側から描く。彼女たちが私の進むべき道を示してくれたのだ。

ただ、すべてのAV女優たちが彼女たちのように納得していたわけではない。映画に出演する彼女たちは、単体で主役が張れる女優たちだ。映画の出演料も1本100万円から300万円と破格の女優が多かった。所属事務所にとっても稼ぎ頭だ。マネージャーが付き、嫌なことはさせないよう気を配っていた。

一方で企画ものと呼ばれるカラミ専門の女優たちは、安いギャラで管理され、レイプものやSMものなどの撮影現場で相当にハードなことをやらされていた。1～2本出演させて使い捨てる。当時は新宿や渋谷の駅前にスカウトマンたちがたむろして、モデルになれるよ、女優になれるよ、と通りすがりの女の子たちに片っ端から声を掛けていた。

ピンク映画でも主役以外は2番手、3番手と呼ばれ、企画ものクラスの女優たちが出演することがあった。いやいや出演させられていた女優たちも多かったのだろう。撮影2日目に女優が来ない、というアクシデントが起きた。すでに1日分は撮り終わっている。慌てたマネージャーが女優の部屋に駆けつけると「探さないでください。私は今まで死ぬほどつらかった」というメモが残されていたこともあった。助監督に注意されただけで鬱を発症し、うずくまったままテコでも動かなくなった女優もいた。AV女優を出演させてピンク映画を撮り続けることは、そんなに簡単ではなかった。だが、それでも、私は彼女たちがいてくれたからこそ、ピンク映画で「主体として欲情する女の性」を描くことが出来たと思っている。

4章

# 母の死

## ▪緊急手術

1989年1月7日、昭和が終わった。

その日は『痴漢電車　やめないで指先』(89年新東宝公開)のクランクインだった。早朝に昭和天皇死去の一報が流れたが、撮影を中止することなど出来ない。クランクアップ後に中京TVが制作する深夜番組「11PM」に出演が決まっていて、局の取材クルーが現場に密着する予定だったが、さすがにピンク映画どころではなくなったのだろう。取材は中止となり、慌てて名古屋に帰って行った。

私は冷や冷やしながら静まり返った街中や電車内で撮影したが、人出も少なく、かえってロケは順調に終了することが出来た。

ただ、私には別の気がかりがあった。年が明けてから体調がすぐれず、右の下腹部が歩くたびにズキンと痛んだ。これはただ事ではないな、と思ったが、現場を放り出して病院に行くことなど出来ない。撮影終了後には、編集、アフレコ、ダビングと仕上げ作業が続いた。やっとすべてを終わらせて病院に駆け込んだ時には白血球が1万2000を超えていた。急性虫垂炎から腹膜炎になりかかっていると診断され、その日のうちに手術となった。

手術室にストレッチャーで運ばれ、3人の医者がやって来た。年上の医者が局所麻酔を打ち、研修医風のふたりに何やら指示を出すと手術室を出ていった。私は「え？　こいつらだけで手術するのかよ」と思ったが、まあ、盲腸だ。新人外科医の担当なのだろう。ところが、手術が始まると様子が一変した。「おい、なんだ、これ？」「まずいな、どうする？」などと慌てた声が聞こえてくる。なに？　と思う間もなく顔に麻酔のマスクがあてられ、私は奈落の底に沈むように意識を失った。

私が全身麻酔から覚めたのは病室のベッドの上だった。回診に来た医者に私の身体に何が起こったのかを聞いてみたが、腹膜炎の炎症がひどかったので全身麻酔に切り替えたこと、手術が成功したこと、が知らされただけだった。不信感は残ったが、私は春闘の時期になると正門前に労組の赤旗がなびくこの病院を信頼していた。この手術の際に何が行われたのか知るのは、翌年のことである。

## ■母の死

母が死んだ。

私が殺した。

5月の終わり頃、母から電話があった。右目の下瞼《まぶた》がぴくぴく痙攣して気持ちが悪い、医者に診てもらったほうがいいだろうか、という相談だった。母としては私に一度帰ってきて欲しかったのだろう。だが私はその時、新東宝の『痴漢電車　朝から一発』とエクセスの『昇天秘技　名器さぐり』の2本の現場を抱えていた。6月下旬までは全く身動きが取れない。ストレスが原因のチック的なものだろうと眼科の受診を勧めて電話を切った。

6月半ばになると、再度母から電話があり、眼科で診てもらったが下瞼の痙攣が止まらず、顔半分も引きつれてきたようだ、と訴えられた。さすがに心配になった私は、エクセスの初号試写を終わらせてその足で帰省した。母は思ったより元気だったが、たえず顔半分が痙攣している。もしかすると脳の異常では、と疑った私は、静岡赤十字病院に母を連れて行った。父も脳出血で死んでいる。この病院を選んだのは脳外科の評判が良かったことと、父が死んだ静岡済生会病院には母が行きたがらなかったからだ。

母を診たのは脳外科の部長で、どこか権威主義的な態度が見えた。ちょっと嫌な感じがしたが止むを得ない。患者は医者を選べないのだ。

診断は、「片側顔面痙攣《へんそくがんめんけいれん》」。脳幹から出ている顔の神経が小脳の血管に圧迫されているので、手術をすれば痙攣は治まると言う。耳の後ろを4センチ位切って、頭蓋骨に穴を開け、血管と神経を分離する簡単な手術だ、と説明された。母は顔の痙攣が限界に来ていたらしく、治るなら手術を受けたいと言う。だが、脳を切り開く手術がそんなに簡単な手術なのか？　私は心配だった。再度、医者に確認すると、ムッとしたように「僕らにとっては盲腸の手術と一緒ですよ、この病院でも年間600例は手術して成功しています」と言う。盲腸と一緒？　脳の手術なのに？　だが、医者にそう断言されると信じるしかなかった。

私は不安だったが、母の決意は固かった。確かに顔の半分がひきつれて歪んでいる。これでは人と会うのもはばかられるだろう。盲腸と同程度の簡単な手術という説明も決意をさせた要因だった。

母は7月2日に入院し、手術日は11日と決まったが、その前に「頭部血管造影検査」をすると告げられた。足の付け根の太い動脈からカテーテルで脳の血管に造影剤を入れる検査だという。検査そのものに危険はないのか、私は担当医に聞いてみたが、この検査をしないと手術が出来ないと言う。私は最初に母を診た脳外科の部長に確認したかったが、忙しいからと会うことが出来なかった。心残りだったが、その日、私は東京に戻らなくてはならない。8月に公開が決まっているエクセス配給の『もっと狂って、もっと激しく』の撮影が待っていた。頑張ってよ、仕事が終わったらすぐに来るから、と言い残して私は病室を後にした。

それが、生きている母と会った最後だった。

### ■脳死

手術前日の10日が検査日だった。夕刻、弟から、母の血管が細かったようで、カテーテルが足の付け根からうまく入らず、急きょ腕から入れ直して検査した。母は、検査が終わった後もぼんやりした様子で、意識がはっきりしていないようだ。夕飯も一口食べさせたが嘔吐してしまった、という電話があった。私は弟の話を聞いて、母の状態が普通じゃないような気がした。明日、手術して大丈夫なのだろうか？　と不安になったが、私にはどうすることも出来ない。クランクインが明後日に迫っていた。

母の手術は予定通り行われたが、盲腸のような簡単なものではなかった。視神経が小脳の裏側の血管と癒着していて、小脳を動かして神経を剥がしたという。手術が終わっても母は麻酔から覚めなかった。そして、二度と意識は戻らなかった。

母が心配だった。だが、目の前に現場がある。4日間のロケを終わらせて自室に戻った私に、弟から一通の電報が届いていた。

「ハハ、ノウシ」

ノウシ？　ノウシって？　携帯電話などない時代だ。撮影中の私に連絡する術がなかったのだろう。私は慌てて弟に電話をし、母の様子を尋ねた。

「おふくろ、脳死だって」

信じられなかった。いつから？　と質す私に、手術の翌日からＩＣＵに移されているという。

「どうする？　医者はもう死んでるって言うんだけど」

弟は私に母の生命維持装置を外すかどうか聞いているのだ。母の状態は2度の脳死判定で、深昏睡、瞳孔固定、脳幹反射の消失、平坦脳波、自発呼吸の消失、の基準5項目を全て満たしているという。だが、母に会わないまま、死なせることは出来ない。

「私が行くまで生かしておいて！」

私は弟にそう叫んだ。

音付ラッシュ（アフレコ後のセリフ入り試写）が終わったのが24日だった。後はダビング（音楽・効果音入れ）を残すのみだ。私は現像所の東映化学（現・東映ラボテック）から静岡に向かった。

母は病室でたくさんの管に繋がれていた。脳死判定から2週間が経っていたが、顔色もよく、私は間に合ったことに安堵した。母の身体を触ると暖かい。到底死んでいるなどとは思えなかった。弟は担当医から脳死の直接の要因は小脳出血だった、と聞いたという。私は、脳外科の部長に面会を申し込んだ。母が脳死に至った小脳出血の原因が知りたかった。手術時に血管を傷つけたのではないか？　何故、母は術後すぐに脳死と判定されたのか？　私は心の中で医療過誤を疑っていたが、部長は私の疑惑の全てを否定した。

「手術は成功しました。お母さんの脳死と手術に因果関係はありません」

そんな馬鹿な！　頭蓋骨に穴を開け、小脳を動かして、血管と神経の間にメスを入れる手術をした。その直後に小脳出血を起こして脳死になった。誰が考えても無関係とは思えないだろう。到底納得できる説明ではなかった。だが、食い下がる私を見下すように、部長は平然と言い放った。

「たとえ手術をしなくても、7月11日にお母さんは、家にいても、道を歩いていても、脳出血を起こしたでしょうね。たまたま手術と脳出血が偶然同じ日に重なっただけですよ」

いくら医療に疎い素人でも、そんな言い分が信じられるわけがない。舐めてんじゃねぇよっ！　そう、私は怒鳴りつけたかった。

病室に戻ると、すぐに請求書を持った経理担当の事務員がやって来た。うかつにも私はそれまで費用のことなど頭になかった。2週間の入院費が1日平均20万円くらい計上され、高額な医療費になっていた。女性は事務的に「今後どうされますか?」と言った。私は弟と顔を見合わせた。母をこのままにしておけばおくほど莫大な金額になって行く。見下したような部長の顔が浮かんだ。後々問題を起こしそうな人間に思われたのかもしれない。私を、母を、追い出しにかかっている。ふざけるな!

脳死が人間の死だということは理解している。だが、目の前の母の心臓は動いている。人工呼吸器が動かしていると分かっていても、母が死んでいるとは思いたくなかった。母を殺すことは出来ない。体は少し汗ばむくらいに暖かく、まるで眠っているようだった。

私は東京に戻った。ダビングが残っていた。ダビングさえ終われば後は8月3日の初号試写だ。わけを話せば、初号に私がいなくても許してもらえるだろう。弟には、私が戻るまで、何としても母をこのまま生かしておくように頼んだ。

私は空いた時間に図書館や書店で脳死について調べたが、気にかかったことがあった。どの医学書にも「脳死になると人工呼吸器を使っても多くは数日以内で心臓の停止に至る」と記されていた。母はすでに2週間以上脳死状態が続いている。

本当に脳死なのだろうか? そんな疑問が湧いてきた。脳死に至るような危険な手術を盲腸と同じ、と言った医者なのだ。脳死判定だって、間違っているのではないか?

30日のダビングは深夜までかかり、私が母の元に戻れたのは7月31日の朝だった。病室に入った途端に、プン、と死臭を嗅いだような気がした。ドキッとしたが、母の心臓は規則正しく動いている。だが、母に話しかけようとベッドの傍に寄った時のショックを私は今も忘れられない。母の手と足が、干からびていた。人工呼吸器で動かしていた心臓は、手足の先まで血液を回せなかったのだろう。手の指が、足の指が、陽に干して乾ききった大根のように干からびていた。そして、死臭は、その指先から漂っていた。

これは、死体だ。母はもう、死んでいる。私は、母を生きながら腐らせてしまった。そんな後悔が胸を突いた。

私は医者を呼んで、人工呼吸器を外すことを告げた。そして、私に外させてくれ、と頼んだ。若い医師はちょっとびっくりしたようだったが、黙って手順を教えてくれた。

私は母に、外すよ、あんたの命は私が終わらせるからね、と話しかけながら装置から管を抜いていった。他人に母の命を終らさせたくなかった。母は、私の手で殺す。そうでなければ母も死んでも死にきれないと思った。

母は、死んだ。管につながれていない肺も心臓も、もう動かない。だが、私にはどうしても払拭できない疑念があった。本当に脳死だったのか？

傍にいた医師に母の脳は今どうなっていると思うかと尋ねたら、ドロドロに溶けているでしょうね、と答えた。脳は脳死後3日目くらいから溶け始めるという。

私は、解剖を願い出た。なぜ母は死ななければならなかったのか、その理由が知りたかった。しかし、執刀医は、死因がはっきりしている以上、病理解剖は必要ない、と居丈高だった。

諦めきれない私は、近くの静岡中央警察署に行った。死因を明らかにするために、司法解剖ができないか相談したのだ。

私が病室に戻ると、看護師がやって来て病院の片隅の小さな部屋に案内された。そこには、脳外科の部長と、中央警察署の刑事と名乗る男が待っていた。警察に相談したことが、すぐに病院に通報されたのだ。静岡赤十字病院と静岡中央警察署は、狭い道路を挟んで隣り合わせに建っている。部長は病理解剖の必要がないと言い、刑事は犯罪性が無ければ司法解剖は出来ないと言う。病院と警察の見事なまでの連携だった。

私は世の中の裏を見たような気になった。こうした権威を前に、うやむやにされてしまった死もたくさんあったのだろう。だが、私にそんな脅しは通じない。私はピンク映画の監督だ。世の中の権威とは一番遠いところで生きてきた。

私は、解剖が出来ないなら脳を見せろ、と迫った。脳死なら、脳は崩れているだろう。私は、母の脳が見たかった。病院側はしぶしぶだろうが、承諾解剖という建前で同意した。私は、解剖の承諾書を書き、病室に戻った。

母のそばには弟がいた。私は弟に脳を取り出すことを話したが、弟は反対だった。「気は確かか?」となじられた。「頼むからやめてくれ」と説得もされた。だが、私の決意は固かった。

今、私の中に渦巻く疑惑にケリをつけなければ、私は一生後悔する。

母は手術室に運ばれて行った。私と弟は病室で母の脳を待った。やがて母の脳は丸いプレート皿のようなものに載せられて運ばれてきた。私は母の脳を凝視した。どこにも崩れはなかった。溶けてもいなかった。丸くて、ピンク色で、つやつやと輝く美しい脳だった。ただ、脳幹と小脳の間あたりに血が滲んでいた。私は、母の脳の匂いを嗅ぎ、血が滲んだところに口をつけた。

病院が手配した葬儀社の車で、母を自宅に連れて帰った。癒着とまでは言わなくても、葬儀社すら選ぶことが出来ないシステムになっていた。母を居間に安置した。狭い家だが、私は母と暮らしたこの家で母を見送りたかった。

脳死判定が7月11日、死亡が7月31日、20日間の脳死だった。私が生命維持装置を外さなかったら、母は干からびながらも心臓は動き続けていたかも知れない。

母は本当に脳死だったのか? という疑念は私の中にくすぶり続けた。

8月1日の通夜と2日の葬式を終わらせて、私は東京に戻った。翌3日が『もっと狂って、もっと激しく』の初号試写だった。長い1カ月だった。私はスクリーンを観ながら、まるで何事もなかったかのように1本の映画が出来上がったことが、何故か不思議で、悲しかった。

## ▪医療過誤?

浜野家の墓は、鳴門市北灘町の鬼骨寺《きこつじ》にある。海にへばりついたような山の中腹の墓地に、私は母の骨を納めに行った。墓地からは鳴門の海が見える。ふと母の背におぶわれて、海を見た記憶がよみがえった。母の死をこのままにしてしまっていいのか? 私がこの手で管を抜き、母を殺した。私には、母の死の真実を明らかにする責任がある。母の脳は美しかった。あの脳が、20日間も脳死状態だったとはどうしても思えなかった。脳はホルマリン漬けになって病院に保管されている。私は、もう一度、母の脳に会いたい。

納骨を終えて東京に戻った私は、弁護士を探し始めた。今なら医療過誤専門の弁護士事務所も多々あるが、当時医療過誤案件を扱ってくれる弁護士は少なかった。医療過誤で裁判に勝つのは難しい、やらないほうがいい、と言う弁護士ばかりだった。そんな時、旦々舎設立時に世話になった司法書士から、引き受けてもいいという弁護士がいる、との情報を得た。私は早速会いに行ったが、いかにも弁護士然とした中年男性で、態度がなかなかに大きい。全く、医者といい、弁護士といい、と思ったが、他に引き受けてくれる人はいない。それに、あの脳外科の部長と対峙するにはこれくらい押しの利く弁護士の方がいいかも知れない。そう思った私は、初診から死までを時系列でまとめたメモを見せ、母の本当の死因が知りたい、と訴えた。

「裁判まで持ち込む気ですか?」と問われたので、死の責任が病院側にあるなら闘うつもりです、と答えた。弁護士は「それなら、まずカルテを押さえて証拠保全をしましょう。着手金は50万円です」と言った。その時の私に50万はキツかったが、やっと見つけた弁護士だ。私は、貯金をかき集めて支払った。

9月25日、私と弁護士は静岡赤十字病院に出向き、カルテの開示請求を行った。脳外科の部長とは会えなかったが、カルテやレントゲン写真、ＩＣＵの記録などのコピーを入手することが出来た。一番欲しかった脳はすでに火葬したという。疑わしかったが、弁護士も脳そのものにはあまり興味を示さなかった。

私はこの証拠保全で、ある程度の真相がわかるものと思っていた。だが、それは甘かった。押さえた証拠を医学的に読み解いてくれる脳外科の専門医が見つからなかった。大学医学部の学閥が大きな壁となったのだ。少なくとも医療過誤に関わるような案件に首を突っ込んだら出世に関わるのだろう。脳外科の診療科があるのが大学病院か大規模病院に限られることもネックだった。

やっと匿名を条件に協力してくれるという医者を見つけたが、グレーゾーンの可能性はあるが、医療ミスとまでは言えないだろうとの判断だった。検査で造影剤を入れた際に血管に負荷がかかり、脳出血を起こした可能性もあるという。弁護士も、提訴しても勝ち目はないと結論を出した。

私は裁判をしたかったわけではない。母の死の真相を知りたかっただけだ。だが、私が闘えるのは、ここまでだった。私は映画監督だ。いつか、母の死の顛末を映画にして社会に問う。大学医学部、大規模病院、そして警察。社会の裏でひそかに結託している権力を暴く。そう心に決めて、私は怒りと無念を抑え込んだ。

### ■卵巣がない?

　また、忙しい日々が始まった。8月を失くしてしまった私は、9月から年末までの4カ月で5本のピンク映画と3本のゲイ・ピンク★を仕上げなければならなかった。

　成人映画館にはピンク映画上映館とゲイ映画専門館がある。ゲイ映画専門館は、現在(2022年)では全国で4館しか残っていないが、かつては20館以上あった。私への制作依頼は大阪のENKという配給会社からだった。男同士のカラミを女の私が撮れるだろうかと迷ったが、ピンク同様の過激な描写が求められたのだろう。私にしても女優のいない現場は気苦労がない。相手が男だと遠慮なくハードなことも要求出来る。映倫も男同士のカラミにはあまりうるさいことをいわない。ゲイ痴漢電車、ゲイSMなど楽しんで撮ることができた。12月に『炎の男たち』『まばゆい青春』の2本を仕上げ、私の1989年は終わった。この2作品は12月26日に初号試写、29日からお正月映画として封切というぎりぎりのタイミングでの完成だった。

　年が明けて、あまりに忙しすぎたからだろうか、私は再び体調を崩した。どこがどうというわけではないのだが、身体の中にずしんと疲れがたまっているような感じが続いていた。1月は後半に新東宝配給の『団地妻・恵子のいんらん性生活』のクランクインが決まっていたが、それまではロケハンや準備などだけで比較的時間の余裕もあった。私は昨年盲腸の手術をした総合病院の内科を受診し、体調不良を訴えた。診断は「自律神経失調症」。原因は、ストレス、自律神経の乱れ、ホルモンバランスの変化などにあるという。母の死をめぐるストレスが、この病気を引き起こしたのだろうか、そんなことを考えていたら、カルテを見ていた医者が突然驚くべきことを口にした。

「あなた、右の卵巣、取ってるし」

　青天の霹靂《へきれき》とはこのことだった。私は自分の耳を疑った。右の卵巣がない?

そんなはずはないと主張する私に、「1年前に卵巣嚢腫の手術をしてますよ」

私の頭に、1年前の手術室の記憶がよみがえった。あの盲腸の手術の時、私の承諾も取らず、勝手に卵巣を摘出したのだ。最初は局所麻酔だったから、私に意識はあった。あの若い外科医の慌てぶりは私の病因が盲腸ではなく、卵巣嚢腫だったからなのか。だからといって、術後2週間の入院期間中にいくらでも私に伝えることは出来たはずだ。なのに、主治医も看護師も誰一人、卵巣を摘出したことを言わなかった。知っていれば、その後のケアも違っただろう。私はその時の主治医に会わせるよう強く要求した。

主治医がやって来た。勝手に人の卵巣を取りやがって！　詰め寄る私に、主治医は事もなげにこう言った。「あなた、41歳ですよね。もう子供作れる歳でもないし、別に問題ないでしょう」。怒髪天を衝く、とはこのことだった。医者としては病因を取り除いたのだから医療過誤にはあたらないだろう。だが、人権侵害ではないか。

私は、この病院を訴えるべきだったのだろう。ただ、この時の私は、医者も病院も、警察も弁護士も、信じられなかった。母の時の闘いをもう一度繰り返す気力は残っていなかった。

**ゲイ・ピンク**◉ピンク映画の監督や役者が手がけたゲイ・ポルノを、業界用語で「薔薇族映画」と呼んだ。かつては全国に専門映画館があったが、今では4館ほどになっている。

# 5章

# 『第七官界彷徨――尾崎翠を探して』

## ■監督として存在しない？

母は私がピンク映画で監督になることに反対しなかった。専業主婦でしかなかった自分が、夫を亡くしていきなり世の中に放り出された労苦が身に沁みていたのだろう。いつも私に「女だって、一生一人で生きていけるだけの仕事を持ちなさい」と言っていた。だが、親戚たちは違った。徳島市の繁華街・新町にあるピンク映画館に毎週デカデカと「浜野佐知監督作品」と銘打ったえげつないタイトルのポスターが並ぶ。叔父や叔母たちは、その映画館の前を通る時は目をつぶって駆け抜けた、という。母に苦情のひとつもあっただろう。だが、母は私を守ってくれた。私は、いつか母に誇れる映画を撮りたいと思っていた。

母が死んで3年が経った1992年、私は中村幻児監督から日本映画監督協会に入会しないか、という誘いを受けた。当時の理事長は大島渚《おおしまなぎさ》、会員には山田洋《やまだよう》次《じ》、深作欣二《ふかさくきんじ》、伊藤俊也《いとうしゅんや》、恩地日出夫《おんちひでお》、若松孝二など日本映画界を代表する錚々たる名前が並んでいた。だが、当時会員数600名余に対して女性監督はたった3名のみだった。

私は、日本映画監督協会に入会した。この年、私やドキュメンタリーの山本洋子《やまもとようこ》★監督を含めて4人が入会し、一挙に7名になった。女性会員同士連絡を取り合い、年に一度の懇親会「七夕会」が生まれた。私に初めて女性監督の仲間が出来たのだ。劇映画、記録映画、テレビ、CMとジャンルは違っても、皆、それぞれの道を悪戦苦闘しながら歩いていた。

95年にはこの「七夕会」を母体として、映画界で働く全ての女性たちの連帯を目的とした「女正月《おんなしょうがつ》★」がスタートした。各ジャンルで点として存在していた女性映画人を線にしてつなごうという試みだった。

第1回の「女正月」は下北沢にある北沢タウンホール12階のスカイサロンで開催した。公共施設なので、準備は全て自力でやらなければならない。それぞれがお酒や料理を持ち寄る手作りの会となったが、監督、撮影、美術、スクリプター、編集などにかかわる女性映画人が40人ぐらい集まってくれた。このメンバーが中心になって、輪を広げていこう。そんな決起集会のような会だった。

翌96年の「女正月」には70名を超える参加者が集まった。映画制作の現場だけではなく、配給、上映、宣伝と映画に関わる全ての職種の女性たちが一堂に会したのだ。

私はこの会で女性映画人のパイオニアである高野悦子《たかのえつこ》★さんに出会った。高野さんは岩波ホールの総支配人で、85年から始まった東京国際映画祭・カネボウ国際女性映画週間(後の東京国際女性映画祭。２０１２年閉幕)のジェネラル・プロデューサーでもあった。高野さんは私を10月に開催されるカネボウ国際女性映画週間に招待することを約束してくれた。私は高野さんから日本の女性監督として認められたような気がして、心から嬉しかった。

一方で、私はピンク映画やアダルトビデオを撮り続けた。92年にはピンク12本・ＡＶ9本。93年にはピンク12本・ＡＶ5本。94年ピンク11本。95年ピンク13本・ＡＶ3本。96年ピンク10本・ＡＶ3本。

5年間で78本だ。山﨑組を入れると１１１本になる。今思うと、これほどの本数をどうやってこなしたのか自分でも驚くが、撮り続けることが私の映画監督としての存在証明だったのだろう。

高野さんは約束通り、96年の東京国際映画祭・カネボウ国際女性映画週間に私を招待してくれた。だが、この映画祭に参加したことが私に大きな転機をもたらすことになる。

それは突然のことだった。公式記者会見で、国内外のプレスに向かって「日本の女性監督で、もっとも多くの劇映画を撮ったのは、田中絹代監督の6本です」と発表されたのだ。会場の片隅でそれを聞いた私は自分の耳を疑った。田中絹代の6本が最多?

田中絹代は戦前の坂根田鶴子《さかねたづこ》★に次ぐ日本で2人目

**山本洋子**(１９４１~)◉記録映画監督・脚本家。独立プロ名画保存会代表。『大須事件』で監督デビュー。『軍隊を捨てた国』『明日に紡ぎつづけて』など。最近作に『矢臼別物語—北の大地からのメッセージ』。

**女正月**◉１９９５年に始まり、２０１９年まで25回継続。映画制作の現場から配給宣伝まで映画界で働く女性たちが参加した。

**高野悦子**(１９２９~２０１３)◉東宝入社後、退社してパリの高等映画学院監督科に留学。帰国後放送作家になりＴＶドラマを演出。日本・ポルトガル合作映画をめぐって監督の道を断念。１９６８年岩波ホール総支配人に就任。名作映画上映運動「エキプ・ド・シネマ」を川喜多かしこと共に主宰。

**坂根田鶴子**(１９０４~１９７５)◉日本初の女性映画監督。溝口健二に師事し、１９３６年『初姿』を監督する。満州に渡って満洲映画協会に入社。戦時下の国策に沿った作品を手がける。戦後、帰国して松竹の京都撮影所に入社するが、編集や記録係(スクリプター)だった。

の女性監督だ。日本映画監督協会最初の女性会員でもある。だが、劇映画最多本数を撮った監督ではない。最多本数を撮ったのは、撮り続けているのは、この私だ。

私だって本数だけを誇るつもりはない。私が撮ってきたのはピンク映画だ。国際女性映画祭で上映出来るような作品でないことは百も承知だ。だが、私の撮って来たピンク映画が映画としてカウントされないままでは、私は日本の女性監督として存在しなかったことになる。日本映画の歴史に足跡すら残せない。そんなことが許容できるはずがない。ならば、この女性映画祭に堂々と参加できる映画を作ろう。そして、私の手で私の存在を証明してみせる。

それまで私はピンク映画以外の映画を撮ることなど考えたこともなかった。撮りたいとも思わなかった。だが、この日から私の人生を賭けた大勝負が始まった。

私は旦々舎制作で一般映画を撮ることを決意したが、企画は？　撮りたいテーマは？　制作資金は？　私は悩みに悩んだ。撮ることだけを目的に走り出してしまったが、着地点が見えなかった。

96年12月もピンク映画1本とAV1本の撮影が決まっていた。年が明けた97年は1月4日から山﨑組が、10日からは浜野組がクランクインしなければならない。2月もすでに3本のピンク映画が決まっている。気持ちは焦ったが、ピンク映画以外のことを考える時間も余裕もなかった。だが、後には引けない。私にも意地があった。

### ▪尾崎翠

脚本の山﨑から「尾崎翠」の名が上がった。山﨑は「海外のシナリオコンクールに応募するという漠然とした気持ちから」創樹社版の尾崎翠全集（1979年刊）を持っていたという。私は尾崎翠を知らなかったが、1896年生まれの女性作家ということに興味を持った。原作物でやるなら、女性作家の作品がいい。そんな軽い気持ちでちくま文庫の「尾崎翠」を読んだが、代表作の「第七官界彷徨」（1931年）は衝撃だった。あまりにも難解だったのだ。〝蘚《こけ》の恋愛〟、〝土鍋で煮た肥しの匂い〟、〝半音狂ったピアノの音〟。行間から立ち上る不思議な感覚に惹かれるものはあったが、果たして映画の企画として成立するのか？

全集の版元である創樹社の玉井五一編集長をはじめ、

尾崎翠の作品を知る人たちは「映像化は難しい」と危ぶんだ。だが、私は最初から商業ベースに乗せることなど考えていなかった。誰に非難されても私が納得できるものを作ればいい。いや、むしろ誰も映画化を思いつかないようなものを撮ることこそ、今私がやるべきことではないか。

映画化を前提に「第七官界彷徨」を再読したが、読み進むうちに不思議な現象が起こった。私の脳裏に鮮烈な映像が沸き上がってきたのだ。それは、モノクロームの画面に、蘚の緑、肥やしの茶、女の子の髪の赤、と一点だけ鮮やかに色がついた不思議な映像だった。そして小説の登場人物たちが頭の中で動き出した時、私はこの作品は映画になる、と確信した。

小説を原作として映画化する場合、まず脚本を起こして、それを基に映像を考えていく。だが、この小説はいきなり私に映像を見せてくれたのだ。こんなことは初めてだった。私の中に尾崎翠がするりと入り込んできたようだった。

当時、尾崎翠は「第七官界彷徨」で注目を浴びた後、忽然と日本文学史から姿を消した〃幻の作家〃と評さ

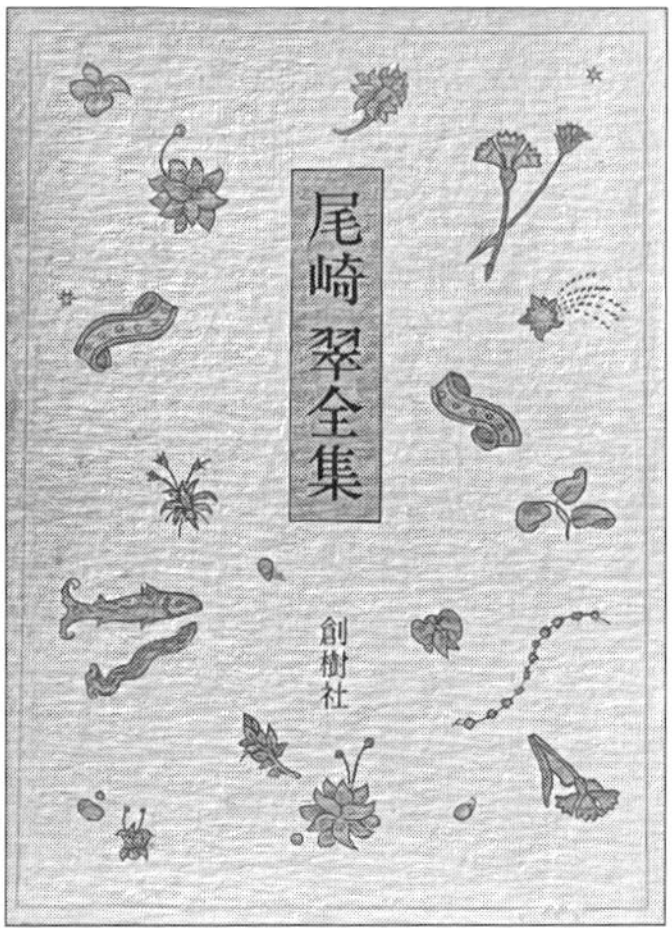

創樹社版尾崎翠全集。1979年発行。装丁、野中ユリ。

「因伯時報」昭和5年5月26日号より。左から橋浦泰雄、尾崎翠、秋田雨雀。

れていた。これほどの作品を残しながら、その存在はほとんど知られていない。私はなぜか尾崎翠と自分が重なり合ったように思えた。尾崎翠を幻のままにしておいてはいけない。「第七官界彷徨」を映画化しよう。私の脳裏に映像を見せてくれた尾崎翠だ。きっと私に向かって手を差し伸べてくれるに違いない。

## ■シスターフッド

尾崎翠の作品世界と、彼女の人生の両面を描きたい。企画とテーマは決まったが、制作資金をどう工面するかが大きな壁となって立ちはだかった。具体的に動き出せないまま悶々としていたが、事態が大きく変わったのは4月のことだった。「女正月」のメインメンバーである女性映画人7名が集まって旦々舎でギョーザ・パーティを開いた。その中に、共同通信の記者(当時)で映画評論家の松本侑壬子《まつもとゆみこ》さん★がいた。

出会いは、松本さんが96年に出版した『映画を作った女たち—女性監督の百年』(シネマハウス刊)の取材を受けたことがきっかけだった。「女のくせにポルノ映画を撮っている、とんでもない監督がいる」と聞いて乗り込んで来たのだが、ピンク映画に対する私の姿勢などを話すうちにすっかり意気投合してしまった。松本さんには一般映画の企画を探していることを伝えてあったが、宴もたけなわの頃、突然「あなた、本当はどんな映画を撮りたいのよ?」と聞いてきた。撮れるかどうか分からない以上、まだ人に言うべきではないと思ったが、私もつい酔った勢いで「尾崎翠」の名を出した。幸運とはこういうことなのだろう。松本さんは尾崎翠と同じ鳥取の出身だったのだ。松本さんは「女性監督が故郷の女性作

1988年作品『冴島奈緒　監禁』。「ミリオンフィルム」レーベル最終作品。岩波ホールで試写された1本。

家を撮るのだから」と岩波ホールの高野悦子さんを初め、鳥取の知人たちにも支援を要請してくれた。

高野さんは、記録映画作家の羽田澄子《はねだすみこ》★さんやカネボウ国際女性映画週間のディレクターの大竹洋子さんと共に、私のピンク映画『冴島奈緒《さえじまなお》・監禁』『女子高同窓会アレがスキ！』『小田かおる・貴婦人O嬢の悦楽』を岩波ホールの試写室で3本続けて観てくれた。そして、羽田さんは「監督としての視点、技術はしっかりしている」と言ってくれ、高野さんは「女性監督の視点でないと撮れない作品」と認めてくれた。日本の女性映画祭の中心となる人たちが、私のピンク映画を観て応援に立ち上がってくれたのだ。

## ■鳥取での取材

私は制作に向けて大きく舵を切った。この機運を逃してはならない。山﨑の書いた企画書「日本海少女論」では、それまで尾崎翠の権威とされていた全集編者の稲垣眞美《いながきまさみ》★氏の解釈を離れ、加藤幸子《かとうゆきこ》★さんや矢川澄子《やがわすみこ》★さんなど90年代に現れた女性たちによる読解に依拠した。小説「第七官界彷徨」の世界、死の床から遡っていく翠の後半生、そしてそのふたつの世界を現代から見る私たち、という3部構成で、その3つのパートがモザイクのように組み合わされる。さらに山﨑からは「加藤さんや矢川さんにも劇中のインタビューで出演してもらったらどうだろう」という提案があった。劇映画としては前代未聞だったが、これは私が作る映画なのだ。誰にも遠慮せず好きなことをやろう。そう覚悟を決めて、映画化へ

**松本侑壬子**◉映画評論家。共同通信記者として映画や女性問題を担当。退職後、十文字学園女子大教授。著書に『映画をつくった女たち～女性監督の１００年』『シネマ女性学』『銀幕のハーストーリー 映画に生きた女たち』など。

**羽田澄子（１９２６～）**◉ドキュメンタリー映画監督。１９５７年、岩波映画『村の婦人学級』で監督デビュー。１９７７年『薄墨の桜』を自主制作。『平塚らいてうの生涯―元始、女性は太陽であった』『嗚呼 満蒙開拓団』『そしてＡＫＩＫＯは…あるダンサーの肖像』など。

**稲垣眞美（１９２６～）**◉作家・評論家。『尾崎翠全集』（１９７９年。創樹社）『定本 尾崎翠全集』（上下巻。１９９８年。筑摩書房）共に解説・編者。

**加藤幸子（１９３６～）**◉作家。１９８２年「夢の壁」で芥川賞受賞。１９９１年『尾崎翠の感覚世界』で芸術選奨文部大臣賞。日本野鳥の会会員。

**矢川澄子（１９３０～２００２）**◉詩人・作家・翻訳家。『ちくま日本文学 尾崎翠』解説。著書に『矢川澄子作品集成』『野溝七生子というひと 散けし団欒』など。

の第一歩を踏み出した。

稲垣氏は「尾崎翠を世に出した」と自称する文芸評論家だが、山﨑や私は違和感を持っていた。なかでも、最初の創樹社版全集の解説に稲垣氏が記した、死の床で「このまま死ぬのなら、むごいものだねえ、と呟きながら、大粒の涙をぽろぽろと流した」というエピソードは、まるで尾崎翠の「孤独で悲痛な」人生のシンボルのように流布した。だが、はたして本当にそうだろうか？確かに「忘れられた悲劇の女流作家」のイメージを強調するには、実人生の不幸をオーバーラップする方が感情移入しやすいだろう。しかし、私にはどうしてもそうは思えなかった。「第七官界彷徨」をはじめとする作品群からは、自分の生きた人生を悔いながら死んでいくような尾崎翠は、全く見えてこなかったからだ。

少年時代に一緒に暮らした甥の小林喬樹さんの回想でも「湿っぽさのない、からりとした性格でユーモアに富んでおり、豪放闊達かつ磊落な男っぽいとも言える人」(創樹社版月報)と記されている。尾崎翠の悲愴なイメージは、稲垣氏など男性評論家の抱きがちなロマンチックな幻想だったのではないか。


映画化のためには、著作権者である親族の許可を得なければならない。私は鳥取の早川洋子さん(翠の姪)を訪ねた。翠は生涯独身だったので、甥や姪など親族16人が著作権継承者で早川さんがその代表だった。早川さんは降って湧いたような映画化を喜んでくれ、私は心から安堵した。

早川さんの実弟である松本敏行さんや、翠の姪である山名礼子さんにも会い、鳥取に連れ戻された後の翠の生活について多くのエピソードを聞くことが出来た。また、首都圏在住の小林喬樹さんからは全集に収録されていなかった喬樹さん宛の翠の手紙をお借りすることも出来た。

これら親族の方々の証言によって、それまで謎とされてきた翠の後半生が浮かび上がってきた。それは、稲垣氏が全集に続くアンソロジー『第七官界彷徨』(創樹社1980年)の解説で書いたような「空しく老いつづけた」「生ける屍」などではなく、甥や姪の面倒を見ながら、戦中戦後をたくましく生き抜いたひとりの女性の姿だった。

鳥取県立図書館の郷土資料コーナーでは、翠が19

41年に長い沈黙を破って「日本海新聞」に寄稿したエッセイを読むことが出来た。このエッセイで「今自分が何も書かないのは黄金の沈黙かも知れないと思っている」と書いていた。

「黄金の沈黙」。決して書けなくなったわけではない。書かないことを選択した、と翠は言っている。私はこの「黄金の沈黙」という言葉に出会って、背筋のピンと伸びた尾崎翠の衿持がひしひしと伝わってくる思いだった。

撮影に向けての準備も着々と進んでいた。東京と鳥取で映画制作を支援する会が立ち上がり、全国的なカンパ運動が展開された。最終的には主に女性たちから1200万円を超えるカンパが集まった。クラウドファンディングなど無い時代だ。ひとりひとりが声を掛け、手渡しで集めてくれた貴重なカンパだった。支援する会の通帳に最初の1000円が振り込まれた時の身震いを私は今でも覚えている。これでもう、何があっても後戻りできない。

## ▪運命的なキャスティング

その一方、私はキャスティングに悩んでいた。肝心の

尾崎翠が生まれた岩美町の西法寺(母の実家)。

墓所のある鳥取市の養源寺を訪ねた浜野。翠は現住職の叔母にあたる。

尾崎翠役を誰にするか？　私の中で息づき始めた尾崎翠のイメージが強すぎて、有名な女優さんを推薦する声もあったが、誰もしっくり来ない。悩みを抱えながら、97年の暮れ、岩波ホールの忘年会に参加した私は、廊下でひとりの女性とすれ違った。小柄ながら存在感を感じさせる体躯、顎のしっかりした意志的な顔つき。すれ違った瞬間、この人が私の尾崎翠だ！　そう直感した私はすぐさまその人の後を追った。それが、白石加代子さんだった。無謀なことをしたものだと思う。日本を代表する舞台女優に、一介のピンク映画監督が出演を依頼したのだ。白石さんは「私は舞台の役者ですから」と最初はやんわり断ってきた。支援する会の中からも懸念の声が起きた。白石さんの個性が強すぎて、監督や作品が負けてしまうと言うのだ。ピンク映画しか撮ったことのない私のキャリアを心配してくれたのだろう。しかし、私は諦めなかった。私もプロの監督だ。すでに私の頭の中で「白石翠」が動き始めていた。

98年になって、白石さんは、脚本の「いま頭と心臓といふことが非常に問題になるのです。心臓の世界を一度頭に持ってきて、頭で濾過した心臓を披瀝するというようなものが欲しい」（1930年『詩神』5月号「女流詩人・作家座談会」より）というセリフを気に入って、「このセリフが言えるなら出演してもいい」と言ってくれた。だが、白石さんのスケジュールは2年先まで埋まっている。頭を抱えた私に、白石さんは「年に一度のオフ（休日）が5月に10日間あります。それでよかったら、この映画のために使います」と言ってくれたのだ。

映画にとってキャスティングは、その作品の成否を決める。白石加代子という主役を得た私は、次々と恐いもの知らずで突き進んでいった。何しろ、ピンク映画の監督だ。一般映画の俳優さんとは誰ひとりとして面識などない。しかし、これがかえって良かったのか、何のしがらみもなく思い通りのイメージでキャスティングすることができた。特に、尾崎翠の生涯の親友・松下文子《まつしたふみこ》役★の吉行和子さんとは、その後の私の自社作品全てに出演していただくというかけがえのない出会いとなった。

そして、ピンクからロマンポルノに移籍する時、「サチが監督になったら、私、必ず出るからね」と言ってくれた白川和子さんを翠の妹役でキャスティングできたことは、やっと約束を果たせたようで嬉しかった。

## ■全集編者との戦い

尾崎翠を映画化するに当たって、私は稲垣眞美氏にコンタクトを取らなかった。私と山﨑は稲垣氏の評伝に異を唱え、新しい尾崎翠像を描こうとしていた。

97年12月、映画『第七官界彷徨—尾崎翠を探して』の完成稿があがった。私は、日本芸術文化振興基金と東京都女性財団の助成事業への申請書を提出した。これらの映画制作助成は脚本審査なので、完成稿が無ければ申請できない。同時に、鳥取の親族、キャスト、スタッフにも送った。クランクインに向けて動き出したのだ。

年が明けて98年2月、親族を通じて稲垣氏から面会の申し入れがあった。どうやら親族が脚本を稲垣氏に読ませたようだった。仕方なく私と山﨑は稲垣氏の自宅を訪ねたが、そこで聞かされた言葉は唖然とするものばかりだった。

まず、稲垣氏は脚本を「採点以下の零点」と言った。零点というのは、もともと稲垣氏の見解を否定しているのだから当然だろう。だが、愕然としたのは、稲垣氏が流布した不幸伝説の真偽を問うた私に、

「功をなし、名をあげようとした作家が、途中で断筆したのだから、幸せだったはずがないでしょう」

「女が一生結婚出来なかったのだから不幸に決まっている。まあ、体格はよかったから、性欲はそうとう強かったでしょうがね」

と答えたのだ。私は、稲垣氏の言葉に呆れ、怒りに震えた。尾崎翠は、自らの意志で筆を折ったのだ。結婚出

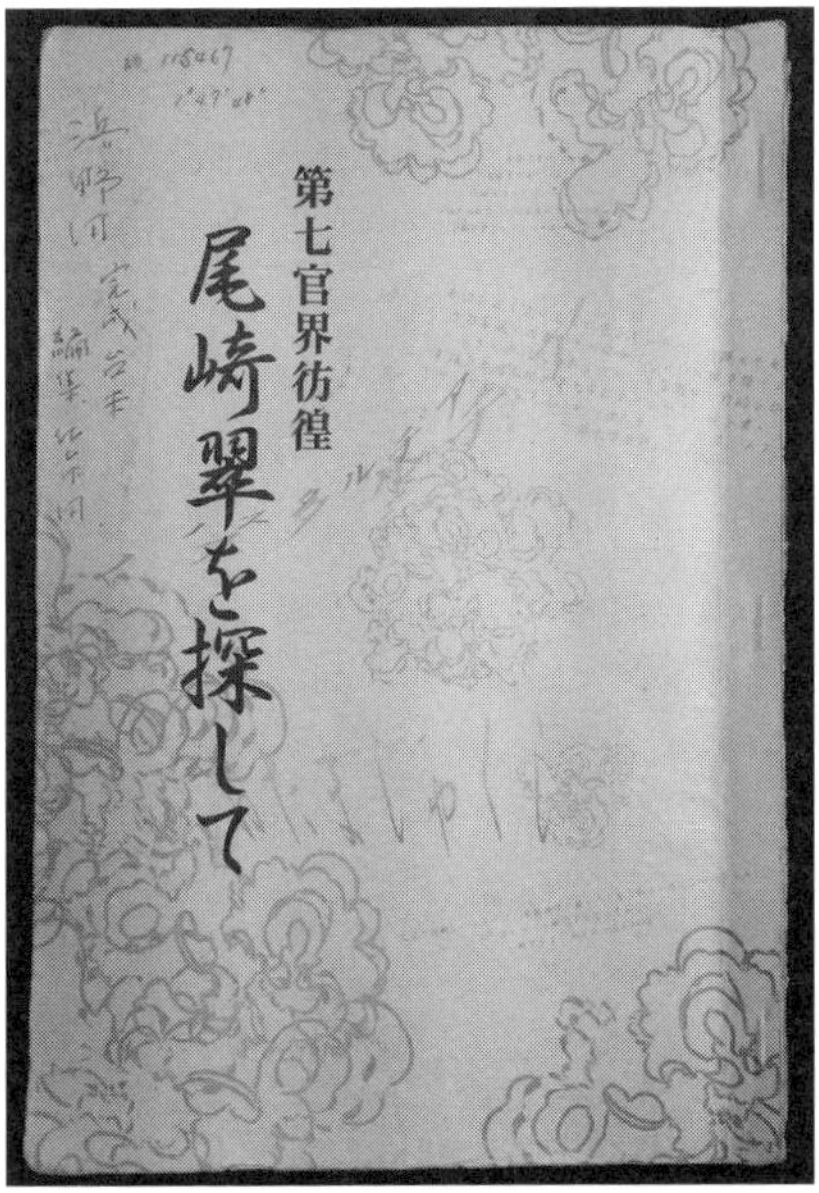

『第七官界彷徨—尾崎翠を探して』台本。

**松下文子**◉北海道旭川生まれ。日本女子大の寮で尾崎翠と出会い、生涯の友となる。詩を書き、林芙美子の最初の詩集の資金も提供。翠と同居するが、結婚して一時期ベルリンに住む。

来なかったのではなく、しなかったのだ。当時の日本は、第二次世界大戦にむかって軍国主義の大きなうねりの中にあった。そういう時代にあって、翠は自分が真に書きたいもの以外は書かなかった。良妻賢母がよしとされる時代に、自分らしく生きようとした。それが尾崎翠の選択ではなかったか。

私は叫び出しそうになった。この男から尾崎翠を解き放ち、尾崎翠という女性の真実を伝えよう。そして、新しい尾崎翠像を現代に蘇らせるのだ。私はそう決意し、稲垣氏との決裂を決めた。

その後も稲垣氏からの執拗な嫌がらせは続いたが、私は意に介さなかった。

日本芸術文化振興基金と東京都女性財団からの助成も決定し、制作資金のめどもついた。後は5月のクランクインを待つばかりだった。

98年3月30日、日本芸術文化振興会から1本の電話がかかってきた。『第七官界彷徨—尾崎翠を探して』は、著作権者と映画化権の契約が交わされていない、そんな映画に助成するのか、というクレームがあったというのだ。さらに、明日31日17時までに契約書が確認できなければ助成を取り消さざるを得ない、と言う。行政の年度末を見越した巧妙なクレームのつけ方だった。この助成金を得られなければ、致命的に資金不足となる。

私は受話器を持つ手が震えた。著作権者の早川洋子さんのご厚意に甘えて、クランクイン前に契約書を交わす約束になっていたからだ。

私は鳥取の早川さんに電話をし、事情を話してすぐに契約してくれるよう頼んだが、早川さんは困ったように「稲垣先生におまかせしてありますから」と繰り返すばかりだった。

私は稲垣氏にアポを取り、待ち合わせの喫茶店にタクシーを飛ばした。事情を話し、契約を懇願する私に稲垣氏はうすら笑いを浮かべながら、「それはお困りですねえ」と言った。その瞬間、クレームをつけたのは稲垣氏だと確信した私は、咄嗟に稲垣氏の前で土下座した。周りの客たちがギョッとしたように私を見たが、なりふり構っていられなかった。何と言っても時間がない。

「まあまあ、監督、頭を上げてください。契約しないと言いだしたのは著作権者の方ですが、私が話しましょう。私の言うことだったら何でも聞きますから、すぐに鳥取に行ってください」

稲垣氏を信じられるわけもないが、今はこの言葉に縋《すが》るしかない。だが、鳥取への最終便はすでに飛び立ってしまっている。どんなに焦っても明日の朝まで待たなくてはならない。私は眠れぬ夜を過ごした。

翌31日、私は早朝便で鳥取に飛んだ。早川洋子さんと松本敏行さんに契約書を交わしていただけるようお願いしたが、早川さんは申し訳なさそうに、稲垣氏から「絶対に契約書に判を押してはいけない」と言われているという。親族にとって稲垣氏は尾崎翠を世に出した恩人なのだ。

私の内にかつて経験したことがない憤怒と悔恨が沸き起こった。何故もっと早く契約をしなかったのだ。映画制作の鉄則ではないか。これで何もかもが終わった。私は自分の甘さを呪い、いつの間にか大声をあげて泣いていた。後に松本敏行さんに「大人の女の人があんな風に泣くのを初めて見た」と言われたが、怒りと絶望で感情のコントロールが出来なかったのだろう。

その時、玄関のチャイムが鳴って速達が届いた。それは稲垣氏からで、中には一通の契約書が入っていた。


私が提示したのは、小説「第七官界彷徨」を一度だけ映画化する権利を買い取る、という契約書だったが、届いた稲垣氏からの契約書は、尾崎翠の全作品とその人生にまつわるエピソードの全てを今後10年間拘束する、という途方もないものだった。契約金も私の提示したものより低い。そして、頃合いを見計らったように稲垣氏本人から電話がかかってきた。早川さんは私にも聞かせたかったのだろう。スピーカーをオンにしてくれ、稲垣氏の声が流れてくる。

「私が送った契約書に判を押しなさい。あんたたちは田舎の人間だ。東大出の私の言うとおりにすればいいんだ」

その時、それまで黙って事の成り行きを見守っていた松本敏行さんが受話器を取り「私は銀行の支店長で、契約のプロです。この2通の契約書を比べると誠意は浜野監督の方にある。私たちは浜野監督と契約します」

そう言って電話を切ると、早川さんに急いで判を押すよう促し「ここからもFAXは出来るが、県の文化振興課からした方が文化庁も安心するだろう」と私を県庁まで車で送ってくれた。県庁に着いたのが、16時40分。

あと20分遅れていたら、と思うと今でも体が震えてくる。親族にとって稲垣氏に反旗を翻すのは大変な決断だったろうと思う。早川洋子さん、松本敏行さんには感謝してもしきれない。

## ■「尾崎翠を探して」鳥取

尾崎翠は1896年12月20日、鳥取県岩美郡岩井村（現・岩美町）に生まれた。

1919年、22歳で日本女子大学国文科に入学。生涯の親友となる松下文子と出会う。翌年、デビュー作「無風帯から」を発表。

1931年、代表作「第七官界彷徨」を発表。頭痛薬ミグレニンの中毒が悪化し、翌年、長兄によって鳥取に連れ戻される。

1933年、単行本『第七官界彷徨』が出版されるが、その後、数少ないエッセイや小品以外、作品を発表することはなかった。

1971年、7月8日、死去。74歳。

---

映画『第七官界彷徨—尾崎翠を探して』は、翠の代表作である小説「第七官界彷徨」と翠の実人生をクロスさせながら進んでいく。実人生パート「尾崎翠を探して」は翠の生地、岩美町をメインにしたオール鳥取ロケだった。

撮影隊は本拠地を岩美町の岩井温泉に置いた。4月に新しく町長に就任したばかりの榎本武利町長が全面的なロケ協力を約束してくれたことが大きかった。翠が見た風景、翠が歩いた道、翠が吹かれた風、翠が生きた時代と変わらぬ佇まいのこの地で、私は翠に捧げる映画を作りたかった。

鳥取ロケは正味18日間だったが、前後のロケハンや実景撮りを含めると1カ月近く滞在した。スタッフは町営の老人福祉センターの大広間で合宿し、俳優陣は岩井温泉の3軒の温泉旅館が分担して宿泊させてくれた。

貧乏撮影隊にとって地方ロケで一番困るのが朝食とお風呂だ。昼食や夕食は弁当などで何とかなるが、朝だけは自分たちで用意しなければならない。だが撮影隊の朝は早く、自炊する時間などない。そこで助けてくれたのが地区の婦人会の皆さんだった。毎朝交代で炊き出しをしてくれたのだ。温かいお握りに温かい味噌汁、地元野菜の漬物。撮影隊にとっては何よりのご馳走だった。

一日の撮影が終わった後は、岩井区長の計らいで公共浴場の〝ゆかむり温泉〟に無料で入浴させていただいた。岩井温泉は1300年の歴史のある山陰最古の温泉だ。疲れた体には最高のもてなしだった。

白石さんは、まさに尾崎翠その人だった。私は、戦後になって鳥取の翠を松下文子が訪ね、浦富の海岸でお弁当を食べるシーンが一番好きだ。

文子「後悔してない？」

翠「何を？」

文子「文学を断念したこと」

翠「文学なんて、いろいろある人間の生活のうちの一つ。その人間だって、宇宙から見たら、ちっちゃなものよ」

目の前にいるのは白石さんだが、私には尾崎翠の言葉にしか聞こえなかった。翠は後半生もたくましく生きたのだ。戦中、陽気に英語の歌を口ずさみながら、ミ

スチル写真より。旧岩井小学校を見上げる尾崎翠（白石加代子）と松下文子（吉行和子）。

シンで雑巾を縫う翠。雑巾を背負って行商する翠。白石さん演じる翠は、どのような運命にも立ち向かう力強さを秘めていた。私が会いたかった翠がそこにいた。

吉行さんの演技にも感銘を受けた。死を前にした翠を見舞った病室のシーンで、翠の手を握り、「元気だして。東京でも『第七官界彷徨』評判よ。幻の作家の、幻の名作だって」というセリフが途中で止まった。私は、あっ、セリフがつまった、と思い咄嗟にカットをかけようとしたが、その時、吉行さんの目から涙がつつー、とこぼれ落ちた。私はカットをかけようとした自分を恥じた。もしカットをかけていたら、私は監督としての真価を問われただろう。

後に吉行さんは「私、身内が死んでも泣けないのに、あの時は自然と涙が出たわね」と言われたが、吉行さんは翠の長年の愛読者でもあった。

翠の妹、薫を演じたのが、白川和子だ。和子は時に緊張する私を「サチ、大丈夫だがや〜」と鳥取弁で励ましてくれた。和子の鳥取弁は完ぺきだった。クランクイン前にセリフを鳥取弁に直したテープを聞いてもらってはいたが、地元の人たちが「鳥取人より完璧な鳥取弁だ」

鳥取砂丘での撮影に臨む。

と感服したほどだった。和子がそばにいてくれたことは、私にとって大きな支えとなった。

短くない合宿生活では、スタッフ間に軋轢も生じた。ちょうどロケも後半にさしかかった頃だった。酒屋にたむろしていた若い男たちの一人が、「姉ちゃん、俺も映画に出してくれよ」と言ったのだ。それまで私は、この酒屋でも「監督さん」と呼ばれていた。それが突然の姉ちゃん呼ばわりだ。明らかにピンク映画を指している。

私はピンク映画の監督であることを隠してはいない。鳥取県も岩美町も知っている。悪意は撮影隊の中にあった。プロデューサーと監督を兼ねる私のピンク流の強引なスケジュールに不満が鬱積したのだろう。スタッフの間で「反監督」の気分が醸成され、その中心は初めて組んだ女性スタッフだった。

協力してくれていた地元とも、ぎくしゃくしてきた。撮影スケジュールはコロコロ変わる。約束を守らないことなど茶飯事で、当たり前のように無理難題を要求する。さすがに堪忍袋の緒も切れただろう。無茶は承知だ。誰に非難されようと、やるしかなかった。白石さんがこの撮影に使える時間は10日しかない。だが、私は大きな問題を抱えていた。

帰郷を余儀なくされる翠と、劇作家高橋丈雄《たかはしたけお》★（演じたのは原田大二郎さん）の別離のシーンのロケ地が決まっていなかった。時代は昭和初期の東京駅。蒸気機関車が停車するプラットホームでの別れである。関東近郊の鉄道博物館や蒸気機関車を展示してある公園など探したが、どうしてもリアリティに欠ける。果たしてロケ地が見つかるのか？　との不安に苛まれながら、鳥取ロケに突入したのだ。私は山陰地方の地図や観光案内を見ながら撮影場所を探したが、これだ！　というところが見つからない。そんな時、スタッフの一人から京都の福知山近くに「加悦《かや》SL広場」という鉄道公園があることを聞いた。岩美町は鳥取県の最北端に位置し、京都府とは兵庫県を挟んで隣接している。福知山はそんなに遠くないのではないか？　私は急きょメインスタッフとロケハンに出かけた。

**高橋丈雄**（1906〜1986）◉劇作家・小説家。同人雑誌で尾崎翠と出会う。ミグレニンの中毒で妄想に襲われる尾崎翠と10日間ほど同居。創樹社版全集の月報に「恋びとなるもの」という回想を寄せた。

「加悦ＳＬ広場」には短いながらも当時の面影を残したプラットホームがあった。１９２３年製造のＳＬが停車し、荷物室を備えた客車も連結している。時代考証としても問題はない。やっと見つけたロケ場所だったが、広場の周りには住宅が点在している。今ならデジタル処理で消すことは簡単だが、フィルムではそうはいかない。ＳＬ広場からは「閉園後なら」との撮影許可が下りた。技術パートも、夜なら周りの住宅もなんとか誤魔化せるのではないかと言う。だが、日没からの撮影ともなれば終了は深夜に及ぶ。果たして乗客のエキストラが集まるのか？　不安はあったが、岩井の婦人会を通じて昭和初期風の着物を持っている方を募集してもらった。衣裳付きのエキストラなど図々しい注文だったが、50人ほどの方が名乗りを上げてくれた。

当日は町民のためのバスを2台仕立て、福知山に向かった。加悦ＳＬ広場の職員の皆さんも、展示してある当時の駅員の制服を着て出演してくれた。プラットホームに昭和初期の駅頭が蘇り、別れを覚悟した翠と高橋丈雄が雑踏の中を歩いてくる。その2人を移動車に乗ったカメラが追う。翠が立ち止まり、振り返る。高橋

スチル写真より。現代の砂丘に蘇る女性作家たち。右から尾崎翠、林芙美子（宮下順子）、松下文子、深尾須磨子（横山通代）、城夏子（石川真希）。

丈雄を見つめる翠の目の中の熱情を、白石さんは心に突き刺さるような演技で見せてくれたのだ。

　プラットホームのシーンが終われば、次は客車内のシーンだ。雑巾の行商に出かける翠、翠を迎えに東京に向かう長兄のシーンなどを撮って、すべてが終了したのは深夜3時を回った頃だった。岩美町に帰り着く頃には明るくなっているだろう。だが、エキストラの皆さんからは苦情が出ることもなく、逆に「良く頑張ったね」と労いの言葉をいただいた。

　『尾崎翠を探して』のラストシーンは鳥取砂丘での空撮だった。砂丘に立つ尾崎翠、松下文子、林芙美子《はやしふみこ》★、城《じょう》夏子《なつこ》★、深尾須磨子《ふかおすまこ》★。１００年前に生きた女性作家たちと今を生きる私たちを、時間と空間を超えて出会わせるためには、宇宙からの視点が必要だった。だが、鳥取には撮影用のヘリコプターがなく、四国の高松から呼ぶのだが、飛び立つ時から帰着するまでの全時間に料金がかかる。1時間の空撮に１００万円近い予算が必要だった。しかし、ロケも終盤に近づき、そんなお金は残っていない。どう考えても無理だ、諦めるか。その決断を迫られた時、支援する会の口座にまとまった額のカンパが振り込まれたという連絡があった。

　私とカメラマンが乗ったヘリが、砂丘の上に立つ女優さんたちに近づいていく。夕陽が日本海に落ちていき、砂丘は黄金色に輝いて美しい。直前のカンパがなければ、このラストシーンは撮れなかった。そして、私の悶々を察したように振り込んでくれたのが吉行和子さんだったことを、私は後になって知る。

### ■「第七官界彷徨」　東京

鳥取ロケを終えた私は、東京に戻って府中のスタジオにセットを組んだ。「第七官界彷徨」という不可思議

**林芙美子**（1903〜1951）◉作家。さまざまな職業を経た後、苦闘を記した日記を元に『放浪記』がベストセラーとなる。戦中は従軍作家となったが、戦後新聞小説で成功を収める。代表作に『晩菊』『浮雲』『めし』など。

**城夏子**（1902〜1995）◉作家。少女小説からスタートし、女流文芸誌の『女人芸術』に参加。戦後は少女小説や童話を書いた。代表作に「野ばらの歌」「毬をつく女」「六つの晩年」「林の中の晩餐会」など。

**深尾須磨子**（1888〜1974）◉詩人・作家・翻訳家。与謝野晶子に師事し、詩集を出す一方、パリで生物学とフルートを学ぶ。戦争協力への反省から、戦後は平和運動、女性運動に尽力する。

で透明な小説世界は、リアルな現実の中では撮れない。主人公の少女・小野町子の「私はひとつ、人間の第七官にひびくような詩を書いてやりませう」に倣って言えば、私もまた、観客の第七官に響くような映像が撮りたかった。

だが、制作資金の壁が大きくのしかかってくる。鳥取と東京。現実と非現実。全くタイプの違う2本の映画を同時に撮るようなものだ。制作費も底をつきかけていたが、私はクレーンを使った画《え》にこだわった。鳥取では移動車(横移動)を多用したが、第七官の世界にはクレーン(縦移動)の視点が欲しかった。スタジオにセットを組んだ理由のひとつもそこにあった。だが、クレーンはオペレーターがつけば1日20万円はかかる。

そんな時、ふと思い出したのが青年群像の親会社だった明光セレクトだ。明光セレクトは、ピンク映画の配給もしていたが、特機(撮影用特別機材)のレンタル・オペレーションが本業の会社だった。明光セレクトに連絡すると、青年群像当時は専務だった息子さんが社長になっていて、破格の料金で協力を約束してくれた。ピンク映画で培ったつながりが30年後に私を助けてくれたのだ。

スチル写真より。ピアノの前の小野町子(柳愛里)。

この「第七官界彷徨」パートで特筆すべきは、小野町子を演じた柳愛里《ゆうえり》★さんだろう。リアルな肉体の存在をできる限り消して欲しい、という私の要求に見事に応えた。出番待ちの時などは共演者と冗談を言い合って笑うごく普通の若い女性だが、「本番!」の掛け声でカメラが回り始めると、彼女の周囲に透明な幕が出現し、まるで引力が消失していくように見える。不思議な個性だった。小野町子役のキャスティングは小説パートの成否を握る。柳愛里は尾崎翠ワールドのピースにピタリとはまったのだ。

町子の兄、小野一助を演じた野村良介(現・野村万蔵)さん、従兄弟の佐田三五郎を演じた宝井誠明くんは、2019年の『雪子さんの足音』にも出演してもらっている。『第七官界彷徨―尾崎翠を探して』はその後の私の作品に大きな財産を残してくれたと言っていいだろう。

かけがえのない出会いもあった。与謝野晶子や茨木のり子、金子みすゞなど日本の女性詩人の詩に曲をつけ、歌い続けてきた音楽家・吉岡《よしおか》しげ美《み》★さんとの出会いである。映画作品に音楽は重要な役割を持つ。私は、この作品の音楽はどうしても女性の作曲家に頼みたかった。

スチル写真より。小野町子の髪を切る佐田三五郎(宝井誠明)。

**柳愛里**(1971〜)◉俳優。主な出演作に『2/デュオ』『家族シネマ』など。作家柳美里の実妹。

**吉岡しげ美**(1949〜)◉作曲家・ピアノ弾き語り。1970年代から与謝野晶子、茨木のり子、新川和江、金子みすゞなど日本の女性詩人の詩や短歌、「万葉集」「枕草子」などに曲をつけて歌う。

尾崎翠ワールドの底に水脈のように流れる旋律を拾いあげ、表現できる女性音楽家はいないだろうか？　そんな時、支援する会のメンバーの推薦で聞いたのが、吉岡しげ美さんの「わたしが一番きれいだったとき」（詩・茨木のり子）だった。衝撃だった。この詩に曲をつけて歌う人がいる。

初めて会った吉岡さんは、曲のイメージとはかけ離れた、明るく気さくな女性だった。だが、会った瞬間から気が合うというのはこういうことなのだろう。まだ何も話していないのに、お互いの生きてきた道をお互いが瞬時に了解しあった気がしたのだ。吉岡さんも音楽界という男社会で孤軍奮闘しながら自分の道を切り拓いて来た。歩いて来た道は違っても思いは同じだった。吉岡さんは音楽監督として「第七官界彷徨」パートの撮影現場に毎日のように通ってくれ、三五郎と町子が歌うコミックオペラを指導してくれた。吉岡さんは、その後の自社作品全ての音楽を担当してくれている。

## ■自主上映・自社配給

1998年9月、『第七官界彷徨—尾崎翠を探して』は完成した。10月には柳愛里さんと共に鳥取県庁で完成記者会見を開き、ロケ地・岩美町での先行上映を初めとして、鳥取市、米子市、境港市、倉吉市と鳥取県内での上映がスタートした。地方の公的な施設には上映設備のないところも多く、映写機を設置し、スクリーンを張るところから始めなければならない。

私は『第七官界彷徨—尾崎翠を探して』を自社配給することを決めていた。通常、映画の公開は配給会社が請け負う。上映館を決め、宣伝をし、舞台挨拶などの段取りを決める。大きく展開するには必須なのだが、このシステムは大ヒットでもしない限り制作側にメリットはない。まず、公開収入は映画館と配給会社で50％ずつの配分となり、配給会社の取り分の50％が制作会社に分配される。映画館で100万円の売り上げがあったとしても制作側に戻るのは25万円だ。これでは永久に制作資金は回収されないだろう。ただ、私にとっては収益の問題だけではなかった。私は『第七官界彷徨—尾崎翠を探して』を人手に託したくなかったのだ。自らの手で上映し、観てくれる人たちと出会い、この映画の行く末をこの目で確認したかった。

鳥取各地での先行上映が終わり、第11回東京国際映画祭・カネボウ国際女性映画週間に出品した。念願の「日本の女性監督」として、私が女性映画祭の舞台に立ち、足跡を残せる日が来たのだ。だが、私は不安だった。当時は故郷鳥取ですら知っている人が少なかった尾崎翠と、無名の監督である私の映画にどれほどの人が観に来てくれるのか自信がなかったのだ。

だが、会場のシネセゾン渋谷には上映前から人が溢れ、あっという間に220席が埋まった。なかには九州や北海道から来たのに入場できないという人もいて、映画祭プロデューサーの高野悦子さんと私がエントランスでお詫びする騒ぎにまでなった。急きょ紀伊國屋ホールでの追加上映も決まった。信じられなかった。それまであまり表面化することのなかった尾崎翠の読者は、決して少ないものではなかったのだ。

そして、私にとって一番嬉しかったのは、この会場に尾崎翠の甥にあたる方が観に来てくれ、「わしは今、翠叔母に会った」と言ってくれたことだった。スクリーンの中の白石さんを、彼は尾崎翠その人だと思ったのだろう。今までの辛労辛苦が報われた言葉だった。「幻の作家」

「カネボウ国際女性映画週間」パンフレット。東京国際映画祭の協賛企画として開催された。

『第七官界彷徨―尾崎翠を探して』パンフレット。故・塚本靖代さん（研究者）が「変な家庭の永遠の妹、小野町子」を寄稿している。

と評されていた尾崎翠が現代に蘇ったのだ。映画を作ってよかった。私は心からそう思った。

そんな時、ドイツから1本の国際電話がかかってきた。毎年ドイツ北部の都市ドルトムントで開催されるドルトムント国際女性映画祭コーディネーターの松山文子さんからで、なんと私のピンク映画を映画祭で上映したいという申し出だった。だが、ピンク映画は監督に著作権がない。ピンクのみならず日本では映画の著作権は監督にはなく、制作会社がその権利を持つ。私が自社制作にこだわる所以だが、私(旦々舎)が著作権を持つのは『第七官界彷徨—尾崎翠を探して』しかない。私はその旨を伝え、松山さんのプッシュもあったのだろう、ドルトムント国際女性映画祭から正式な招待を受けた。思いもかけず突如海外映画祭への道が開けたのだ。私はそれまで海外旅行などとは無縁の生活を送ってきた。英語も話せない。不安はあったが、これはチャンスだ。この映画が海外で理解され、評価されるかどうか賭けてみよう。

## ■ドルトムント国際女性映画祭

1999年3月、ドルトムント国際女性映画祭で『第七官界彷徨—尾崎翠を探して』が上映された。尾崎翠の作品世界がドイツの観客に理解されるだろうか。懸念通り、上映にはあまり観客が集まらなかった。私も気落ちしたが、思わぬ展開が待っていた。観客が少なかったことを残念がった女性ジャーナリストや映画祭スタッフ、海外の女性監督たちが再上映を求めて署名運動を展開してくれたのだ。日本の映画祭では考えられないことだった。いい映画であれば、観たい、観せたい。そこには映画人のはっきりした主張があった。この署名運動に映画祭のズィルケ・レービガー委員長は50人の観客を集めたら再上映すると応えた。そして2回目の上映には多くの人たちが客席を埋め、私は日本の女性監督として尾崎翠を、そして私自身を語ることが出来たのだ。

私にとってこの初の海外女性映画祭の体験は大きかった。映画は作り手の想いを言語を超えて伝えることができる。そして、世界の女性監督たちとの交流は私に新しい目を開かせた。文化の違いはあっても、選ぶテーマ、制作資金、上映の困難など同じ課題に直面していることを知り、男中心の映画界で「女が映画を作ること」

に向き合ったのだ。

この女性映画祭をきっかけに、ドイツ・ベルリンで開催されたエスノ映画祭、エジプトのアレキサンドリア国際映画祭、アメリカ・ピッツバーグ大学とカーネギー美術館共催の上映、ニューヨークのジャパンソサエティ、NY州立大学ストーニー・ブルック校、ユタ州ブルガン・ヤング大学と海外上映が続いたが、中でもカルチャーショックを受けたのが第15回アレキサンドリア国際映画祭だった。

アレキサンドリアは地中海を臨むエジプト第二の都市だ。町中には至る所に古い映画館があり、まるで50年代の日本の映画館のような活況を呈していたが、男性用映画館、女性用映画館と厳しく区別されていた。バスなどの公共の乗り物の車両も男女別だ。一方、映画祭ゲストの作品が上映されたのは町の中心地から車で1時間ほど離れたビジネス街の近代的なシネコンだった。1食30円で食事ができる国で西欧並みの入場料だ。一般の観客など来るはずもない。私の映画だけ不人気なのかと思ったが、隣のスクリーンのヨーロッパ映画にも観客はいない。一体誰に観せるための映画祭なのだろう。首を捻らずにはいられなかった。

ドルトムント国際女性映画祭で。右端が栗原奈名子監督(『ルッキング・フォー・フミコ』)、隣が浜野。

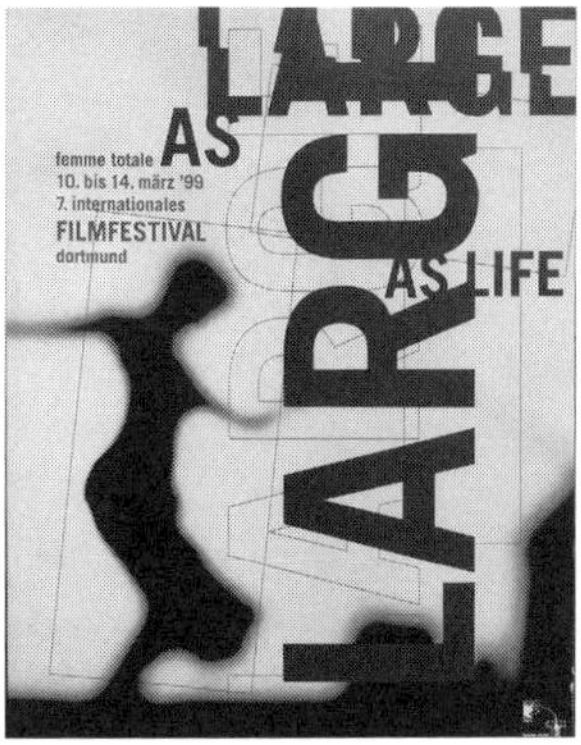

第7回ドルトムント国際女性映画祭のパンフレットと紹介ページ。

一方、映画祭主催のパーティでは、政府要人やエジプト映画界のトップスターたちが華やかに集い、パーティ会場の周りを肩から銃を下げた兵隊が取り囲んでいる。正に映画が支配層の社交道具になっている典型的な映画祭だった。ドルトムントとのあまりの違いに、私が向かうべき方向は女性映画祭だ、とはっきりと認識することができた。

### ・岩波ホールでロードショー

『第七官界彷徨—尾崎翠を探して』は1999年7月の岩波ホールでの公開を前に、国内での映画祭やホール上映が相次いだ。1月の国立婦人教育会館(現・国立女性教育会館。ヌエック)を皮切りに、江ノ島女性映画祭、とちぎ女性センター、日本女性会議99、愛知淑徳大学などから上映オファーが相次いだ。この年の6月に「男女共同参画社会基本法」が施行されたことと関係があるのだろう。劇映画のジャンルでは、まだ女性監督がほとんど登場していない時代だった。

岩波ホールでのロードショーは7月3日から1週間限定の特別公開だったが、同ホールの会員をはじめ、多く

アレキサンドリアの街頭で。カルチャーショックを受ける。

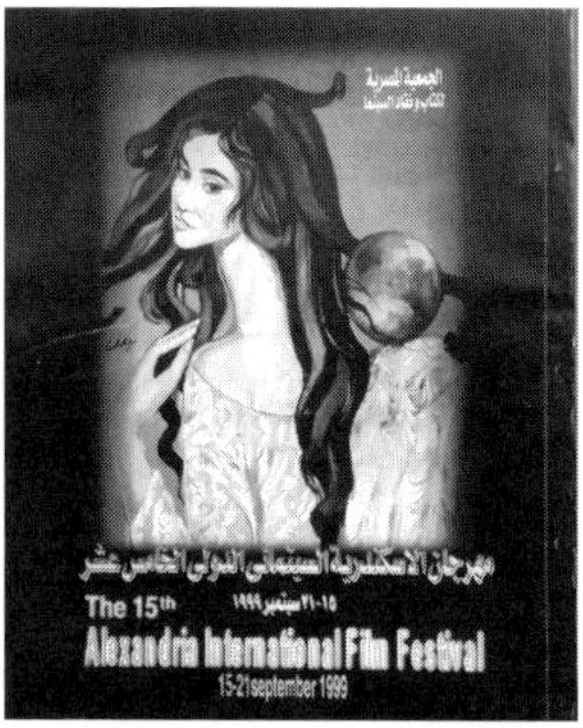

افلام مختارة
Selected Films

البحث عن كاتبة ضائعة
التجول في العالم السابع

In Search of A lost Writer
Wandering In the Seventh World

اليابان

Japan

35mm
color
1998

A film that two stories: the trues story of a long-lost Japanese writer and the tale that is her greatest work. Osaki Midori (1896-1971) published such masterpieces as Wandering in the Seventh World, Kohorogijo and Walking in the late 1920s and early 1930s, then vanished at the height of her powers from the Japanese literary world. Thought by even close friends to have gone mad and died, she was not rediscovered until 1969, when Wandering in the Seventh World was included in a literary collection called Black Humor, and attention was drawn to a fresh, unique style that transcended the boundaries of its age. The writer, it was found, was now an elderly lady living quietly in her western-Japan hometown of Tottori. At the age of 35, addicted to medicine she took for headaches, she had been taken there from Tokyo by her family. After 37 years, her name was once again heard in literary circles, but she died two years later, at the age of 74. She never married.

Alexandria Festival 15th

第15回アレキサンドリア国際映画祭のパンフレットと紹介ページ。

の人たちに観てもらうことが出来た。私も何度か客席から観たが、スクリーンに映し出される映像に驚かされた。毎日の上映が微妙に進化し、日々美しくなっていく。映写技師さんは、感嘆する私にこう言った。

「レンズの露出を変えたり、ピントを調整したり、ベストの映写を実現できるよう毎日工夫している」

私は子供の頃、静岡の映画館の映写室で聞いた「映画は生きもの」という言葉を思い出した。あの映写技師のおじさんも、気温や湿度によって微妙に変わるプリントを最高の状態に仕上げるのが自分の仕事だと言っていた。

こうしたプロフェッショナルに映写してもらえる映画は本当に幸せだが、逆のケースもある。関西の映画館で公開した時のことだ。私は最終上映日に劇場に行ったが、セリフや音楽、効果音などの音がおかしい。ブツブツと音が途切れ、微かにしか聞こえてこない。私は慌てて映写室に駆け込んだが、誰もいない。映写技師は映写機のスタートボタンを押してどこかに行ってしまったのだ。原因は私の映画のサウンドはモノラルなのだが、その前の回のドルビーのままに設定されていた。2週間、観客は音のおかしな映画を観せられていたのだ。愕然としたが、上映は今日で終わる。私は映画を観てくれた人限定で1度だけ無料で完全な上映をしてほしい、と申し入れたが、聞き入れてもらえなかった。現在では、映画はフィルムからデジタルになり、上映素材もプリントからDCPやブルーレイに変わった。時代の変化は、映写のプロの技術も過去のものとしたのだ。

## ・クレテイユ国際女性映画祭

2000年3月にはフランスのクレテイユ国際女性映画祭のコンペティション部門に参加した。1979年から毎年パリ郊外のクレテイユで開催される女性映画祭で、10日あまりの会期中に世界の女性監督作品100本余が上映され、終了後には必ず観客とのディスカッションがセットされていた。他の国際映画祭のようにスターや監督の舞台挨拶などの儀礼的で華やかなものではなく、会場のあちこちで監督を囲んで突っ込んだディスカッションがくり広げられていた。

『第七官界彷徨―尾崎翠を探して』は3回の上映が行われたが、作品を深く読み込む観客がほとんどで、

「心理的な分裂に対する芸術的なアプローチは、翠が作品を書いた当時の日本で、どれぐらい行なわれていたのか？」

「監督の強調するセクシュアリティの探求は、映画の中で翠が否定する自然主義文学の中でこそ追求されたのではないか？」

「この映画を見ながら、１９４９年に発表されたボーヴォワールの主著『第二の性』を想起したが、彼女の思想や生き方の影響は受けているのか？」

といった思いがけない質問が次々に飛び出し、監督の私が面食らってしまうくらいだった。コンペティションは残念な結果に終わったが、映画祭のフィナーレで会場に舞った風船を花束のように集めて「あなたの作品こそ賞に値する。この風船は私からの観客賞です」と差し出してくれた女性がいて、私にとってトロフィーよりも嬉しい激励となった。

私は会期中に何度か映画祭主宰者であるジャッキー・ビュエさんのインタビューを受けたが、ジャッキーさんは私のキャリアに興味を示し、「セクシュアリティのテーマはクレテイユでも重要なものとして考えている。フランス

パリ郊外のクレテイユ市にある会場前で。

オープニング風景。

で性について果敢に挑戦する数少ない女性監督にカトリーヌ・ブレイヤがいる。サチとカトリーヌの作品を並べて、性について考える特集をしてみたい」と言ってくれた。

私はプロフィールにピンク映画を作ってきたことを明記している。アレキサンドリアでは私のプロフィールを見た映画評論家の男性から「ピンク映画とはブルーフィルムか？」と下卑た興味で聞かれたことがあったが、ジャッキーさんは「女が描くセックス」をきちんと評価してくれたのだ。

これ以降、私はこのクレテイユに参加することを最大の喜びとしてきた。そしてまたジャッキーさんも私とずっと関わってくれることになる。

### ・ソウル国際女性映画祭

２００１年、私は忘れることの出来ない女性映画祭に参加した。ソウル国際女性映画祭である。この時の感動は今も心に刻み込まれている。世界15カ国から67本の女性監督作品が集められ、会場前の通りを埋め尽くすように「世界を女性の眼で見る」というフラッグがたなびいていた。４月15日から22日までの開催期間中、

クレテイユ国際女性映画祭の創設者であるジャッキー・ビュエさんと。

第22回クレテイユ国際女性映画祭パンフレット。

アニエス・ヴァルダ監督★を招いての「特別回顧展アニエス・ヴァルダ特集」や「アジア女性フォーラム」などのプログラムが組まれ「暴力の表現」、「ジェンダー・トラブル」などのワークショップが開催されていた。

夜毎「フェミニスト・ナイト」、「レズビアン・ナイト」などテーマを決めたミニ・パーティが開かれ、参加者たちはビールを飲み、踊り、語りあう刺激的な夜が続いた。女性たちのパワーが漲り、フェミニズムもレズビアニズムもアカデミズムも混然一体となって燃えあがっている。私は「女というジェンダー」に自由の風が吹き渡っているような心地よさを覚えた。

この映画祭を率いているのはイ・ヘギョン委員長だ。ヘギョンさんも参加者たちと夜毎歌い、踊りながら、その一方で、梨花大学の女子学生たちにカメラを持たせ、今一番女として困難に感じていることを撮影させていた。その困難がこの社会のどこから生まれるのかディスカッションしながら、若い世代に自分の問題としてのフェミニズムを体験させているのだ。「教育」という女性映画祭のもう一つの役割をみたようで、私は敬服してしまった。

個人的には、短い時間だったがアニエス・ヴァルダ監督

各国の映画祭で出会ったバーバラ・ハマー監督。日本でも『Devotion　小川紳介と生きた人々』を監督した。

スピーチするイ・ヘギョン委員長（写真は『百合子、ダスヴィダーニヤ』で参加した2012年）。

と話が出来たこと、前年ニューヨークで出会ったバーバラ・ハマー★監督と再会できたこと、日本から参加して『ディア・ターリ』で観客賞を受賞した山上千恵子《やまがみちえこ》★監督と知り合えたことなど嬉しい出来事もあった。

ソウル国際女性映画祭は、クレテイユと共に私にとって特別な映画祭となった。女性監督が作った作品を、女性映画祭が上映することの真の意味と役割を学ぶことが出来たのだ。

## ▪尾崎翠フォーラム

１９９８年の鳥取県内でのロケおよび上映で、尾崎翠は鳥取県民に広く知られるようになったが、２０００年に鳥取の土井淑平《どいよしひら》★さんから『第七官界彷徨―尾崎翠を探して』を再上映したいという連絡があった。

土井さんは当時、共同通信の記者である一方、尾崎翠についての優れたエッセイも書き、人形峠のウラン残土裁判にも深く関わるという多彩な活動をしていた。また、翠一家が鳥取市に越してきた時に住んだ借家が、土井さんの祖父の土地に建っていたという不思議な縁もあった。

鳥取県内の尾崎翠を愛する人たちが集まって『第七官界彷徨―尾崎翠を探して』を再上映するというプランは、議論を重ねるうちに鳥取県から全国に向けて尾崎翠を発信するイベントを継続的にやろうという計画に発展していった。

２００１年６月、鳥取県民文化会館で２日間にわたり「尾崎翠フォーラムin鳥取」が開催された。県や市の後援を受け、映画の制作や上映活動で関わって頂いた

**アニエス・ヴァルダ（１９２８〜２０１９）**◉映画監督。ベルギー出身。フランスで写真家として活躍した後、１９５５年映画監督デビュー。主な作品に『幸福』『冬の旅』『アニエスの浜辺』『顔たち、ところどころ』など。

**バーバラ・ハマー（１９３９〜２０１９）**◉アメリカの映像作家。レズビアン・フェミニスト。60年代から8ミリで映画を撮り始める。初の長編ドキュメンタリー映画『ナイトレイト・キス』は世界各国で賞を受ける。

**山上千恵子**◉ドキュメンタリー映画監督。１９８０年代から女性の視点でビデオ作品を制作。『Ｄｅａｒ Ｔａｒｉ』『山川菊栄の思想と活動―姉妹よ、まずかく疑うことを習え』『70年代ウーマンリブの女たち―30年のシスターフッド』など。

**土井淑平**◉鳥取県に生まれ、共同通信記者として地域から発信する一方、人形峠ウラン残土問題など市民運動に取り組む。「尾崎翠フォーラム in鳥取」代表。著書に『尾崎翠と花田清輝―ユーモアの精神とパロディの論理』など。

加藤幸子さんと小倉千加子さんの講演、吉岡しげ美さんのミニコンサート、若手女性研究者による4つの分科会など実に多彩で意欲的な催しが実現した。

小倉千加子さんは「書かない人生を選んだ後も、早死にした妹の子供たちを引き取り、肝っ玉母さんのように戦後の混乱期を生きる。それは決して不幸ではなかった」と語り、加藤幸子さんは「第七官界」とは日常と非日常の間の霧のかかった世界で、その霧は「官能的なエロスの霧」ではないかと語った。

「尾崎翠と映画」「尾崎翠とフェミニズム」「尾崎翠と感覚世界」「尾崎翠とユーモア」という4つの分科会には小倉さんや加藤さんも参加して熱心な議論が交わされた。この分科会のテーマは今から考えても先進的な試みだったと思う。

吉岡しげ美さんは翠の短編「歩行」の冒頭の詩に曲をつけて歌った。

「おもかげをわすれかねつつ、こころかなしきときは、ひとりあゆみて、おもひを野に捨てよ」

映画のエンディングに流れる曲だ。ロケから始まった尾崎翠の新たなムーブメントが「翠フォーラム」として結実したのだ。

尾崎翠フォーラムは土井さんを中心とする地元の皆さんの努力によって2015年の第15回まで開催され、国内だけでなく、カナダのリヴィア・モネ教授の講演など国際的にも高く評価される成果を挙げた。

# 6章

# 『百合祭』

■タブーへの挑戦

『第七官界彷徨―尾崎翠を探して』の国内外での上映は続いていたが、その合間を縫って私はピンク映画に戻った。自社制作で抱えた多額の借金をなんとかしなければならなかったからだ。尾崎翠に取り組んだ98年は山崎組の3本だけだったが、99年は8本、2000年は9本と制作本数も増えてきた。配給会社や館主さんたちが私を待っていてくれたことも嬉しかった。クランクアップした翌日にパリに発ち、ニューヨークから戻った翌日にクランクインしたこともあった。私を支えていたのはプロの監督としての自負だった。

2000年5月、第7回インディペンデント映画祭が東京・銀座のテアトル銀座で開催され、『第七官界彷徨―尾崎翠を探して』はサポーターズ部門（日本映画を愛する各界のサポーター4人による「私のベスト・ワン賞」）で林あま★り賞を受賞した。

歌人の林さんは映画祭のパンフレットに、「『尾崎翠を探して』という題名の映画が完成したと聞き、私は「何としても観たい」と思った。でも一方で、尾崎翠のイメージをぶち壊しにするような駄作だったらどうしよ

林あまり賞の紹介ページ。

「日本インディペンデント映画祭2000」パンフレット。

う、と少しはこわかったのも事実だ。結果は、素晴らしい。スクリーンにぐいぐい引き込まれ、ラストまでまったく目が離せなかった。白石加代子、吉行和子、柳愛里というぴったりの役者を得て日本映画の歴史に残る一本がここに生まれた」と書いてくれた。

私はこの年、詩人で女性史研究家の高良留美子《こうらるみこ》さん★が1997年に創設した「女性文化賞」の第4回を受賞した。この賞は「女性の文化創造者をはげまし、支え、その仕事に感謝する」ことを目的としている。『第七官界彷徨―尾崎翠を探して』を制作・監督したことへの賞だった。それまでピンク映画しか撮ってこなかった私だが、高良さんからの賞に応えるためにも林あまりさんの言葉は嬉しかった。

2000年11月、東京国立近代美術館フィルムセンター(現・国立映画アーカイブ)で開催された、芸術祭「日本映画名作鑑賞会―新しい風・日本映画2000」に『第七官界彷徨―尾崎翠を探して』が選ばれ、上映された。

12月にはパリ日本文化会館で日仏女性研究シンポジウム「権力と女性表象―日本の女性たちが発言する」が開催され「映画の夕べ」として『第七官界彷徨―尾崎

パリのシンポジウム「権力と女性表象―日本の女性たちが発言する」で再会したジャッキー・ビュエさん(クレテイユ国際女性映画祭委員長)。

**林あまり**(**1963年～**)◉歌人・作詞家・エッセイスト。学生時代に雑誌『鳩よ!』で歌人デビュー。大胆な性表現で注目を浴び、1980年代の口語短歌の旗手となる。演劇にも造詣が深く、作詞家としては「夜桜お七」など。

**高良留美子**(**1932―2021**)◉詩人・女性史研究者・評論家。1997年、困難な状況にある「女性の文化創造者」に贈る「女性文化賞」を個人で創設。著書に詩集『風の夜』『高良留美子の思想世界』全6巻、『見出された縄文の母系制と月の文化〈縄文の鏡〉が照らす未来社会の像』など。

翠を探して』が上映された。上映後には私とクレティユ国際女性映画祭委員長のジャッキー・ビュエさんとの対談が行われた。

3月の映画祭以来の再会にジャッキーさんとのトークは盛り上がり「来年のクレテイユのテーマは〝タブー〟にする。サチもぜひ出品して欲しい」と言ってくれた。私は思わず「高齢女性のセクシュアリティをテーマにします！」と口走ってしまった。ジャッキーさんは「世界中で誰もやったことのないテーマだ。サチのタブーを突き進む勇気に賛辞を送る」と喜んでくれた。私は何故そんな無謀なことを言ってしまったのだろう。制作費の目《め》処《ど》などなかったが、私の頭の中には「百合祭」という小説があった。

「百合祭」は、１９９９年の北海道新聞文学賞を受賞し、２０００年に講談社から出版された札幌在住の作家・桃谷方子さんの小説だ。すでに性の現役を上がった69歳から91歳までの老女たちが、老ドンファンの出現でそれまで思いもしなかったような性の冒険に乗り出す姿が描かれている。

私は、朝日新聞の書評でこの小説を知ったのだが、作者の「居酒屋で婆さんたちが大声でエロ話をしているのを聞いたことが書くきっかけだった」というコメントに惹かれて読んでみた。そして、これこそ私が撮るテーマだ、と強く思った。男にとって性の対象にならないババアたちが、ひとりのジジイを奪い合う。男の監督が撮ったら「色気ババア」として嘲笑しながら描くに違いない。その方が映画という商品としては受ける。だが、これはひとりの男を奪い合うのではなく、自ら選択してエロスを楽しむ女たちの話ではないか。ババアになったからといって性欲が無くなるわけがない。いや、むしろ妊娠の可能性から解放されて、性を自由に謳歌出来るのではないか。それは、閉経を迎えようとしていた私の実感でもあった。この小説は、私にしか撮れない。

パリから戻ってみると、机の上に１通の封書が乗っていた。文化庁からのもので「芸術団体等活動基盤整備事業」という、通常の芸術文化振興基金とは別枠の映画制作助成があるという。ただし、条件は２００１年3月31日までに完成の作品とある。あと4カ月もない。だが、これは願ってもないチャンスだ。助成の合否は脚本審査で決まる。私はすぐさま山﨑に連絡し、脚本を依頼した。締め切りは12月25日だ。山﨑はすでに「百合祭」を読み込んでいたが、脚本執筆期間は1週間しかない。長年コンビを組んできた脚本家だからこそ出来たことだろう。

山﨑は、原作を3分の2、残り3分の1にオリジナルを加えて、原作の強烈な異性愛の物語を、最後に大きく転回させることを図った。原作者の桃谷さんには、映画独自の世界を作ることで了承を得た。映画のラストは、男と女の関係から解き放たれた、女と女の可能性を描く。老女の性愛を描くこと自体冒険だったが、それを先にもう一歩進めた「老女のレズビアニズム」。これが公開後に男の館主や男性客たちから猛烈に沸き起こったブーイングのもとになるのだが、私にとって映画を自社制作することは、一本一本に残りの人生全てがかかっている。遠慮している場合ではない。

幸い『第七官界彷徨―尾崎翠を探して』を、札幌の北海道立文学館で上映してもらった縁もあり、同館と北海道新聞社が後援してくれることになった。後は助成の結果待ちだが、無事決定しても上限で総制作費の3分の1だ。しかも審査結果の発表は2月中旬だという。私はもう走り出している。何としてでも制作資金を作らなければならない。だが、その前に私を奈落の底に突き落とすような出来事が待っていた。

## ■撮影中の事故

2000年最後の仕事は、大蔵映画配給のゲイ・ピンクだった。12月22日にクランクイン、翌年1月12日に初号試写の予定だった。私はクランクイン前日に文化庁への申請書類を作り、当日朝5時から山﨑と電話で脚本の最終打ち合わせを行った。これで週明けの25日には書類と台本を文化庁に届けることが出来る。私は安堵して目の前の現場と向き合った。ゲイ・ピンクだからキャストは男優だけだ。スタッフは警察学校出身という変わった経歴の新人助監督がひとりいたが、後はいつもの浜野組のメンバーだ。現場は楽勝で進むはずだった。だが、途方もないアクシデントが2日目に起こった。

2日目の午後、多摩川でのオープン撮影を終えたロケバス3台が世田谷通りを渋谷に向かって走っていた。先頭が私と制作部の車、真ん中がキャスト車、最後が技術部が乗った機材車だ。突然、背後でガッシャーン！　という音が響いた。制作部が車を止め後ろを振り返ったとたん、「キャスト車だ！」と叫んで飛び出していった。私も後を追ったが、そこには信じられないような光景が広がっていた。キャスト車が対向車線へ飛び出してダンプの下に潜り込んでいる。潰れた運転席に新人助監督が挟まり、血だらけの顔から眼球が飛び出しそうになっていた。救急車は他のスタッフが呼んだ。周りを見ると後部座席にいた役者ふたりは車の外で茫然と立っている。大丈夫か確認すると、受け答えはしっかりしていて、どうやら怪我はなさそうに見えた。救急車2台が到着し、私は役者ふたりを乗せた救急車を制作部に頼んで、助監督に付き添った。咄嗟の判断だったが、これが後で思わぬ事態を引き起こした。

重篤だった助監督は東京医療センターに搬送され、役者ふたりは世田谷区の外科病院に運ばれた。

助監督が手術室に運ばれるのを見送って、私は外科病院に急いだ。ひとりはかすり傷だったが、主役の男優が鼻の内側を骨折していた。顔中を包帯で巻かれた主役のそばで女性マネージャーが泣いていた。原因は新人助監督の居眠り運転だったが、事故を起こし、怪我をさせた責任は私にある。これは大変なことになった。

私は山﨑に電話をし、事故を告げた。山﨑は自分に何か出来ることはないか聞いてきたが、脚本を続けるように指示した。ピンクと自社制作の両方ともダメにするわけにはいかない。文化庁の締め切りは明後日だ。私は山﨑に『百合祭』の台本印刷と文化庁への郵送を頼んだ。

翌日、私は主役を警察病院に転院させた。役者が顔を傷つけたのだ。リハビリが専門の小さな外科病院で手術をさせたくなかった。

撮影は中断した。これだけの事故が起きてしまったのだ。続けることなど出来ない。撮影は中止にしたい、と配給会社に申し入れたが、聞き入れてもらえなかった。ピンク映画なら制作本数が多いので代替えはあるが、ゲイ・ピンクは年に2本しか制作されず、替えがなかった。同じキャストでの再開は無理だ。最初から作り直すしかない。私は主役のマネージャーに平身低頭謝って、別のキャストで再撮することを決定した。

主役の手術は無事に終わり、助監督の状態も安定したとの知らせが入った。死亡事故を起こさずに済んだ。

私はやっと生き返ったような気持ちだった。

年明けの1月6日から主役を替えての撮影が始まった。徹夜続きだったが、スタッフは皆黙々と自分の仕事をこなしてくれた。ありがたかった。やっとの思いで撮りあげ、心身ともに疲れ果てて戻った私を一通の内容証明が待っていた。主役の事務所の代理弁護士からで、そこには事故の損害賠償と慰謝料の請求額が示されていた。私はこの事故に関しては、たとえ丸裸になっても出来ることはするつもりだった。だが、その請求額は3億円という途方もない額だった。私は弁護士に面会を申し込んだ。その金額の根拠を聞き、真摯に話をしたかった。

面会当日、弁護士事務所で主役の事務所の社長と女性マネージャー、担当弁護士が私を待っていた。慰謝料は、事故時に私が主役よりも助監督を優先し、役者をないがしろにしたことに対してだった。損害賠償は、この事故で休業しなければならない期間のギャランティと、これから先、役者として稼げるはずの金額を足すと3億円になるという。弁護士は、この事故を起こした現場がどんな種類の映画なのか理解していなかった。売り出し中のアイドル、という事務所の説明を信じていた。払える額なら払いたかった。だが、3億円という金額は事務所がこの事故を利用しようとしているとしか思えなかった。穏便に話がつくなら、言いたくはなかった。これを言うことは、役者だけでなく、私の仕事をも貶めるような気がして躊躇した。だが、言わざるを得なかった。

「この映画は、ゲイ・ピンクといって、男同士のセックス描写を商品にした映画です。全国で20館程度の専門館で上映されるだけで、男優のギャラは1日2万5千円です。どう計算したら3億円になるのでしょうか?」

弁護士はギョッとして、マネージャーに「本当ですか?」と尋ね、マネージャーは黙って頷いた。そして、「監督は良くやってくれたと思います」と言ってくれたのだ。

事務所とは仕事再開までの休業補償をすることで決着した。だが、後味の悪さは重い鎖のように私の中に残った。

### ■怒涛の日々

事故の後始末は尾を引いていたが、『百合祭』映画化への準備がスタートした。あと2カ月半しかない。私は、完成試写を3月30日とし、そこから逆算してスケジュールを組んだ。事故を乗り越えたスタッフたちがそのまま参加してくれた。ピンクにはない美術、ヘアメイク、衣裳といったパートは、前作の『第七官界彷徨―尾崎翠を探して』のスタッフたちが集まってくれた。

私は3日で1時間の劇映画を撮ってしまうピンクなみのハードなスケジュールを組み、クランクインは2月21日、撮影期間は2週間とした。

私は次にキャスティングに取りかかった。主役の宮野理恵さん(73歳)は、原作を読んだ時から吉行和子さんと決めていた。吉行さんは『第七官界彷徨―尾崎翠を探して』で白石加代子さん演じる尾崎翠の生涯にわたっての親友、松下文子を演じてくれたのだが、私はその時から吉行さんの柔らかで清楚なイメージと、それでいて不屈の闘志が見え隠れする芯の強さに惹かれていた。

しかし、この役にはベッドシーンがある。それだけではない。ラストには女同士のキスシーンもあるのだ。果たして吉行さんがOKしてくれるかどうか不安だったが、台本を送って二日も経たないうちに事務所の社長さんから「吉行さん、やるってよ」というお返事をいただいた。

スチル写真より。アパートの面々。左から並木さん(原知佐子)横田さん(白川和子)北川さん(大方斐紗子)三好さん(ミッキー・カーチス)大家の鞠子さん(正司歌江)里山さん(中原早苗)宮野さん(吉行和子)。

私は頼んでおきながら、正直驚いた。本当にあの吉行さんがベッドシーンを演じてくれるのだろうか？　そんな私の不安に吉行さんは「私たちくらいの年齢になると、誰かのお母さん、誰かのお婆さんと固有名詞のない役が多くなるんです。この宮野さんのように、ひとりの女性として人を愛する役を演じられるのは嬉しい。最後の濡れ場だと思って頑張ります」と言ってくれたのだ。吉行さんだけではない。かつて日本映画を支えたベテランの女優さんたちを日本映画界は使い捨てにしている。よしっ、私が映画少女だった頃に憧れた女優さんたちに出演してもらおう。中原早苗《なかはらさなえ》★さん、原知佐子《はらちさこ》★さん、とキャスティングは次々に決まっていった。

　女優さんたちは決まったが、難航したのが75歳の三好さん役だった。老女たちの間をフェロモンを撒き散らしながら、ヒラヒラと蝶のように舞う老ドンファン。しかも、すでに勃起能力はないという設定である。こんな役を演じられる男優が今の日本にいるだろうか？　三好さんをミスキャストしたら『百合祭』は映画として成立しない。

　クランクインが2週間後に迫った。三好さん役が決まらず焦る私に、脚本の山﨑が「ミッキー・カーチス★さん、どうよ？」と言った。目からウロコだった。ミッキーさんがまとうロックンローラーのセクシーさ。私はすぐさまミッキーさんに会いに行った。皮のジャケットとパンツをお洒落に着こなしてカッコいい。しかも、私のためにスッと椅子を引いてくれる仕草が当たり前のように身についている。これはいけるかも知れない。私の中で初めて何かがフィットした。

　ミッキーさんは台本を一読して、「僕の役は、危ないフェミニストですね」と出演を快諾してくれた。「危ないフェミニスト」。こんなことを即座に言える男優が日本に

**中原早苗**（１９３５〜２０１２）◉俳優。女子校在学中に１９５３年『村八分』でデビュー。社会性の強い独立プロで活動後、１９５５年日活と契約する。代表的な若手女優として活躍し、１９６４年にフリーに。夫は映画監督の深作欣二。

**原知佐子**（１９３６〜２０２０）◉俳優。１９５５年、新東宝のオーディションに合格。１９５９年に東宝に移籍。１９６１年、田中絹代監督の『女ばかりの夜』で主演。夫は映画監督の実相寺昭雄。

**ミッキー・カーチス**（１９３８〜）◉ミュージシャン・俳優・音楽プロデューサー、他。１９６０年前後にロカビリー歌手として脚光を浴びる。俳優として『ＫＡＭＩＫＡＺＥ ＴＡＸＩ』（１９９５年）で『キネマ旬報賞』助演男優賞。『ロボジー』（２０１２年）では73歳で主演。

いたのだ。

撮影が始まった。俳優さんたちは、全員が和気藹々《あいあい》と楽しそうだ。初日に顔を合わせた吉行さんと中原早苗さんは「お久し振りです。四十年振りでございます」などと挨拶を交わしている。ミッキーさんはそうそうたる女優陣にアイドルのように囲まれ、「2キロ痩せた」と苦笑していたが、楽屋は笑い声が絶えなかった。

白川和子さんには、横田さん（75歳）という三好さんに猛アタックする華やかな元バーのママさんを演じてもらった。和子は「私に一番欠けている色気を演じさせるのね」と言いながらも、年老いても枯れない瑞々しい色っぽさを演じてくれた。宮野さんと横田さんがキスをするシーンでは、横田さんの口紅の赤が宮野さんの唇に滲んで、息を飲むような女同士のエロスが伝わってきた。この役を和子に演じてもらってよかった。和子には迷惑かも知れないが、私にとっての白川和子は、永遠のピンクの大スターなのだ。

特筆すべきは、この現場で初めて会った大方斐紗子《おおかたひさこ》さ★んだろう。猫を抱いた素っ頓狂なおばあさん役なのだが、観客を笑わせるような芝居の底に静かな悲しみが

スチル写真より。アパートから抜け出した横田さんと宮野さん。

潜んでいる。これは監督が演出して出て来るものではない。一度役作りを聞いてみたことがある。大方さんは、自分が演じる役の人物が、生まれてから死ぬまでの人生を作り上げるのだ。北川よしという猫にしか心を開かない孤独な老女の91年間にはどんな悲しいことがあったのだろう、と箇条書きにして役作りをしたという。私は大方さんの芝居を見ながら、この人は天才だ、と何度も唸った。この出会い以降、大方さんには吉行さんと共に私のすべての自社作品に出演してもらっている。

原知佐子さんは、大家の奥さん役の正司歌江さんと最終的に三好さんを性的に共有することになる76歳の並木さんの役だが、衣裳係が用意したダサいネルのパジャマを見て、「いくら年寄だからって、好きな男とセックスするのに、こんなパジャマ着る?」と笑いながら、真っ白なシルクのネグリジェを自前で用意してくれた。

一番若い68歳の里山さんを演じた中原早苗さんは、三好さんの正体が「エロジジィ」であることをみんなにバラす役なのだが、脚本の山﨑に「私、このセリフ、要らな〜い」と冗談めかして言ってきた。セリフを見てみると、確かに里山さんのキャラでは言わないような論理的なセリフだ。すかさず隣で「私、もらった!」と原知佐子さん。山﨑も苦笑いするしかなかっただろう。

吉行さんとミッキーさんのベッドシーンはさすがに私も緊張した。私は吉行さんに「体の一部をシンボリックに撮りたいのですが、どこならいいですか?」と聞いた。吉行さんは笑いながら「そうね、脚なら」と答えてくれた。

三好さんの手が、宮野さんの和服の裾を割り、宮野さんの脚が現れる。

三好さんが耳元で囁く。

三好「柔らかいけど、いいね」

身体を重ねる三好さん。

宮野さんが応える。

宮野「柔らかくて、温かくて、気持ちいい」

私はこのセリフが好きだ。長い間、男の強さの象徴とされてきた「硬くて、大きい」を三好さんはどこ吹く風

**大方斐紗子**(1939〜)◉俳優・声優・シャンソン歌手。舞台、映画、TV、アニメ、ラジオなどジャンル横断的に活動。舞台「ハロルド&モード」で主演。コンサート「エディット・ピアフに捧ぐ」では圧倒的な歌唱力を示す。

と否定して、宮野さんもまた、柔らかいからこそ気持ちいい、と応えたのだ。

パリで『百合祭』を上映した時、品のいい老紳士が私に抱きついて涙ぐむ、というハプニングが起きた。彼は「勃起能力がなくなってから女性を愛することが出来なかったが、この映画を観て生きる希望が湧いてきた」と感激してくれたのだ。

青壮年期と高齢期ではセックスのスタイルも違って当たり前だ。むしろ、年をとったからこそ、自分に合った自由な性を謳歌する。それは男女にかかわらず当然の権利だ。

私は撮影期間中、スタジオ近くのホテルに泊まり込んだ。家に帰る時間が惜しかった。撮影しながら、それまでに撮ったフィルムをチェックし、クランクアップした後は編集、アフレコ、ダビングと仮眠する時間すら惜しんで、スタッフからは「人殺し！」と悲鳴があがった。しかし、何と言われようと、タイムリミットがある。クランクイン直前に脚本審査が通り、文化庁からの助成が決定していた。

全ての作業が完了したのが3月29日、翌30日が完成試写だった。現像所はたった1日でプリントを焼かなければならない。現像所の技術者からも「こんなスケジュールはピンクでもやらない」と呆れられたが、全てのパートのスタッフたちの努力で、何とか期日に間に合わせることができたのだ。

## ・ババアのセックス

映画『百合祭』は完成した。だが、新たな問題が待っていた。映画館が上映してくれなかった。それどころか

ウィメンズプラザホールでの自主上映、舞台挨拶。左から大方斐紗子、白川和子、浜野、吉行和子、原知佐子。

嫌悪感さえ示した。

「ババアのセックスなんて、誰が観たいの?」

高齢女性の性愛だけでなく、最後にはレズビアン関係にまで突き進む『百合祭』は、日本社会の二重の抑圧、「女であること・高齢であること」による差別への挑戦だった。『百合祭』を上映することは、ある意味、日本の男社会にケンカを売ることだったのだ。

上等じゃねぇか。

誰の手も借りない。この私の手で、ババアのセックスを日本中に届けよう。私は、東京ウィメンズプラザホールでの1週間の自主公開を決めた。出演者の皆さんも連日舞台挨拶に駆けつけてくれたが、中でも感激したことがあった。吉行和子さんがお母様のあぐりさんの手を引いて現れたのだ。吉行さんは「母には刺激が強いと思って黙っていたけど、どこかで記事を見つけて、ひとりでも観に行く、と言うので」と照れ臭そうだった。上映後、あぐりさんは私の手をしっかりと握って、「いい映画ですね。ありがとう」と言ってくださった。この映画は、必ず観てくれる人の心に届く。私はそう確信した。

『百合祭』は2022年現在までに日本国内で111

第14回東京国際女性映画祭パンフレット。

第14回東京国際女性映画祭での「世界の女性映画人をかこむ集い」。挨拶する高野悦子ゼネラルプロデューサー。

第6回あいち国際女性映画祭のオープニング。

カ所、海外では24カ国58都市で上映されている。私の自社制作6本の中では最大のヒット作だ。

あいち国際女性映画祭、ウイングス京都女性映画祭、東京国際女性映画祭などの女性映画祭や全国各地の女性センター、男女共同参画推進センターなどで次々に上映が決まり、どの会場も観客の女性たちで溢れた。

長い間、男社会によって「女の性」に蓋をされ続けてきた女性たちが、自らの性に向き合い始めている。それが、私の実感だった。

## ■世界へ

私は２００１年度の文化庁「芸術家海外派遣制度」（現・新進芸術家海外研修制度）の派遣員として10月から12月までの3カ月間、ニューヨークに滞在し、研修することが決まっていた。１９９９年11月に『第七官界彷徨―尾崎翠を探して』がニューヨークのジャパンソサエティ主催の「日本文化特集」に招かれ、コーディネーターの平野共余子《きょうこ》さんの紹介で映画の編集スタジオを見学する機会を得た。そのスタジオには、アビッド社のノンリニア編集機★が並び、パソコンで映像のみならず音までも同時に編集していた。私は映画をフィルムでしか撮ったことがない。編集もスタインベックで35ミリのポジをバタバタと流しながら切ったり貼ったりする昔ながらの編集方式だ。だが、この頃、日本でもメジャー作品ではノンリニア編集が主流になりつつあった。遠くない時期に映画がフィルムからデジタルに移行するなら、私はデジタルでの編集システムを学びたいと思った。編集でどうつなぐかで映画は決まる。できることなら最先端を行くアメリカで学びたかった。この制度は大学や組織など研修国での受け入れ先が必要だったが、私の受け入れは、ジャパンソサエティが引き受けてくれていた。

9月4日から9日まで開催された「あいち国際女性映画祭」で『百合祭』は８００席の大ホールをソールドアウトにするという快挙を成し遂げ、11日に帰京した私は心地よい疲れに浸っていた。何気なく夜10時からのニュースを見ようとテレビを点けた途端、衝撃的な映像が目に飛び込んできた。ニューヨークのワールドトレードセンターに航空機が激突していた。私は最初、映画だと思った。だが、興奮したアナウンサーの声がこの映像が現実であると知らせていた。何が起こったのだ？　私はテレビの前を立てなかった。

研修はどうなる？　出発まで後3週間もない。文化庁からは、出発を延期するか行先を変更するよう要請があった。研修目的が変わってもいいと言う。だが、来年3月末までに終了することが条件だった。

私は先にニューヨークに到着していた研修仲間にメールで状況を問い合わせた。ダウンタウンは粉塵と死臭で窓も開けられず、研修どころではないと言う。私の研修先の編集スタジオもダウンタウンにあった。

行先を変えよう。私は『第七官界彷徨—尾崎翠を探して』で初めて海外映画祭に参加したが、フランスのクレテイユ、ドイツのドルトムント、韓国のソウル、台湾の台北、ほとんどが女性映画祭だった。そして今、私には『百合祭』がある。クレテイユのジャッキー・ビュエさんが言ってくれたように、高齢女性の性愛は、世界中で誰もやったことのないテーマではないか。『百合祭』が向かう先も、女性映画祭だ。私は、改めて「女性映画祭」について考えてみたいと思った。私は、ジャッキー・ビュエさんに連絡をとり、研修の受け入れ先をお願いした。ジャッキーさんは、快く引き受けてくれた。私は2002年1月から3月までの3カ月間、パリに滞在しながら、ジャッキーさんを始めヨーロッパの女性映画祭の主宰者にインタビューして「女性映画祭の今日的存在価値」についてレポートすることを研修のテーマとした。

私の海外派遣研修は全く違う方向に向かうことになったが、これも9・11という想像を絶する事件の余波だった。

## ■トリノ国際女性映画祭

2002年1月、パリに到着した私は14区に小さな部屋を借りた。ヨーロッパでも物価の高いパリで部屋を借りるのは経済的には大変だったが、私には研修とは別にもうひとつの目的があり、拠点が必要だった。私は、イタリアのトリノ国際女性映画祭に『百合祭』をエントリーしていた。そして、出発前にトリノからファックスが届き、コンペティション部門への参加が決定していたのだ。

3月、私はパリからリヨンを経由してイタリアのトリ

**ノンリニア編集**◉2台以上のデッキでテープからテープにコピーするリニア編集に対し、コンピュータで映像編集を行う。

ノに向かった。第9回トリノ国際女性映画祭では世界31カ国から100本近い女性監督作品が集められていたが、観客との距離が非常に近い映画祭だった。映画祭は毎日上映作品の情報を掲載したニュースペーパーを発行し、会場はもとより市内のカフェやレストランにも配布されていた。私たちゲストには毎朝食事券が配られ、市内のレストランでワインのボトル付で食べることができたが、どこへ行っても映画祭の観客からニュースペーパー片手に話しかけられた。今、自分が観た映画について語りたい、という熱さが伝わってくる。映画祭期間中『百合祭』は2回上映されたが、客席は大いに沸いた。上映後のロビーでは多くの人たちが感想を伝えてくれたが、中でも一人の女性から「パンドラの箱を開けてくれてありがとう」と言ってもらえたことは感激だった。性におおらかにみえるラテンの国でも、高齢女性の性は置き去りにされていたのだ。

『百合祭』はコンペティション部門でセコンド・プリミオ（準グランプリ）を受賞した。翌日発行されたニュースペーパーにはコンペティションの結果と共に、クララ・リヴァルタ委員長の次のようなコメントが付されていた。

トリノの街頭の映画祭看板の前で。

第9回トリノ国際女性映画祭パンフレット。

『百合祭』を上映する映画館の場内。

「イタリアでも日本でも共通のデリケートなテーマを女性の目を通して描いている。女性監督なら誰でも出来ることではない。サチの感覚、感性でなければ出来ない作品だった。心や気持ちに訴え、なおかつモダンで最後にポジティブな気持ちを残してくれる。現代の女性にとって勇気を持ってポジティブな結果を出すことが必要であり、そういうメッセージをこの作品は示してくれた。なかでも、二人の女性が向かい合うラストシーンは素晴らしいものだった。セクシュアリティの可能性を示しながら決定せずに二人の女性がこの先どうなっていくのだろうという想像をふくらませてくれる。観客の気持ちを軽く、明るくさせて終わるのがとても良かった」

日本では「ババァのセックスなんか誰が観たいの?」とまで言われた『百合祭』だ。私は初めて『百合祭』の理解者に出会えたような気がした。

トリノでもクララ・リヴァルタ委員長にインタビューしたが、パリに戻った私は研修の受け入れ先でもあるフランス・クレテイユ国際女性映画祭の委員長ジャッキー・ビュエさん、ボルドー国際女性映画祭代表のフィリップ・ギャロン氏とディレクターのソニア・ヴィーマンさん、パリ在住のジャンヌ・ラブリュンヌ監督★、ドイツ・ドルトムント国際女性映画祭委員長のズィルケ・レービガーさんなどに女性映画祭の歴史や成り立ちなどについてインタビューした。それをまとめて研修レポート「女性映画祭と共に―ヨーロッパの女性映画祭・主宰者インタビュー」を作成した。

フェミニズムと共に歩み、強い意志とシスターフッドで90年代からのバックラッシュを乗り越えて来た主宰者たちの闘いは、私にこれから進むべき道を示唆してくれたように思う。

インタビューに際して通訳として協力してくれた林瑞絵さん(フランス)、松山文子さん(ドイツ)、井関はる奈さん(イタリア)には心から感謝している。

パリでの研修を終え、帰国した私は、香港国際映画祭に参加するため香港に向かった。この映画祭はアジアきっての大きな国際映画祭で、『百合祭』は実験映画部門にノミネートされていた。原作者の桃谷方子さん

**ジャンヌ・ラブリュンヌ**●フランスの監督・脚本家。日本公開作品では『明日は上手くいく』(2000年)『宮廷料理人ヴァテール』(脚本。2000年)。

も札幌から駆けつけ、吉行和子さんはお母様のあぐりさんと共に参加してくれた。吉行さんは『百合祭』をとても気に入ってくれて、国内でもそうだがスケジュールが許す限りどこにでも来てくれる。『百合祭』のためにしつらえたという百合の帯を締めた吉行さんの舞台挨拶には、客席から大きな拍手が沸いた。吉行さんは親孝行が出来たと喜んでくれたが、『百合祭』は海外でこそ評価されるのではないか。私はそんな実感を抱き始めていた。

### ■モントリオール世界映画祭

8月、私はカナダのモントリオールにいた。『百合祭』が招待されたモントリオール世界映画祭は、世界12大映画祭のひとつと言われているほどビッグな国際映画祭だ。『百合祭』のようなインディペンデント作品が正式招待されること自体稀れだと思われるが、川喜多記念映画文化財団の後押しがあって実現したことだった。当時の海外映画祭への日本の窓口は主に川喜多記念映画文化財団が担っていた。私は「女正月」で面識があった海外コーディネーターの坂野ゆかさんに勧められて『百

監督の前に行列ができて感想を語る観客。
左が岡部朋子さん。

第22回モントリオール世界映画祭
パンフレット。

合祭』のサンプルビデオを預けてあった。それが、モントリオールの担当者の目にとまったのだ。

　香港国際映画祭に続いての大きな国際映画祭に私は緊張して臨んだ。日本からは柳美里原作の『命』がコンペティションに招聘され、主役の豊川悦司や江角マキコはそれぞれ会場にリムジンで乗りつけていた。

　『第七官界彷徨―尾崎翠を探して』で小野町子を演じた柳愛里さんが柳美里さんの妹という縁で観に行ったが、偶然私の隣の席だったのが岡部朋子さんだった。岡部さんは『百合祭』も観に来てくれ、その後のインタビューやパネルディスカッションに通訳として大活躍してくれた。岡部さんはモントリオール在住の優秀な金融ウーマンで、イギリスからカナダにヘッドハンティングされたという。岡部さんもまた、日本を見限って海外に活路を求めた女性のひとりだ。日本で女が能力を発揮して働くことの困難、女が高齢になったというだけで社会からはじき飛ばされる不条理。日本の男社会を熟知している岡部さんの通訳は、私の言いたいことを更に補足しながらカナダの観客たちに伝えるという素晴らしいものだった。

　『百合祭』は期間中に4回上映されたが、回を追うご

観客の行列ができたミネアポリスの映画館。『百合祭』は観客投票で全135本中4位に選ばれ、アンコール上映された。

ミネアポリス／セントポール国際映画祭のパンフレット。

とに観客が増え、最終回には4階の会場に向かう階段に長蛇の列ができた。上映中は笑いの渦が巻き起こり、エンディングではスタンディングオベーションで拍手が鳴り響いた。監督として、一生に何度も経験出来ることではない。ピンク映画の一監督だった私が、今、この場にいるのだ。私は拍手に包まれながら、涙が流れて仕方がなかった。

上映後には監督の私に一言感想を伝えるために、また長い列ができた。自分の言葉で伝えたい。そのはっきりとした意思が日本の観客と違うところだろう。

この成功はアメリカのヴァラエティ誌でも取り上げられ、北米の各都市の映画祭や大学などからの招請ラッシュにつながっていった。ミネアポリス／セントポール国際映画祭に招聘してくれたディレクターのアル氏は「これはストロング・フィルムだ」と力強く宣言してくれたが、高齢者の性愛というテーマは世界中で待たれていたのだ。

上映以外では「ケベック州在住映画およびテレビ業界人女性の会」主催のパネルディスカッションにパネラーとして招かれた。壇上にはブラジル、ドイツ、イタリア、フランス、カナダなどの女性監督が並び、監督になるまでの苦労や、それぞれの国における女性監督のポジションなどを話し合った。女性映画祭でなくてもこういう場が用意されることに私は目を開かれる思いだった。女性監督たちもそれぞれテレビやCMで活躍しながら、自分の撮りたいテーマの実現に向けて努力していた。国も年齢もバラバラだったが、皆、あえてリスクを背負い、最後まであきらめない強い意志を持って映画作りに挑んでいた。

**■台湾女性映像学会女性映展**

9月には台湾女性映像学会女性映展が、ドイツのモニカ・トゥルート監督と日本の浜野佐知の特集という挑

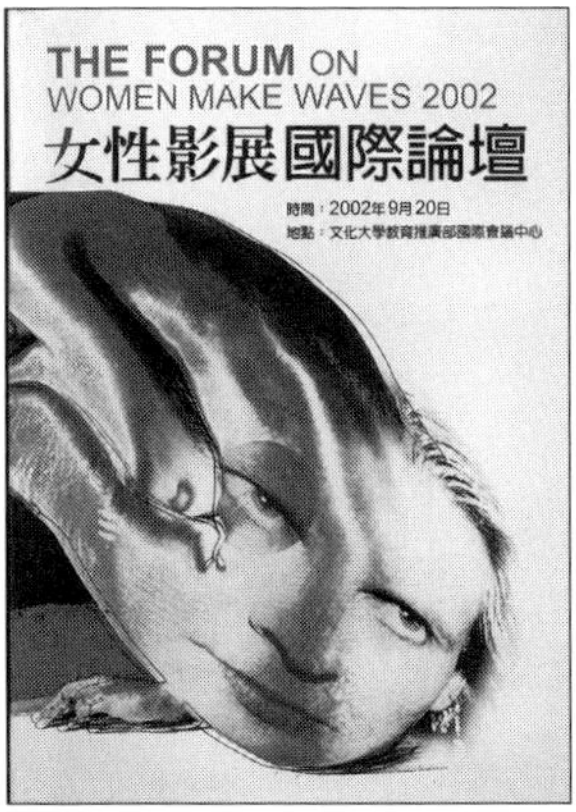


台湾女性映像学会女性映展
（WOMEN MAKE WAVES 2002）
パンフレット。

戦的なプログラムを組んでくれた。2000年に創設された女性映画祭だが、モニカ監督はセクシュアリティをテーマに80年代からトランス・セクシャルやトランス・ジエンダーを描いた先駆的作品を発表していた。

『百合祭』はオープニング上映されたが、主演の吉行和子さんも招待された。着物姿で舞台挨拶に登壇した吉行さんに取材が集中、新聞やテレビでの報道が相次いだ。

日本と台湾は国交が結ばれていないが、外務省の出先機関である日本台湾交流協会がバックアップしてくれ、吉行さんと共に台湾を楽しむことが出来た。

私のピンク映画も台北のゲイタウンにある書店のフリースペースで上映され、ディスカッションが行われた。海外の女性映画祭でピンク映画が上映されたのは初めてだろう。

この年、『百合祭』は女性映画祭、国際映画祭など7カ国9都市で上映されたが、私はその全てに参加し、観客とディスカッションを重ねてきた。文化の違う国々で自作についてディスカッション出来るのは、映画を作った者にだけ与えられる醍醐味だろう。そして、2003年から『百合祭』は思いもかけなかった新しい道を歩み

吉行和子さんも百合の帯を締めて参加。

ドイツのモニカ・トゥルート監督と浜野監督の特集が組まれた。

始めることになる。

### ・マルディグラ国際映画祭

2002年12月、私に1通のエアメールが届き、中には2003年2月にオーストラリアのシドニーで開催されるマルディグラ・クイア・スクリーンからの正式な招待状が入っていた。映画祭に参加するためには、エントリーして選出される方法と映画祭から正式招待を受ける方法とがある。だが、世界最大級のレズビアン&ゲイ(L&G)フェスティバル(現在は「LGBTIQ+」)として有名なシドニー・マルディグラからだ。私は半信半疑で招待状にサインのあったディレクターのデヴィッドに問い合わせのメールを送った。招待は本当だった。モントリオールで『百合祭』を観た北米のL&G映画祭関係者の間で『百合祭』が評判になっているという。原作にはなかったラストの展開、高齢女性同士のレズビアン関係が評価されたのだ。だが、私にはいささかのためらいがあった。『百合祭』をレズビアン映画として括ってしまっていいのか? 私は高齢女性の性を開放するために『百合祭』を作った。対象が男でも女でも自らが選択する性の自由を描きたかった。レズビアニズムをテーマにしたわけではない。それに、ストーリーの3分の2以上はヘテロの関係で進行する。果たしてL&G映画祭の観客に受け入れられるのだろうか?

私はモントリオールでの上映を思い返した。吉行さんと白川さんのキスシーンで、若いゲイカップルが「レボリューション!」と叫んだ。上映後のロビーでレズビアンのカップルに「感動した!」と抱き締められた。彼らが『百合祭』に新たな価値を見出してくれるのではないか。私は多少の不安を抱えながらもマルディグラに参加するこ

第10回マルディグラ国際映画祭パンフレット。

とを決めた。

２００３年2月、『百合祭』は満席の観客に迎えられて上映された。会場は、シドニーの中心部にあるアカデミーツインという2つのスクリーンを持つ映画館で、普段は芸術性の高い作品を上映しているという。ディレクターのデヴィッドは50代の男性だが、地元の新聞に『百合祭』の紹介と共に「Ｌ＆Ｇ映画祭は若い人たちのお祭りで高齢者は無視されている、という声も聞いた。しかし、今年の私たちには『百合祭』がある。これは高齢者もストレートも幅広い観客が楽しめる作品だ」と書いてくれていた。Ｌ＆Ｇ映画祭にはセクシャルマイノリティだけの純粋なイベントとしての方向性と、幅広い世代やセクシュアリティを取り込んでいく方向性があるのだろう。私は、マルディグラに参加して初めて『百合祭』の明確な観客として彼らと出会うことが出来た。

### ・世界のL&G映画祭

シドニー・マルディグラを皮切りに、次々と世界中のＬ＆Ｇ映画祭から招待状が届くようになった。４月にはロンドン国際Ｌ＆Ｇ映画祭に参加した。マルディグラのア

会場のナショナル・フィルム・シアター。

第17回ロンドン レズビアン＆ゲイ映画祭
パンフレット。

ットホームな雰囲気とは違って、イギリス国立フィルムシアターの4スクリーンを借り切るという大規模で権威ある映画祭だった。隣接する国立劇場では蜷川幸雄演出のシェークスピアが公演中で、出演していた白石加代子さんとの再会もあった。この映画祭には世界中のL&G映画祭のディレクターや関係者が参加していて『百合祭』に一挙に火が点いたといえるだろう。

5月には、ミラノL&G国際映画祭に招待された。1990年代に始まった歴史ある映画祭で、ミラノのシンボル、ドゥオーモ近くの広場に面した映画館を借り切って、世界中から集まったゲイやレズビアンたちが映画を楽しんでいた。私の通訳にはミラノで生まれ育った彩樹くんという日本人青年がついてくれたが、彼の話す日本語がすでに日本では聞くことの出来ないような古風で奥ゆかしい言葉だったことに驚いた。彩樹くんは日本語の読み書きは出来ず、話し言葉は祖母から学んだと言っていたが、海外には純粋培養のように美しい日本語が残っている。

上映の合間に、映画祭をバックアップしている衛星放送のゲイ番組に出演したが、インタビューをリアルタイ

第9回フィラデルフィア国際ゲイ&レズビアン映画祭パンフレット。

第17回ミラノ国際L&G映画祭の会場前でスタッフと共に。左端が彩樹くん。

レズビアン部門ベストワン賞の賞状。

The Philadelphia
INTERNATIONAL
Gay & Lesbian Film Festival
July 10 - 22, 2003

2003 JURY COMPETITION
BEST FEATURE FILM (LESBIAN)

"LILY FESTIVAL"

SACHI HAMANO
DIRECTOR

RAYMOND MURRAY, FESTIVAL ARTISTIC DIRECTOR

THOM CARDWELL, MANAGING DIRECTOR

ムで配信して、チャットで視聴者からの感想や質問に私が答えるという方式だった。今ならよくある手法だが、2003年のことだ。ミラノはファッションだけでなく、こうした技術的なことでも最先端を行っていたのだろう。

参加作品にも驚かされた。それまでゲイ映画に比べてレズビアン映画は真摯なテーマの作品が多いと思っていたのだが、ヒゲをはやしたドラァグ・キングが主役の愉快な作品や、女性器のドアップがインサートされる映像を駆使した作品を観て、L&Gの作品の中にもさまざまな方向性や可能性があることに気付かされた。

アメリカ映画監督協会が後援する大規模なロサンゼルスL&G国際映画祭、レズビアン部門でベストワン賞を受賞したフィラデルフィア国際ゲイ&レズビアン映画祭など、北米やヨーロッパを中心に26都市でのL&G映画祭に招かれたが、いったい世界中にどれだけの数の映画祭が存在するのだろう。もちろん、この全てに私が参加できたわけではない。日本でも各地の女性センターや男女共同参画推進センターを中心に、上映と私のトークが次々と企画されていた。ピンク映画も撮り続けていた。まるで怒涛のような日々だったが、L&G映画祭

第19回ベルリン・レズビアン映画祭の実行委員長マーラさん(左から2番目)と。左端は松山文子さん。

に参加することは私にとって新しい評価に出会える心躍る経験だった。

10月にはドイツのベルリン・レズビアン映画祭に参加した。ゲイと切り離してレズビアン単独というめずらしい映画祭だったが、女性映画祭としての性格も強く、セクシャリティをテーマにした35本の作品が上映されていた。『百合祭』は映画祭実行委員長のマーラさんの「この映画は私たちの未来だ！」という力強い宣言と共にクロージング上映された。このベルリン・レズビアン映画祭は同じドイツのハンブルグL&G映画祭と連携していて『百合祭』もハンブルグに招待された。上映後のディスカッションで若い女性から、ほとんどはヘテロの描写でレズビアン関係は取ってつけたようだ、との批判が出た。私は日本で長い間蓋をされてきた高齢女性の性愛を描くことで社会に風穴を開けたかったこと、次作では女性同士の愛をテーマにした映画を撮りたいと思っていることなどを話した。賞賛も批判も観客自らの言葉で伝えてくれる。これが海外映画祭なのだ。

2003年を締めくくったのは11月のミックス・ブラジル国際映画祭だった。この映画祭はサンパウロ、リオ

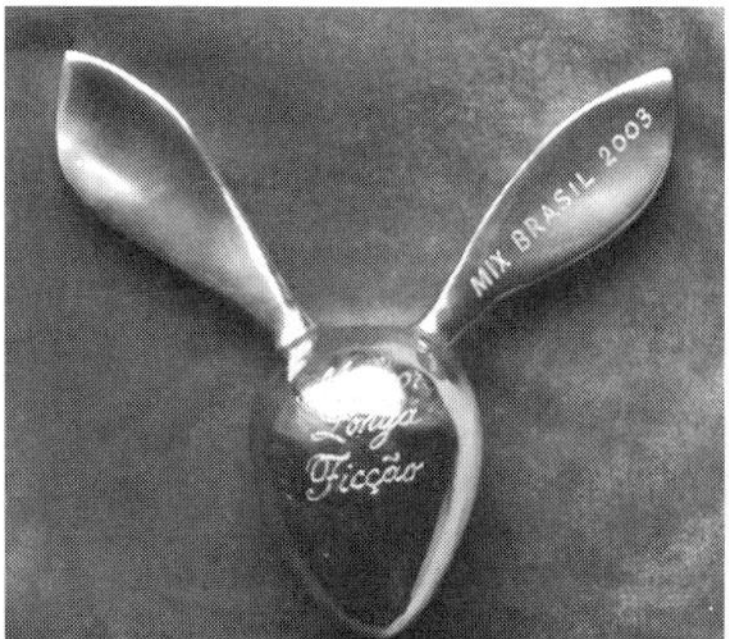


グランプリのトロフィー。

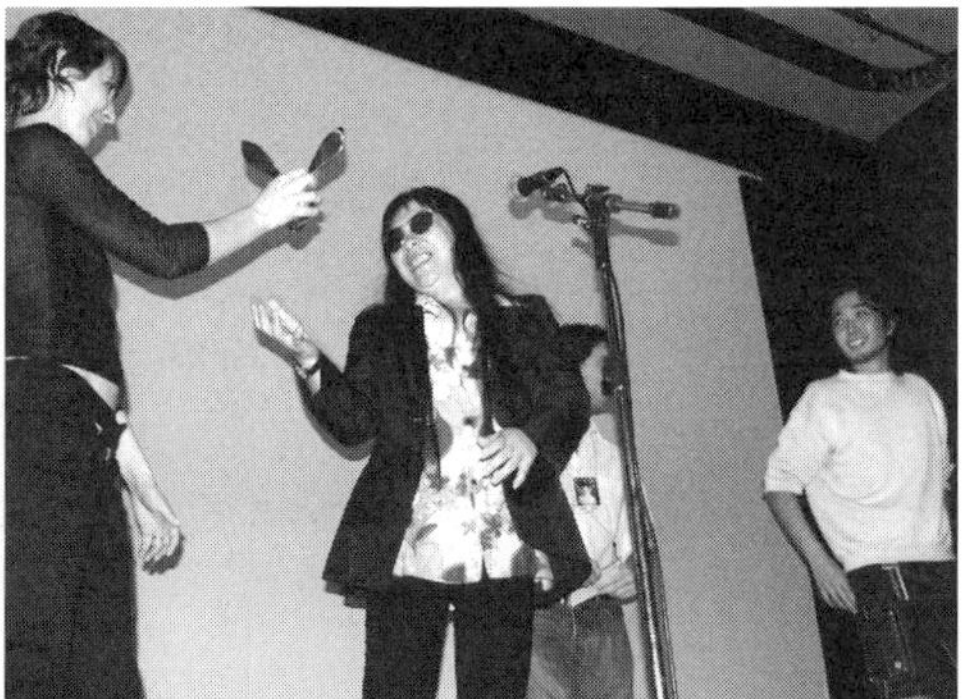

第11回ミックス・ブラジル国際映画祭ベスト長編ドラマ賞グランプリを受賞。

第1回ガールフェスト・ハワイで開かれた女性映画人とのシンポジウム。右端が佐伯英子さん。

デジャネイロ、ブラジリアの3都市で連続開催され「旅する映画祭」とも呼ばれていた。私はサンパウロに参加したが『百合祭』は長編劇映画部門でグランプリを受賞した。サンパウロは世界でも日系人の多い都市だ。街の中心から少し離れたところには日本人街があり、日本の食料品を扱う店や食堂があったが、当時はさびれてうらぶれたような一角だった。『百合祭』は期間中2回上映されたが、2回とも日系1世や2世と思われる女性たちが多く観に来てくれた。おそらくは大変な苦労をしてブラジルで生き抜いてきたであろう高齢女性から「こんなに胸にストンと落ちる映画を観たのは初めてだ」と言われた時には、思わず涙ぐんでしまった。映画祭の賞には観客動員数も加味されると聞いたが『百合祭』がグランプリを受賞出来たのは日系移民の彼女たちの後押しがあったからだろう。

2004年はクロアチアのザグレブ、ルーマニアのブカレスト、ベルギーのブリュッセルなどヨーロッパでの上映が続いたが、ハワイで立ち上がった女性映画祭ガールフェストはL&Gの要素が濃い映画祭だった。『百合祭』はオープニング上映されたが、オープニングやクロージングで上映されることはその映画祭を代表する作品として非常に名誉なことだ。

ロンドンL&G国際映画祭で会ったハワイ在住のアン・ミサワ監督、香港国際映画祭で会ったヤオ・チン監督とも再会できた。ヤオ・チン監督は会場に入った途端、「ハーイ！　サチさーん！」と笑顔で現れた。こうした女性監督たちとの出会いや再会も映画祭の楽しみのひとつだ。アメリカの女性映画人のシンポジウムに、ハワイ大学の佐伯英子さんの通訳で参加出来たことも貴重な体験となった。女性プロデューサーが「女性監督が作品を作るためには、絶対的に女性のプロデューサーが必要である」と力強く語っていて、日本に女性映画監督が生まれにくい理由を今更のように痛感した。

### ・アジアのL&G映画祭

東京国際L&G映画祭（現・レインボー・リール東京）に『百合祭』が参加した2004年は11回目だった。当時スタッフだった早川由美子さん（現・ドキュメンタリー監督）がロンドン国際L&G映画祭で観て、どうしても日本で上映したいと推薦してくれたという。観客には外国人も多く、上映中は笑いと拍手の渦が沸き起こって、日本では珍しいリアクションと熱いパワーに感激してしまった。上映後のラブピースクラブ代表の北原《きたはら》みのり★さんとのトークも楽しく、会場と一体になったような幸せな気分を味わうことが出来た。

翌年、東京レズビアン&ゲイパレード（現・東京レインボープライド）に参加した時、青山のスパイラルホールで『百合祭』を観たという若いゲイカップルから声をかけられ、彼らの間で「昨日の夜、私たちがどんなイヤラシイことをしたか、誰も知らないでしょうね？」というラストの吉行さんのセリフを「僕たちが」に変えて流行っていると聞いて、こんな些細な話にも嬉しくなってしまった。

ソウル国際L&G映画祭は、2000年から始まった「Korean Queer Culture Festival」という大きなイベントの一環として開催される映画祭で、キャッチフレーズは、「Queer UP!!」。私は『百合祭』で2005年に初めて参加したが、イベントのハイライトであるレインボー・パレードには台湾からド派手なトランス・セクシャルのショーガールや地元ソウルのドラァグ・クイーンが大挙して駆けつけ、ソウルの中心街を練り歩いて、熱く燃えるクィア・パワーをアピールしていた。

私には梨花大学の女子学生が通訳についてくれたが、気になることがあった。彼女の右手首にはたえず赤いミサンガが巻かれていた。理由を聞くと顔出し（写真）NGのサインだという。彼女は「レズビアンであることがバレたら、父親に殺されるか、精神病院に入れられる」と怯えていた。ド派手なパレードの陰で命がけで参加している若者たちがいることに私はショックを受けたが、雑誌「フェミニスト・ジャーナル・if」にインタビューを受けた。韓国でも女性側から性を語ることや、ゲイやレズビアンの権利を認める運動がフェミニズムの大きな課題になっていると聞いた。私はその後この映画祭に参加していないが、彼女たちはミサンガから解放されただろうか。道路を埋め尽くしたパレードの先頭をレインボーフラッグと共に胸を張って歩いていることを願ってやまない。

2005年以降になると、L&G映画祭がLGBT（レズビアン・ゲイ・バイセクシュアル・トランスジェンダー）映画祭と名称が変わっていき、クイア映画祭、レインボー映画祭などとも称されるようになった。私が『百合祭』や『百合子、ダスヴィダーニヤ』（2011年）で参加した国内の映画祭だけでも関西クィア映画祭、青森インターナショナルLGBTフィルムフェスティバル、香川レインボー映画祭、愛媛LGBT映画祭、東京レインボー・アクション映像祭など開催されている。

### ・フォーカス・オン・アジア

2005年は『百合祭』にとっても私にとっても忘れられない年となった。

1月、私に1通のメールが届いた。アジア・ヨーロッパ交流基金からで、私がフェローシップに選ばれ、3月から2カ月間ヨーロッパに招待する、というようなことが書かれてあった。いったい何のことか分からず、前年ハワイで開催された女性映画祭ガールフェストで通訳をしてもらった佐伯英子さんにメールを転送して翻訳を頼んだ。佐伯さんからはすぐに返事があり「監督、すごいですよ。日本の女性監督の代表として2カ月間ヨーロッパを巡るツアーに招待されています」と驚いている。驚いたのは私だ。半信半疑で佐伯さんにメールの送り主マリー(Marie Le Sourd)さんに詳細を聞いてもらったが、ヨーロッパツアーへの招待は事実だった。

「フォーカス・オン・アジア」は、アジア・ヨーロッパ交流基金とクレテイユ国際女性映画祭の共催で、中国、香港、韓国、インドネシア、マレーシア、フィリピン、シンガポール、タイ、日本の10人の女性監督と作品が選ばれ、クレテイユを皮切りに、フランス、オーストリア、ドイツの3都市で上映ツアーを行う、という企画だった。クレテイユ国際女性映画祭のジャッキー・ヴュエさんが『百合祭』と私を推薦してくれたのだという。この年、クレテイユが掲げたテーマは「スキャンダル・フェミニズム・セックスとタブー」だった。

クレテイユ国際女性映画祭は3月11日に始まった。オープニング会場で会ったジャッキーさんは「クレテイユにお帰り、サチ」と私を抱き締め、迎えてくれた。

13日には「TUNAMI(津波)フォーラム」と銘打ったいくつものシンポジウムが行われた。2004年に起きたスマトラ沖地震で大きな被害を受けた東アジアの人々に哀悼の意を表し、参加者全員で黙とうを捧げて始まった。

**北原みのり(1970〜)**◉作家・ラブピースクラブ代表。性暴力を許さないフラワーデモを呼びかけ、全国に広がる。

私たちのテーマは「アジアにおける女性監督の現状」。香港のヤン・ヤン・マー監督、ハワイのガールフェストで再会したヤオ・チン監督、マレーシアのヤスミン・アフマド★監督、シンガポールのタニア・サン監督など参加メンバーは、それぞれの国の映画界の現状と女性監督が直面する課題を話しあった。男性中心の映画界で、撮りたいテーマのために資金調達する困難など同じ問題を抱えていた。このメンバーとこれから2カ月間寝食を共にするのだ。私が一番年長ではあったが、世代や国を超えた連帯が生まれそうな予感があった。

　クレテイユが終了した後、10人の女性監督たちはパリのリュクセンブルグ公園近くのホテルに移動し、映画館でのそれぞれの上映やディストリビューター（配給会社）との面談、フランス映画界の視察（撮影スタジオや編集スタジオ）など忙しい日々を送った。それらのスケジュールはアジア・ヨーロッパ交流基金が全て手配し、アテンドしてくれた。

『百合祭』のヨーロッパツアーは、クレテイユ市の映画館「La Lucarne」から始まった。住宅街にあるこじんまりとした映画館だが、老若男女が詰めかけ、あっという間に100席が埋まった。上映後は、ロビーに場所を移し

第27回クレテイユ国際女性映画祭パンフレット。

クレテイユのオープニング風景。

てソワレ(夜会)が開かれ、「フランスでもこのテーマはタブー。女性は年を取ったらセクシュアリティなど無縁と思われている。この映画を観て勇気をもらった」という高齢女性や「日本の映画は暴力が多いので、こういうテーマの作品は初めて観た。日本女性は大人しいイメージが強かったが、年を取っても行動する女性たちであることが分かって、とても良かった」という声も上がった。特に「あなたはこの映画を作ることによって、観客の頭の中に種を植え付けた」と言われたことが強く心に残った。

続いてはパリの映画館「La Pagode」での上映だった。午前中の上映時間とあって観客はあまり多くなかったが、責任者の女性が私に言った「観客の数ではなく、何を上映したか、私たちは問われるのだ」という言葉が忘れられない。日本の映画興行との何という違いだろう。

メンバーの連帯も日を追うごとに深まっていった。共通の言語など持たなくても映画監督同士、分かり合えることがある。日本では決して育めない連帯だった。特に私はヤスミン、ヤオ・チン、タニアと気が合い、一緒に行動する事が多かった。ヤスミンは母方の祖母が日本人で、私に親しみを持ってくれたようだった。クレテイユでも

「フォーカス・オン・アジア」のメンバー。後列左端がヤスミン・アフマド監督。

「フォーカス・オン・アジア」パンフレット。

**ヤスミン・アフマド(1958~2009)**◉マレーシアの監督・脚本家。2003年『ラブン』で長編映画監督デビュー。05年『細い目』、06年『グブラ』、07年『ムクシン』、08年『ムアラフ　回心』、09年、死去。『タレンタイム　優しい歌』が遺作となる。

パリの映画館La Pagode。

審査委員グランプリを獲得した『Sepet（細い目）』は、世界中の映画祭を席巻し、この年、第18回東京国際映画祭で最優秀アジア映画賞を受賞した。マレーシアの名匠と称されたヤスミンだったが、この出会いから4年後に51歳で急逝した。２００９年の第22回東京国際映画祭ではアジアの風部門で「追悼 ヤスミン・アフマド」が組まれ、遺作となった「タレンタイム～優しい歌」が上映された。女性映画祭に敬意を表しながらも軽々と世界に飛躍したヤスミン。次回作は日本で撮る予定で、私もコーディネートを引き受けていたのだが、実現しなかったことが悔しくてならない。

４月７日、『百合祭』はパリを出発し、オーストリアのインスブルックに向かった。上映会場は、周囲をアルプスに囲まれた美しい街の中心にある映画館「Leo Kino」。若い女性たちが中心になって「女性監督特集」などのプログラムを組んでいる意欲的な映画館だ。『百合祭』の上映は夜９時からと遅い時間だったが、チケットはソールドアウト、補助椅子を出す盛況ぶりだった。通訳をしてくれたインスブルック大学で現代ドイツ文学を研究している尾形陽子さんによると「インスブルックで日本や映画に関心のある人はみんな来た」のだとか。上映後のディスカッションでは、日本の女性監督の現状や、『百合祭』が日本の男性たちに不評である理由、また、老年女性の性愛というテーマが国際的であることなど私も驚くほどの熱心な質疑応答が続いた。

４月11日、朝８時20分にインスブルックを出発した列車は、ドイツのミュンヘンを経由して夕方６時にベルリンに着いた。「Kino Arsenal」の支配人、ステファニーさんとベルリンに先行していたタニアが迎えてくれた。「Kino Arsenal」は２００３年に『百合祭』が「ベルリン・レズビアン映画祭」に招かれた時も上映会場だったが、70年代から女性監督作品の特集を組んでセミナーなどを行っている。今回は「フォーカス・オン・アジア」の全作品が連続上映され、オープニングではタニア監督の２本の短編が上映された。『百合祭』はベルリンの大学関係者が主催している「日本映画を観る会」も協賛してくれ、ベルリン在住の日本人も多く観に来てくれた。上映後のディスカッションで、ある日本人女性から「こういう映画が作られたのなら、日本も女性にとってもう少し住みやすい国になるかも知れませんね」と言われた事が強く印象に残った。

4月15日、ヨーロッパの足となっているイージージェットでベルリンからパリに戻り、クレテイユ国際女性映画祭から始まったヨーロッパツアーは終わった。私はこのツアーで多くのことを学んだ。特に女性監督同士の間に生まれた連帯はかけがえのないものだった。だが、日本ではこうした連帯と逆の経験もした。

2003年、在シカゴ日本国総領事館と日米協会共催の「日米150年祭」が開催され、その一環として「日本映画女性監督特集」が企画された。私は『百合祭』と共に招聘されたのだが、日本の女性映画人の一部の人たちから思ってもみなかったバッシングを受けたのである。それ以前に私はシカゴ美術館付属のフィルムセンターから、この特集のための女性監督のリストを作って欲しいと頼まれていた。私は、東京国立近代美術館フィルムセンター（現・国立映画アーカイブ）や川喜多記念映画文化財団などに助言を求めてリストを作った。それが許せなかったのだろう。「ピンク映画の監督が、国際交流の日本側の窓口になるのはけしからん」、「日本の女性監督を選ぶのに、なぜ私（個人）を通さない」、「浜野は自分に得

インスブルックのLeo Kinoで上映後に関係者懇談。右端が通訳してくれた尾形陽子さん。

ベルリンの映画館Kino Arsenalの支配人ステファニーさん（左から2番目）と共に。左端はトークで通訳してくれた足立ラーベ加代さん。右端は松山文子さん。

になるようにリストを操作している」

『百合祭』はピッツバーグ大学やコロンビア大学などアメリカの大学からも多くの招聘を受けている。だから私にコンタクトがあったのだろう。リストは送ったが、作品を選ぶのは主催者だ。私がバッシングを受けるいわれはない。だが、私は自分の立場を思い知った。ピンク映画の監督として日本の女性映画人の末席で大人しくしていれば、出る杭として打たれることもなかったろう。だが、そんな私を認め『百合祭』の上映に奮闘してくれたのも日本の女性たちだった。

## ▪日本社会と『百合祭』

日本国内では、女性センターや男女共同参画推進センターなどでの上映が続いていたが、大きな変化も起こっていた。

1999年に「男女共同参画社会基本法」が施行され、日本各地の女性センターは2000年を境に男女共同参画推進センターへと名称が変わりつつあった。名前が変わるくらい、と思うかも知れないが『百合祭』にとっては大きな問題だった。女性センターでは館長も職員の方々もほとんどが女性だったが、男女共同参画推進センターと名前が変わったとたんに、男性が館長に就任するケースが増えた。それもジェンダーの意識などあまりないような役人が異動でいきなりやってくる。それまで真摯に女性の問題に向き合ってきた職員の皆さんの戸惑いはどれほどだったろう。

関西のある男女共同参画推進センターでは、女性センターの時に『百合祭』上映会の企画が進んでいた。だが、名称が変わり男性がトップになった途端、公的機関が老女の性をテーマにした映画を上映することにクレームがついてボツになった。これに怒ったのが女性職員の皆さんだった。行政がやらないなら、私たちが独自でやる、と上映実行委員会を立ち上げ、市民グループとタッグを組んでようやく上映会が実現した。当日、会場に掲げられた看板には「女性たちの性エネルギーが再起動する！　あなたは受け入れられますか!?」というキャッチが躍っていた。これこそ上映にこぎつけた女性たちの想いなのだろう。『百合祭』のために、ここまでやってくれる女性たちがいる。会場の市民ホールには大勢の観客が詰めかけ、上映後のトークでも、その後の交流会でも「女の性」についての熱いディスカッションが続いた。

例を挙げればきりがないが「男性センター」でも作って男の意識改革をしてもらいたいとつくづく思う。ある男女共同参画課のトップ（男性）は『百合祭』を観て、私に向かってこう言った。「何でラストをあんな風（老女のレズビアニズム）にしたんですか？　三好さんと宮野さんの結婚式で映画が終われば、高齢化社会のモデルケースとして大ヒットしたでしょうに」

「はぁ？」である。老いてやっと手に入れた自由を手放し、もう一度結婚して男の面倒をみろと？　結婚が女の幸せ、とまさか本気で思っている？　女が直面する問題は、男の意識改革なくしては解決しないのだ。

女性センターの名称のままで頑張っているところ、男女共同参画推進センターと名前は変わってもトップが女性のところは、次々と『百合祭』を上映してくれた。

2001年に完成した『百合祭』は、2021年までの20年間で北海道から沖縄まで全国111カ所で上映された。私はそのほとんどに参加して、観客とディスカッションを重ねてきた。この『百合祭』上映の旅は、日本の女性たちの本当の声を聞く旅だったかも知れない。

ミックス・ブジジルでのグランプリ受賞を祝う会（2003年12月銀座）。左から白川和子、目黒幸子、吉行和子、ミッキー・カーチス、正司歌江、松本侑壬子、羽田澄子、山上千恵子、浜野、内田ひろ子。

ある上映会場では、80歳を過ぎたと思われる女性が「よかった。本当に素晴らしかった。おかげで生きていく勇気が湧いた」と言ってくれた。

上映後のディスカッションで、90歳の女性から「こう生きなくっちゃね！　これからは私もいっぱい恋をしますよ！」との発言が飛び出し、会場を沸かせたこともあった。

どこで上映しても「70歳を越えても自立しながら生きている姿に感動した」、「自分も残りの人生を諦めないで生きようという気にさせられた」、「同性愛であるかどうか、結婚しているかどうかに関わらず、人はいくつになっても性的な存在であることを考えた」、「〝可愛いおばあちゃん〟とか〝老後は孫に囲まれて〟といったイメージをひきずっていると幸せになれない」などの意見が活発に交わされた。

『百合祭』は乾いた土に沁み込む水のように、日本の中高年女性の心を潤していったのではないだろうか。

# 7章

# 『こほろぎ嬢』

## ▪短編3本を映画化

　2005年は私にとって映画以外でも記念すべき年となった。1月に初めての著書『女が映画を作るとき』(平凡社新書)が出版されたのだ。私はこの著書でピンク映画と『第七官界彷徨—尾崎翠を探して』『百合祭』の2本の映画制作、上映までの体験を記した。私にとってはそれまでの映画人生の総決算だったが、新宿のレストランで開かれた出版記念会には吉行和子さん、ミッキー・カーチスさん、大方斐紗子さん、原知佐子さんの『百合祭』チームを始め100人を超える人たちが集まってくれた。この人たちと出会わせてくれたのはまぎれもなく映画なのだ。出版を喜んでくれる人たちに囲まれながら、私は改めて映画監督として生きる決意を固めた。映画を撮ろう。『百合祭』から4年、国内外の映画祭に参加するためにも新作が必要だった。

　私にはひそかに模索していた企画があった。『第七官界彷徨—尾崎翠を探して』は翠の代表作「第七官界彷徨」と実人生をミックスさせて描いた。映画をきっかけに地元鳥取で「尾崎翠フォーラム」が始まり、尾崎翠の名は浸透してきている。今度は純粋に尾崎翠の作品世界の映画化が出来ないだろうか。

『女が映画を作るとき』(平凡社新書)。

　言葉はその国の言語に翻訳されなければ伝わらないが、映像はストレートに観る人の心に飛び込んで行く。難解とされる翠文学は、映像にしてこそ伝わるのではないか。『第七官界彷徨—尾崎翠を探して』はドルトムントやクレテイユで熱い議論を巻き起こした。あれから7年、私は、もう一度「尾崎翠」に戻りたかった。

　前年の2004年2月に『第七官界彷徨—尾崎翠を探して』を支援してくれた鳥取県文化振興課の方と東

京でお会いする機会があった。飲みながらの席だったが、尾崎翠の作品世界を映画化したい想いを伝えると、県として協力出来るかも知れませんよ、と言ってくれた。そのまま具体的な話にはならずに終わったが、私は鳥取県と組むことで映画化の道を探れないか考え始めていた。

当時の鳥取県知事は片山善博氏で、片山知事は毎年の尾崎翠フォーラムにも欠かさず出席していた。通常、知事といえば最初の挨拶を終えると退席してしまうものだが、片山知事は違った。3時間近いフォーラムの講演やシンポジウムに最後まで耳を傾けていた。控室でお目にかかった時も、尾崎翠を鳥取から発信することの必要性を語られていた。

私は、知事に『女が映画を作るとき』と共に、尾崎翠作品映画化への構想を綴った手紙を送った。知事からの直接のお返事はなかったが、文化振興課から映画の企画書を提出して欲しいとの連絡があった。大きな手応えだった。私は脚本の山崎と相談し、翠の短編3本「歩行」「こほろぎ嬢」「地下室アントンの一夜」を連作として1本の映画にする企画書を作った。翠が残した作品は少ない。この短編3作は「第七官界彷徨」で独自の世界を築き上げた後の、精神的にも技法的にもピークの時期に書かれた翠文学の到達点といえる。鳥取フォーラムの関係者からは、映画にするなら脚本草稿の「瑠璃玉の耳輪」ではないかという意見も出たが、私も山崎も映画化するならこの連作しかない、と決めていた。

7月に鳥取県民文化会館で開催された「尾崎翠フォーラムin鳥取2005」では『第七官界彷徨―尾崎翠を探して』が5年ぶりに上映され、片山知事や翠の生地・岩美町の榎本武利町長ともお目にかかり、協力を約束していただいた。尾崎翠の新たなムーブメントとしての映画化が動き始めたのだ。

翌2006年2月、鳥取県支援事業としての助成が決定した。岩美町、倉吉市、若桜町もそれぞれ独自のサポート体制を敷いてくれた。

映画『こほろぎ嬢』の脚本も完成し、ロケハンが始まった。私はオール鳥取ロケにこだわった。県の支援事業であることも理由の一つだが、それ以上に翠の作品世界を覆っている透明感は、翠が生まれ育った鳥取の風や空気に起因するのではないか。

3月、鳥取県庁で、制作発表記者会見が行われた。遺族であり著作権者の早川洋子さんや松本敏行さん、岩美町の榎本武利町長、尾崎翠フォーラムの土井淑平代表などが列席してくれ、記者からの質問が相次いだ。県の支援事業という位置づけでなかったら、これだけのマスコミが興味を持ってくれることはなかったろう。この日の夕方のテレビ、翌朝の新聞には大きく「こほろぎ嬢」と「尾崎翠」の名が躍った。

ロケ地は、鳥取砂丘をはじめ、倉吉市、若桜町、鳥取市、岩美町、米子市、と次々に決まっていった。作品の時代背景は大正から昭和初期だ。ロケ地探しに苦労するのでは？　と懸念していたが、鳥取各地には明治、大正、昭和初期の建造物が今も人々の生活の中で生きていた。

### ▪吉行理恵さん

ロケハンと並行してキャスティングも順調に決まって行った。私がどうしても出演して欲しかったのが『第七官界彷徨―尾崎翠を探して』で佐田三五郎を演じた宝井誠明くんと『百合祭』での怪演に唸った大方斐紗子さん、そして吉行和子さんだった。宝井くんには風変わりな詩人、土田九作を、大方さんには町子の祖母を演じてもらえることになったが、吉行さんの事務所からは保留の返事だった。吉行さんの妹で詩人・作家の吉行理《よしゆきり》恵《え》★さんが病床にあり、その時の病状によっては鳥取ロケに行けるかどうか約束出来ない、ということだった。私は吉行理恵さんにお目にかかったことはなかったが、『第七官界彷徨―尾崎翠を探して』で吉行さんに翠の親友、松下文子役をお願いした時、「尾崎翠が映画になるなんて、妹の理恵もすごく喜んでいるのよ」と言ってくれた。理恵さんは、最初の尾崎翠全集が出版された時『週刊読書人』に発表した書評で「尾崎翠は天才だと思うので、天才でない私が語れるだろうかと不安だ。筆の遅いところは尾崎翠と似ていて悲しい」、「私は、尾崎翠の文章をすこし読むだけでも潤いを与えられ、心が豊かになる」と書いている。吉行さんも、理恵さんの影響を受けて尾崎翠を読み始めた、と言っていた。

5月に入り、半ば吉行さんの出演を諦めていた私に「吉行が鳥取に行けるようになりました」との連絡があり、理恵さんが亡くなられたのを知った。吉行さんは「理恵はね、私がまた尾崎翠の映画に出るのをすごく喜んで、完成を本当に楽しみにしていたのよ」と言って、鳥取ロケに参加してくれた。

5月15日、映画『こほろぎ嬢』は早朝の鳥取砂丘でクランクインを迎えた。『第七官界彷徨―尾崎翠を探して』のラストシーンも砂丘だった。私は感無量だった。あれから8年、再びここに戻って来た。鳥居しのぶさん演じるこほろぎ嬢が、砂丘を歩いて地下室アントンに向かう。原作にはない設定だが、翠は笑って許してくれるだろう。

吉行さんは動物学者・松木氏の妻で、詩人の土田九作の姉、という役柄だったが、自前でボブカットのウィッグを持参してくれた。豚の鼻がパンに向かって伸びることを研究している動物学者と、カラスは白いという詩を書く詩人。私はこの風変わりな男ふたりの間に挟まれた松木夫人をどう演出しようかと悩んでいたが、ウィッグをつけた吉行さんは、まるで尾崎翠ワールドの住人のように不思議で可笑しい松木夫人を演じてくれた。

鳥取砂丘から始まったロケは、倉吉市、米子市、若桜町、岩美町、鳥取市と移動しながら6月1日にクランクアップした。鳥取県文化振興課や倉吉市役所、若桜町役場、岩美町役場の方々には本当にお世話になった。仁風閣など国登録有形文化財や、鳥取の美しい自然を背景に撮れたことは、尾崎翠の内面的な世界観を外部に向かって映像化できたのではないかと自負している。ただ、ワンシーンだけを除いては……。

撮影の後始末を終え、帰京した私を郵便物の不在連絡票が待っていた。現金書留とのことだったが、私には思い当たる節《ふし》が無かった。怪訝に思いながら受け取りに行くと、それは吉行和子さんからだった。中には「妹の理恵が楽しみにしていた映画です。彼女のお金です。お受け取りください」という手紙が添えられていた。驚いた私はすぐ吉行さんに連絡し辞退したが、理恵さんが亡くなった後、押し入れの隅から猫の骨壺3つとお金が出てきたのだという。そして、このお金は妹が一番喜ぶことに使おう、妹にとって尾崎翠の存在は大きな力になっていたのだから、どうか映画のために使ってく

**吉行理恵**（1939〜2006）◉詩人・作家。「小さな貴婦人」で1981年芥川賞。主な著書に『黄色い猫』追悼作品集『青い部屋』など。兄が吉行淳之介、姉が吉行和子。

ださい、と言ってくれた。
実は、私はラストシーンがどうしても納得できないでいた。もちろん、誰のせいでもない。すべては監督である私の責任だ。原作にはないシーンだが、シナリオのラストで、こほろぎ嬢、幸田当八、松木氏、土田九作の4人が地下室アントンに降りてきて話し合っている。そして、地下室に忽然と窓が出現し、その窓から青い地球の浮かぶ宇宙が広がっていく。

「わが窓の／もくせいの香は／雨降らば／こほろぎの背に／接吻ひとつ」
「ハロオ、ミスタ・モクセイ／火星の人たちは／どんな言葉を使ってた」
「フイオナ・マクロードの詩の言葉さ」
（「神々に捧ぐる詩」より引用）

私はこの「地下室アントン」という詩人の心の中の地下室を、倉吉の一風変わった開放的なホールで撮ってしまった。私は直後から後悔し、もう一度撮り直したい衝動に駆られていた。だが、スケジュールは先へ先へと進

スチル写真より。砂丘から地下室アントンに向かうこほろぎ嬢（鳥居しのぶ）。

んでいる。今更引き返すわけには行かない。すべてのロケが終了した後も心は重く澱んでいた。私は最後の最後に尾崎翠の世界をぶち壊してしまったのではないか。そんな恐怖すら抱いて東京に戻って来た私を、吉行理恵さんが助けようとしてくれている。

私は背中を押されたような思いでリテイクを決意し、スタッフ、キャストに再結集をかけた。みんな呆れ顔だったが、何とか集まってくれ、ラストシーンを東京のスタジオで撮り直すことが出来た。

映画『こほろぎ嬢』は、地球が浮かぶ宇宙空間からの「ハロオ、ハアロオ」という呼び声と共に「宇宙に、あまねく存在する、全ての孤独な、たましいへ」というテロップで終わる。尾崎翠と吉行理恵さんが、宇宙のどこかで微笑みながらこの映画を観てくれることを願ってやまない。

### ■『こほろぎ嬢』上映へ

2006年9月、映画『こほろぎ嬢』は完成した。鳥取県支援事業作品として私は鳥取全県での先行ロードショーを組んだ。ただ、完成品は35ミリプリントだ。地

スチル写真より。おたまじゃくしの瓶を覗き込む小野町子(石井あす香)と土田九作(宝井誠明)。

スチル写真より。図書館でマクロード嬢とシャープ氏の文献を探すこほろぎ嬢。

方の公民館やホールでは35ミリは上映できない。16ミリに縮小したプリントを作って上映することにし、10月から鳥取市をスタートに、岩美町、倉吉市、米子市、若桜町と順次上映していく予定だった。それに先駆けて鳥取市内でマスコミ試写会を行ったのだが、ここでトラブルが起きた。映写機に問題があり、フィルムが損傷したのだ。普段使用していない映写機はメンテナンスが行き届かず、こうした事故への懸念はどこへ行っても付きまとう。

私は急きょプリントを焼き直し、映写を『第七官界彷徨—尾崎翠を探して』や『百合祭』を上映してくれた旧知の岡山映画鑑賞会の真田明彦さんに頼んだ。真田さんは16ミリの映写機とビデオデッキを車に積んで岡山から駆けつけてくれ、どちらでも上映出来るように万全の体制を取ってくれた。地元の日本海新聞が「郷土が生んだ作家の原作の映画化に、県民が協力した県民映画の誕生だ」と位置づけてくれ、鳥取全県先行ロードショーは観客数2500人を超えて成功裏に終ることが出来た。

第19回東京国際女性映画祭の記者会見。

『こほろぎ嬢』パンフレット。吉行理恵さんの尾崎翠全集書評(1980年)と、吉行和子さんの『こほろぎ嬢』ロケ参加の記(『俳句あるふぁ』誌より)を収録。

### ■第19回東京国際女性映画祭

10月22日から東京・青山の東京ウィメンズプラザホールで開催された東京国際女性映画祭は、フランス、スペイン、韓国、フィリピン、アメリカなど9カ国から15本の女性監督作品が集められていた。『こほろぎ嬢』は26日に上映されたが、私は心配でならなかった。尾崎翠の作品世界だけを描いた『こほろぎ嬢』は、翠文学に馴染んでこなかった人には難解に感じるのではないか?

だが、結果は『こほろぎ嬢』が一番多くの観客を集めた。あっという間に満席となり、補助席はもとより通路の階段から廊下まで観客が溢れた。上映後の質疑応答でも多くの感想が相次いだ。

「あなたはあなたのままでいいんだよ、というメッセージをもらったような気がする」、「ラストシーンでは何故か分からないけど涙が出た」、「描くてもいいから封じ込めた感情を解放しなさい、と肩をポンッと押された気持ち」、「忘れてきた過去の自分に出会ったよう」

尾崎翠はこんなにも多くの人たちに愛されていた。しかし、最後に挙手した女性から「監督は、真剣に観客のことをどうお考えですか?」という質問があった。多

映画祭の「世界の女性映画人をかこむ集い」。

『こほろぎ嬢』上映前の舞台挨拶。左から高野悦子、外波山文明、浜野、吉岡しげ美、デルチャ・M・ガブリエラ、吉行和子、鳥居しのぶ、石井あす香、ジョナサン・ヘッド、野依康生、宝井誠明。

分この女性には監督の独りよがりの映画に見えたのだろう。私は「観客に迎合するつもりはなかった。ただ、自分と尾崎翠に恥じない映画を作りたかった」と答えたが、果たして納得してもらえただろうか。

### ・シネマアートン下北沢・新春ロードショー

2007年1月4日から東京のミニシアター、シネマアートン下北沢で『こほろぎ嬢』のロードショー公開が始まった。しかも16日間1日3回のフル上映だ。私には大きなプレッシャーだった。「たとえ何億円積まれても断る映画もある。『こほろぎ嬢』は今上映する価値のある映画だ」と決断してくれた岩本光弘支配人に応えるためにも、ひとりでも多くの人に観てもらいたい。劇場に迷惑をかけるわけにはいかなかった。

私は、連日初回と2回目に私と脚本の山﨑が舞台挨拶をし、3回目の上映後にはゲストを招いてトークを行うプログラムを組んだ。

ゲストには吉行和子さん、大方斐紗子さん、鳥居しのぶさん、石井あす香さん、片桐夕子さん、宝井誠明さん、外波山文明さん、野依康生さん、イアン・ムーアさん、リ

連日ゲストを迎えて舞台挨拶が行われた。左から吉行和子、大方斐紗子、浜野、石井あす香。

シネマアートン下北沢。2008年閉館。

カヤ・スプナーさんたち出演者全員が忙しいスケジュールを縫って駆けつけてくれた。そして、新春ロードショーは観客動員数1000人を突破し、同じシネマアートン下北沢で5月5日から2週間のアンコール上映が決まったのである。

### ・ドーンセンター

第七藝術劇場（大阪）での『第七官界彷徨—尾崎翠を探して』とのW上映や、岡山映画祭など上映は順調に続いていった。

　2008年2月、大阪府立女性総合センター（現・大阪府立男女共同参画・青少年センター。ドーンセンター）の上映会では「映画・音楽・トークの誘い～『こほろぎ嬢』上映&吉岡しげ美コンサート」として吉岡さんとタッグを組んだ。

　当日、映写テストのため早めに会場入りした私は、ドーンセンターの職員の皆さんの雰囲気が違うことに気がついた。この年の1月、大阪府知事選挙が行われ、橋下徹氏が新知事に就任した。彼は「橋下改革」の名のもとに次々と公共施設を廃止しようとしていた。その槍玉にドーンセンターも上がっていたのだ。そして、上映

ドーンセンターの舞台で、吉岡しげ美さん（左）と対談。

当日、存廃を決めるために橋下知事が視察に来るという。私は我が耳を疑った。ドーンセンターといえば、関東の国立女性教育会館(ヌエック)と共に日本の女性運動の一大拠点だ。それを潰す?

『こほろぎ嬢』の上映が始まった。私は不測の事態に備えて会場前に立っていた。橋下知事を先頭に何人かの視察団がやって来た。私は「今、映画の上映中です。ドアを開けないでください」と頼んだが、無視され強引に開けられてしまった。会場内に光が入り込み、何事かと観客が振り返る。私は怒鳴りつけたい衝動を必死に抑えた。映画を何だと思っている? この知事には文化や芸術を理解する能力も、思いやりもない。視察団は場内を見渡すと足音も荒く出ていったが、私はその後姿を見送りながら、会場内が350人を超える観客で埋まっていたことに心から安堵した。橋下知事は「文化とは振興するものではなく、残ったものが文化」と言い放ったそうだが、もし空席が目立っていたらこの上映会も廃止の理由にされかねなかっただろう。

3月、私は再びドーンセンターにいた。「女性と仕事パート50 映画監督の仕事」のライブセミナーに招かれた

「映画監督・浜野佐知の全貌」を開催した神戸アートビレッジセンター。

のだ。50回という節目の回にピンク映画の監督でもある私を講師に呼んでくれたことに、私は女性センターの気概をみたような思いになった。私は映画界というホモソーシャルな世界で女が映画監督を目指し、職業とするまでの困難と立ちはだかる社会の壁、乗り越えるための闘い方などを話した。終了後「映画業界の保守的な実態を知ることができ、反骨精神が再燃しました。映像業界を目指します」と言ってくれた若い女性がいた。

大阪の女性たちの反撃で「好きやねんドーンセンターの会」が設立され、その闘いによってドーンセンターは残った。だが、予算の削減などで活動が狭められているという。女性センターは、女が自由に、胸を張って活動することとの出来る場だ。そういう場所を経済効率だけで潰しにかかるとは、権力を握った男たちのミソジニーは心底たちが悪い。

8月に神戸アートビレッジセンターで開催された「映画監督・浜野佐知の全貌～尾崎翠からピンク映画まで～」のゲストに、私はドーンセンターの企画推進グループ・チーフ(当時)の仁科あゆ美さんを招いた。「老齢の性愛はタブーか?」というタイトルで私と対談してもらったが、

2002年に『百合祭』を企画・上映してくれた仁科さんだけにピンク映画も含めて女性の性について突っ込んだ話が出来たと思う。

この「映画監督・浜野佐知の全貌」ではピンク映画2本も上映され、若い女性やカップルなどで客席が埋まった。ピンク映画が芸術文化施設で上映されるのは全国初の試みだろう。神戸アートビレッジセンターのディレクター樋野香織さんも女性だ。男社会に果敢に挑む若い世代が生まれている。彼女たちは、私たち世代からのバトンを受け取ってくれたのだ。

## ■シンポジウム「尾崎翠の新世紀」

2009年3月27日、28日の2日間にわたり、東京・駒場の日本近代文学館でシンポジウム「尾崎翠の新世紀―第七官界への招待―」が開催された。

企画の始まりは2007年7月の「尾崎翠フォーラムin鳥取」だった。『こほろぎ嬢』ロケ地巡りツアーが企画され、私がガイドとして参加者を案内することになったのだ。この年、鳥取県知事は片山善博氏から平井伸治氏に代わったが、平井知事も挨拶で尾崎翠の詩を

暗唱するなど翠文学に理解を示してくれた。会場の鳥取県民文化会館の控室で、平井知事や榎本武利・岩美町長、土井淑平・フォーラム代表たちとの雑談のなかで、東京でも尾崎翠を発信するイベントが出来たらいいですね、と私が話したことがきっかけとなった。

榎本町長や土井代表も賛成してくれ、平井知事は県として取り組むことを約束してくれた。文化観光局が窓口となったが、大学との共催で開催出来ないかという要望があり、私は水田宗子《みずたのりこ》★さんが理事長を務める城西大学に打診した。2004年に城西国際大学で開催された「映画作品にみるジェンダーとセクシュアリティ」で私の講演と『第七官界彷徨—尾崎翠を探して』が上映された縁があったからだ。城西国際大学では学長の水田さんには『尾崎翠・第七官界彷徨の世界』（2005年・新典舎）という著書もある。また、同大学は日本の女性学の拠点としても知られていた。

水田さんは城西大学として鳥取県との共催を快諾し、実行委員長も引き受けてくれた。10月、紀尾井町キャンパスで最初の打ち合わせが行われた。大学からは何人かの女性教授がチームを組んで担当してくれることになり、会場はキャンパス内のホール、地方からのゲストのための宿泊棟の提供など、とんとん拍子に話は進んだ。私は城西大学が共催してくれることを県に伝え、実行委員会を立ち上げた。実行委員には尾崎翠の研究者や評論家などに声を掛け、大学側と合わせて約15名が決定した。

2008年3月、紀尾井町キャンパスで第1回の実行委員会を開催し、打ち合わせを重ねていった。企画内容も固まっていき、メインの講演は、1月に芥川賞を受賞したばかりの川上未映子《かわかみみえこ》★さんと、ドイツ文学者の池《いけ》内紀《うちおさむ》★さんに決まった。川上さんは、小説を書く前の詩人・歌手を名乗っていた頃、尾崎翠ファンとして連絡をくれ、映画『こほろぎ嬢』の脚本を読んでもらったことがあった。池内さんは『出ふるさと記』で、尾崎翠の鳥取と東京との何度もの往復の旅について考察し、また尾崎翠作品が再注目されるきっかけとなった文庫版の「ちくま日本文学全集」の編者のひとりだ。

パネルディスカッションの登壇者も、漫画家の吉野朔《よしのさく》実《み》★さん、作家・評論家の高原英理《たかはらえいり》★さん、作家の木村紅美さん、司会はお茶の水女子大学教授の菅聡子《かんさとこ》★さんにお願いすることが出来た。

企画は進んでいたが、実行委員会内部で足並みが揃わないことも多々あった。私は尾崎翠を東京から発信することしか頭になかったが、大学側には県と共催することに何か政治的な思惑があったのかも知れない。

3回目の実行委員会で思わぬことが起こった。県からは文化観光局の副局長をはじめ3人が上京し、鳥取県東京事務所の職員も同席した。この回で開催に向けておおよそのスケジュールが決定されるはずだった。だが、実行委員全員が揃っても実行委員長である水田理事長が現れない。私は秘書に至急理事長に連絡を取るよう頼んだ。

「理事長は、このメンバーではご自分が出席するまでもない、とおっしゃっています」

信じられない言葉だった。水田さんは自分の意志で実行委員長を引き受けたはずだ。私は秘書と共に理事長室に急いだ。水田さんは私に向かって「知事は来てるの？　知事が来てなければ、私は行きませんよ。あなたも詰めが甘いわね」と言った。

水田さんは鳥取県に対して自分の力を誇示しようとしたのだろうか。私は実行委員会に戻って水田さんの言葉をそのまま伝えた。さすがに県の担当者も腹に据えかねたのだろう。副局長がその場で城西大学との決裂を決定した。実行委員会も割れ、研究者や評論家も離れていった。

私は新たなタイアップ先を探すと同時に、実行委員会の立て直しを図った。だが、ここでも一悶着あった。実行委員長が不在では前に進まない。シンポジウムの

**水田宗子**（1937〜）◉詩人・比較文学者・女性学研究者。城西大学理事長や城西国際大学学長など務めたが、2016年理事会で解任され裁判となる。
**川上未映子**（1976〜）◉作家・詩人。2008年「乳と卵」で芥川賞。
**池内紀**（1940〜2019）◉ドイツ文学者・エッセイスト。カフカの全作品翻訳で著名。
**吉野朔実**（1959〜2016）◉漫画家。1980年雑誌『ぶーけ』でデビュー。尾崎翠について『本を読む兄、読まぬ兄』で「知られざる少女漫画の魂がここにはある、気がする」と書いた。
**高原英理**（1959〜）◉作家・文芸評論家。尾崎翠については『少女領域』（1999）所収。
**菅聡子**（1962〜2011）◉日本近代文学研究者・文芸評論家。樋口一葉はじめ女性文学研究で知られる。

立ち上げから関わっている私が最終的には引き受ける覚悟だったが、それが気に入らない委員もいた。私が実行委員長では格が下がる、と面と向かって言われた時には怒りを通り越して情けなくなった。権威、面子、格……、尾崎翠といちばん遠い言葉たちが躍っていた。

私は残ってくれた人たちと「尾崎翠の新世紀」実行委員会を再スタートさせた。まずは会場探しだ。ちょうど前年、日本近代文学館で「女性作家の手紙展」が開催され、尾崎翠のコーナーに『第七官界彷徨―尾崎翠を探して』と『こほろぎ嬢』のポスターとパンフレットを展示したいとの依頼を受けたことがあった。この「女性作家の手紙展」には日本近代文学館の初代理事長である作家・高見順《たかみじゅん》★に宛てた尾崎翠直筆の手紙と『第七官界彷徨』のサイン本が展示されていた。

日本近代文学館なら会場として最適だが、果たして貸してくれるのか？　私は「女性作家の手紙展」でやり取りをした学芸員に連絡し、協力をお願いした。主催以外のイベントに文学館の講堂を貸すことはあまりないとのことだったが、尾崎翠のシンポジウムであることを考慮してくれたのだろう、「協賛」としてタイアップしてくれることになった。また、日本近代文学館が新しく発掘した『文章倶楽部』（大正9年2月号）に掲載されていた尾崎翠の写真も、チラシやホームページで使わせてもらえることになった。文学館が所蔵する23歳の翠の写真は、従来流布されてきたものと違って、新鮮な印象を与えた。

何としてでもこのシンポジウムを成功させなくてはならない。新しい世紀に、新しい尾崎翠を繋いでいく。それは私の願いであり、城西大学への意地でもあった。

２００９年3月、鳥取県と「尾崎翠の新世紀」実行委員会の共催としてシンポジウム「尾崎翠の新世紀―第七官界への招待―」は開催された。鳥取からも榎本武利・岩美町長や土井淑平フォーラム代表、尾崎翠の遺族である早川洋子さんや松本敏行さんが駆けつけてくれた。

前日には、鳥取県立図書館から学芸員が派遣され、同館が収蔵・保管していた１９１２年の鳥取高女時代の作文から１９４１年の日本海新聞へのエッセイまで、単行本や雑誌、新聞など29点を会場内に展示することができた。県立図書館を挙げての協力だった。

シンポジウムは2日間で400人を超える参加があった。川上未映子さん、池内紀さんの講演や、「尾崎翠文学によせて―〈少女〉と〈幻想〉の交差」と銘打った吉野《よしの》朔美《さくみ》さん、高原英理さん、木村紅美さん、萱聡子さんのパネルディスカッションを、全集や文庫本を手にした尾崎翠の若い読者たちが熱心に聞き入っている。

映画『こほろぎ嬢』の上映では、用意した椅子が足りなくなり、急きょスクリーンの前に並べた座布団に座って、くすくす笑いながら観ている若者たちがいる。

ほんの10年前には「幻の作家」と評されていた尾崎翠だ。こんな日が来ることを誰が予想しただろう。池内紀さんが講演で「尾崎翠は長く忘れられた存在であったおかげで、いじりまわされたり、汚されたりしないですんだ。だから、手つかずのまま現代に蘇ることが出来た」と話された時、私は思わず涙ぐみそうになった。

紆余曲折を経たシンポジウムだった。記録を残す余力もなく「幻のシンポジウム」となってしまったかも知れない。だが、私は全力を尽くした。悔いはない。

## ■ダッカ国際映画祭

2010年1月、私はタイのバンコクに向かう機中にいた。バングラデシュの首都・ダッカで開催される第11回ダッカ国際映画祭に『こほろぎ嬢』が招待されたのだ。『こほろぎ嬢』にとって、初の海外映画祭だった。

シンポジウムのチラシ。裏面には漫画家・大島弓子さんの応援メッセージも。

**高見順**（1907～1965）◉作家・詩人。小説「故旧忘れ得べき」が第1回芥川賞候補となる。代表作に戦中の「如何なる星の下に」、戦後の「わが胸の底のここには」「いやな感じ」など。日本ペンクラブや日本近代文学館創立に尽力する。

前年の秋、ベルリンの松山文子さんから、このダッカ国際映画祭とカメルーンの国際女性映画祭に誘われ、エントリーしていた。松山さんは映画ジャーナリストであると同時に実験的な映像作家でもあって、自作をエントリーするという。

バンコクからはビーマン・バングラデシュ航空でダッカに向かうことになっていたが、月・水・土の週に3便、しかも朝10時のフライトしかない。私はバンコクで2泊することにした。タイは初めて訪れる国だ。こうした寄り道も海外映画祭のおまけの楽しみだった。

1月13日の早朝、タクシーでスワンナプーム空港へ向かった。ダッカまでは2時間半のフライトだ。映画祭が用意した航空券はバンコクからダッカへの直行便のはずだが、タラップを登り、狭い機内に入ると後部座席に男たちが固まって座っていた。30人位はいただろうか、ただ黙って、気配を消したように座っている。その姿は、まるで魂を抜かれた人形のようにみえた。後で聞くと、彼らは中東への出稼ぎ労働者で、バングラデシュの国営航空が彼らを運んでいた。飛行機は早朝、私が空港に着いた時にはすでに待機していたが、いったいどこから来て、

ダッカ国際映画祭の本部前で。

彼らは何時間こうやって座っているのだろう。

バングラデシュは、アジア最貧国のひとつであり、どんな映画祭が待っているのか、私の心に不安が芽生えた。

ビーマン機は12時30分、ダッカのシャージャラル国際空港に着陸した。空港には映画祭のスタッフが迎えに来ていた。マイクロバスに乗り込んだが、すぐに出発する様子もない。他の便で到着するゲストを待っているようだ。物売りが来ても相手にしないように言われていたが、バスはあっという間に彼らに取り囲まれてしまった。バスの窓に手作り風の雑貨や食物などを押し付け、強引に売りつけようとする。やがて、映画祭のスタッフが何人かのゲストと共に戻って来て、彼らを追い払い、バスは出発した。ダッカの人口密度は世界一といわれるだけあって、道路は車やリキシャ★、人々で溢れ、バスは遅々として進まない。そして、渋滞や信号で停まるたび、物乞いが押し寄せて来る。この物乞いの人たちの多くは四肢が欠損していた。失明している人もいた。その人たちが切断された腕を、足を、潰れた目を、バスの窓に押しつけるのだ。ガラス越しとはいえ、その切断部分が嫌でも目に入る。衝撃だった。あまりにも、想像を絶するこの

ダッカの公園で少女たちと。左端が松山文子さん。

**リキシャ**◉日本の人力車が発祥。自転車で派手な装飾の2輪車を引っ張る。

国の貧困を見たようで、打ちのめされてしまった。

翌14日、第11回ダッカ国際映画祭は開幕した。この映画祭は1992年から「ベター・フィルム、ベター・オーディエンス、ベター・ソサエティ」を掲げて開催され、アジアの長編劇映画コンペティション部門の他に、ドキュメンタリー部門、バングラデシュ・パノラマ部門、女性監督部門、などがプログラムされ、『こほろぎ嬢』は女性監督部門で上映されることになっていた。

午後3時からの開会式は国立博物館で開催されたが、周囲をたくさんの兵士が取り囲み、私たちゲストや参加者は、カメラや財布、パスポートまで会場入り口で没収された。映画祭としては考えられないほどのものものしさだったが、その理由は開会式が始まってすぐにわかった。オープニング・セレモニーにシェイク・ハシナ首相が登場したのだ。バングラデシュの歴史など何も知らなかった私は、この国の首相が女性だったことに驚いた。ハシナ首相は建国の父と言われたムジブル・ラフマン大統領の娘で、1975年のクーデターで大統領一家が皆殺しにされた時、外国にいてひとり難を逃れたという。そのクーデターの首謀者たちに死刑判決が下され、執行が迫っている時期だった。尚更の警戒だったのだろう。

オープニング作品は、前年急逝したマレーシアのヤスミン・アフマド監督の遺作となった『タレンタイム』だった。何度か観た作品だったが、この殺伐とした国で改めて観ると、スクリーンからヤスミンの優しさが伝わってくるようだった。

この開会式で松山さんと合流した。彼女は短編実験映画『日常の出来事』と『学生には向かない観光』の2本が上映されるという。

映画祭の上映作品は、アジアやヨーロッパなどからも集められていたが、自国の映画が一番多かったように思う。コンペティションの最優秀監督賞はバングラデシュのモスタファ・サルワル・ファルーキー監督の『三人称、単数』が受賞した。自立した妻が自意識を映す鏡として、過去、現在、未来の自分と対話するストーリーだ。クロージング作品もバングラデシュのカリド・マハムド・ミトウ監督の『暗闇の囁き』で、富豪の息子と物乞いの娘の恋愛を軸に社会の格差を描いた作品だった。セリフはベンガル語で、英語字幕の作品を理解できたとは言えないが、バングラデシュの映画はテーマがストレートで、言葉がわからなくても作品世界に入っていけるように感じた。

私は渡航前に外務省を通じて在バングラデシュ日本国大使館に連絡を取っていた。ヴィザが必要な国でトラブルに巻き込まれたら自力で何とかなるものではない。私から大使館に表敬訪問に行くつもりだったが、開会式に大使館職員の大村浩志さんが来てくれていた。

開会式の後、大村さんにぜひ観てもらいたい映画があると『アリ地獄のような街』（2009年・バングラデシュ）の上映会に誘われた。ダッカのストリート・チルドレンを描いた映画で、ギャングに利用され、社会の暗部に落ちていく子供たちの現実が描かれていた。制作はストリート・チルドレンを支援するNGOのエクマットラで、監督は代表のシュボシシュ・ロイ氏、実際にストリート・チルドレンの過去を持つ少年が主役を演じていた。今もダッカには100万人を超えるストリート・チルドレンが存在するという。エクマットラは、2003年にダッカ大学の学生たちが立ち上げた組織で、日本の若者たちもメンバーとして参加していた。顧問の渡辺大樹氏によると、少女はセックスワーク、少年はギャングの手先として麻薬密売などに手を染めたあげく、闇社会で生きること

エクマットラ・チルドレンホームの子供たちと。

を余儀なくされるという。日本での公開が決まったと言っていたが、途上国の子供たちの残酷な現実を映画で伝えることもエクマットラの活動の一環だった。

危険な路上から子供たちを救うために、ストリート・チルドレンが多く集まる場所で開催してきた「青空教室」、共同生活をしながら学校に通う「チルドレンホーム」、次世代のリーダーを育てる「アカデミー」など様々な取り組みを行っていた。私も大村さんの案内で郊外のホームを訪問したが、20人位の子供たちが、学んだり助け合ったりしながら暮らしていた。『アリ地獄のような街』に出演していた子供もいた。昼食のカレーを子供たちと一緒にごちそうになったが、人懐っこい笑顔が印象的な子供たちと楽しい時間を過ごすことが出来た。

映画祭トップのアハマド・ザマル委員長からは、映画祭が提供した施設から決して外に出るな、と強く言われていたが、ホテルと会場の往復だけではつまらない。私は恐る恐る街に出てみたが、どこを歩いても物乞いの子供たちがついてくる。最初は小銭を渡したりしていたが、きりがないどころか、突き出される手が何倍にも増える。バングラデシュやインドには「物乞いビジネス」が存在するという。手足の欠損は、同情を誘うために意図的・組織的に作り出されたものなのだ。

私はふと、子供の頃の故郷を思い出した。私は戦後生まれだが、3歳になるくらいまでは町の角々に白衣の傷痍軍人が立っていた。両足のない人は小さな車輪のついた板に乗り、両手のない人は裸体をさらして恵みを乞うていた。あれから半世紀以上たっても、世界には他者によって傷つけられた身体を「売り」にするしか生きる術のない人たちがいる。だが、その一方でダッカには信じられないような富裕層も存在した。

ザマル委員長主催のホームパーティがあり、3階建ての立派な自宅に招かれた。内装も豪華なこの家は10代の息子と幼い娘の専用の家だという。メイドを何人も雇って贅沢に暮らしているのだが、この桁違いの貧富の差は格差などという言葉では片付けられないほどの衝撃だった。

『こほろぎ嬢』は18日、メイン会場の国立博物館に隣接する公共図書館のホールで上映された。日本大使館の篠塚保大使も、大村さんと共に観に来てくれた。上映前の舞台挨拶は大村さんが通訳を務めてくれた。『こほろぎ嬢』初の海外上映である。観客の感想を楽しみにしていたが、上映が劣悪だった。上映素材のブルーレイを機材に合わせてDVDにコピーしたため、色調が出ず、画面全体にピントが合っていない。何が「ベター・フィルム、ベター・オーディエンス」だ。『こほろぎ嬢』は映像が勝負なのだ。すぐにザマル委員長にクレームをつけ、再上映を申し込んだが、時間の調整がつかないとの理由で断られてしまった。私は悔しくてならなかったが、観てくれた人たちにベストの映写でなかったことを説明し、謝った。私の怒りを知った篠塚大使がザマル委員長に直に掛け合ってくれ、委員長も大使の要請を断ることは出来なかったのだろう、メイン会場の国立博物館のホールでの再上映が決まった。公共図書館のホールとは雲泥の差のあるスクリーンと映写機器だった。

　この再上映は満足のいくものとなり、最優秀監督賞を受賞したファルーキー監督や、ダッカ大学の文学系の教授も観に来て、面白がってくれた。

　格差社会の頂点に立つような映画祭だった。スイス大使館やオーストラリア大使館でのパーティ、富裕層だけの会員制倶楽部でのディナー、セレブの社交場となっているレストランでのランチなどに招待されたが、そこに集う人たちには、街中の物乞いや労働者など、まるで目に入っていないようだった。見えていても見ていない、ダッカには全く違うふたつのパラレルワールドが同居しているのではないかと思った。

### ■ミス・メ・ビンガ（カメルーン国際女性映画祭）

「ミス・メ・ビンガ」は「女性の視点」という意味だ。中央アフリカで初の国際女性映画祭がカメルーンの首都・ヤウンデで立ち上がるという。国内だけで250もの文化や言語を持つというカメルーンの女性映画祭に私は興味を持った。ダッカに続き、松山文子さんも『日常の出来事』で参加するという。私は『百合祭』で参加した。

　3月1日、パリ経由でヤウンデ・ンシマレン国際空港に降り立った。パリから約6時間のフライトだ。空港では大学生だという若いカップルが迎えてくれ、映画祭のオフィスに案内してくれた。オフィスには、映画祭の委員長、文化省の映画・オーディオ課の局長、女性・家族省の担当者という3人の男性が待っていた。女性映画祭なのに主要人物が男性ばかりということにいささか驚いたが、今まで参加してきた女性映画祭と違って、国が大きく関与している映画祭なのだろう。女性映画祭を立ち上げた目的を「社会の全ての場、決定に女性は参与すべきであり、男性と女性が意見交換するプラットフォームを提供する」と語っていた。

翌日、映画祭のスタッフと在カメルーン日本国大使館を表敬訪問した。ここで映画祭の委員長を名乗ったのは、オフィスで会った男性ではなく若い女性だった。対外的な委員長には女性を立てているのだろう。大使館職員の有馬純枝さんが窓口となって対応してくれた。

3月4日、午後7時、中央アフリカ初の女性映画祭が開幕した。会場は、カメルーンがドイツとフランスの植民地だった歴史からだろう、ゲーテ・インスティトゥート・ドイツ文化センターと、フランソワ・ヴィヨン・フランス文化センターの2カ所だった。短編作品対象のコンペティションがあり、私は授賞式のプレゼンターを務めることになっていた。

カメルーンには1960年代に初めてテレーズ・シタ・ベラという女性ドキュメンタリー作家が登場したが、その後、女性の映画作家や監督は途絶えてしまったという。80年代に入ってテレビのドキュメンタリー作品に女性監督が登場するようになり、現在は劇映画にも女性監督が存在するというが、カメルーンの女性監督たちは、この国で何を見、何をテーマに映画を作っているのだろう?

オープニング作品は、ホルテンス・ファノー・ニャメン監督の『伝統の鎖』だった。丈夫な子供を産むために、妊娠した女性を裸で走らせる儀式を、村の女たちが執り行う。監督の出身地である西カメルーンに1000年以上伝わる風習だそうだが、共同体の中で女が女に対して行う過酷な行為を批判的に描いていた。

会場のひとつ「フランソワ・ヴィヨン　フランス文化センター」。

ジョイス・ナー監督の『レイプ』は、男から女への性暴力ではなく、夫と死別したり離婚した寡婦を女たちが裸にし、鞭打つという因習を描いていた。

重婚をテーマにした作品もあった。カメルーンでは、多重婚が許されている一方、同性愛は禁止となっているが、カリーヌ・エゼムベ監督は『無垢』で果敢にホモセクシュアルに挑んでいた。

『百合祭』は、3月6日にフランス文化センター、7日にドイツ文化センターで上映された。日本大使館からは山本啓司大使を始め、有馬純枝さんや職員の皆さん、国際協力機構（JICA）の安城康平さんご夫妻などヤウンデ在住の日本人の方々やヤウンデ大学の教授、ジェンダー研究者たちが観に来てくれた。トルコやインドでもそうだったが、「女性・高齢・性」という『百合祭』のテーマが届くのは女性の地位向上や教育の普及など問題意識を持つインテリ層の女性が多い。私は道端で物を売るおばちゃんたちにこそ観てもらいたいのだが……。

映画祭のクロージングにはドイツのベッティナ・ハーゼン監督の長編劇映画『ホテル・サハラ』が上映された。劇映画賞は、カメルーンから花嫁としてアメリカにやって来た女性を描いたペトラ・スンジョ監督の『ボンファン』、短編コンペティションの特別賞には『レイプ』が選ばれた。男たちから受ける性的レイプも、女たちからの暴力も受ける側の痛みは変わらない、と話すジョイス・ナー監督に、私はプレゼンターとしてトロフィーを手渡した。

受賞者にプレゼンターとしてトロフィーを手渡す。

映画祭が終了した3月8日は「国際女性デー」でもあった。JICAの安城さんに誘われてパレードを見に行ったが、参加するにはドレスコードがあり、女性のパンツスタイルはNGだという。首をかしげざるを得なかったが、安城さんが貸してくれた大判のスカーフをジーンズの上から巻き付けて何とか紛れ込むことが出来た。

特設スタジアムのような会場は、黄色、緑、ピンクの三色に分かれた同じ柄の民族衣装を着た女性たちで溢れ、それぞれの職場のグループなのだろうか、次から次へと行進していた。皆楽しそうで、まるでお祭りのような盛り上がりだった。貴賓席にはカメルーンのビヤ大統領夫人が臨席し、大勢の警察官が監視する中、女性たちのパレードはどこまでも続いた。この大々的なパレードは、若き令夫人の権勢を示すものという批判的な意見も聞いたが、1年に1度、働く女性たちが集まって、腕を組み、連帯して歩くのだ。エネルギッシュな行進を見ながら、私は感動していた。

「ミス・メ・ビンガ」はこの国際女性デーを意識して日程を組んだという。今年はクロージングに合わせたが、翌年は3月8日から映画祭をスタートさせるという。審

国際女性デーで行進するエネルギッシュな女性たち。

査員として来年も来て欲しいと頼まれたが、この映画祭が存続するかどうか私は危ぶんだ。

カメルーンの女性監督たちも、その作品も骨太で素晴らしかったが、お飾りで女性の委員長を立てるなど女性映画祭としては中途半端なところがあった。国やフランス大使館、ドイツ大使館などの力で成立している印象は否めなかった。スタッフの若者たちは男女ともに明るく気持ちのいい人たちだったが、行政が引いたら続けていく力はこの映画祭にはないだろう。翌年もまた参加出来ることを願ったが、これ以降、映画祭から連絡が来ることはなかった。

映画祭は終わったが、有馬純枝さんから、もっと多くの人に『百合祭』を観てもらいたいという提案があり、ホームパーティを兼ねた『百合祭』のミニ上映会が有馬さんの自宅で開かれた。部屋の壁にＤＶＤを映写しての上映会だったが、在ヤウンデの日本人女性たちが集まってくれ、和気藹々《あいあい》とした楽しい会となった。

巨大な重機を駆使する女性たちもパレードに加わる。

# 8章

# 『百合子、ダスヴィダーニャ』

### ■湯浅芳子

今、私の手元に赤茶けた古い新聞の切り抜きがある。2000年1月1日の徳島新聞だ。「県出身映画人新春座談会・古里と映画を語る」という見出しで私と俳優の大杉漣《おおすぎれん》★さん、撮影監督の丸池納《まるいけおさめ》さんの座談会が掲載されている。私は新年の抱負として「一本温めている企画があって、作家の宮本百合子とロシア文学者の湯浅芳子との女性同士の愛を描きたいんです」と語っている。この時すでに私が沢部《さわべ》ひとみさん★の『百合子、ダスヴィダーニヤ』（文藝春秋刊）と出会ってから5年が経っていた。当時日本映画監督協会の事務局にいた河治和香さん（作家）から「これ、浜野監督にぴったりだと思うのよ」と渡された1冊の単行本が〝湯浅芳子の青春〟とサブタイトルのついた『百合子、ダスヴィダーニヤ』だった。私はその時〝ダスヴィダーニヤ〟がロシア語の〝さようなら〟という意味だとも知らず、変わったタイトルの本だなあ、という程度の印象しか持たなかったが、すでに映画化に向けて動き出している女性のプロデューサーがいて、河治さんは私を監督として推薦したいという。

私は『百合子、ダスヴィダーニヤ』を読み始めた。そし

若き日の湯浅芳子。

中條百合子（後に宮本姓）。

て、一読しただけで、湯浅芳子に心を掴まれてしまった。湯浅芳子（1896〜1990）は戯曲「森は生きている」などの翻訳で知られるロシア文学者で、百合子とは作家の中條（後の宮本）百合子（1899〜1951）である。『百合子、ダスヴィダーニヤ』は、1920年代に百合子と共に留学したモスクワで〝スカートを穿いたサムライ〟とあだ名された湯浅芳子の半生記だった。

百合子との出会い、共に暮らした7年間の日々、ふたりの間に交わされた300通を超える往復書簡、そして別れ。

大正・昭和初期という時代に、「男が女を愛するように、女を愛する」と公言して生きた女性がいた。互いにないものをおぎない合い、助け合い、高め合って暮らした女と女の愛があった。この二人の7年間の愛と別れを映画にしたい。私は強くそう思った。

私は河治さんに紹介された東映の女性プロデューサーと何度か会ったが、男映画を得意とする東映という会社の企画として、芳子と百合子の愛の物語はなかなか進行していかなかった。

心の中に湯浅芳子は棘のようにひっかかっていたが、『第七官界彷徨―尾崎翠を探して』が完成した頃、この女性プロデューサーは定年を迎え、企画そのものが消えていった。私は諦めきれなかった。いつか自社制作で湯浅芳子を撮ろう、そんな想いが膨らんでいた時の徳島新聞での座談会だった。

だが、想いだけでは映画は作れない。そのことは私自身が一番良く知っていた。

2001年に『百合祭』が完成し、国内外での上映が相次いだ。私は世界中を飛びまわり、忙しい日々を過ごした。湯浅芳子を忘れたわけではなかったが、2本の自社作品の配給や上映で私は手一杯だった。制作資金が回収できなければ、次の映画どころではない。

**大杉漣**（1951〜2018）◉俳優。1973年、太田省吾の転形劇場の研修生となり、舞台デビュー。74年転形劇場に入り舞台の活動に打ち込む。80年ピンク映画で映画デビュー。滝田洋二郎監督作品などで高い評価を得る。93年北野武監督『ソナチネ』への出演を機に演技派として広く認知される。

**沢部ひとみ**（1952〜）◉ノンフィクション作家。著書に『百合子、ダスヴィダーニヤ』『評論なんか怖くない』『老楽暮らし入門』など。市原悦子著『白髪のうた』『月に憑かれたかたつむり』などの構成も手がける。

2002年の暮れ、やっと仕事が全て終わって一息ついた時、私は自分の右の乳房にシコリを見つけた。ドキッとした。すぐに検査をしたが、検査結果は年明けになるという。もし、乳がんだったら……。結果は「葉状腫瘍」という聞きなれない病名で、腫瘍は手術で切除するという。良性とのことでホッとしたが、私は結果を待つ間、初めて自分に残された人生の時間を突きつけられたような気がした。命に期限がついたら、私は、何を撮りたいのか?

## ・原作者との出会い

1月末に手術をし、退院した私に日本ジャーナリスト専門学校の女子学生たちから1本の電話がかかって来た。卒業制作の冊子で私の特集記事を組みたいと言う。会って、インタビューを受けたが、「次回作は何ですか?」という質問に私は咄嗟に『百合子、ダスヴィダーニヤ』と答えていた。

湯浅芳子を撮りたい! それは、自分への答えだった。そして、思いがけない偶然が起きた。『百合子、ダスヴィダーニヤ』の著者・沢部ひとみさんは、彼女たちの日本ジャーナリスト専門学校の講師だったのだ。何かに背中を押されたようだった。私は、学生を通じて沢部さんに連絡を取った。会いに行った私を、沢部さんは晩年の湯浅芳子の写真を持って待っていてくれた。

沢部さんから映画化の了承を得た私は『百合子、ダスヴィダーニヤ』に向かって動き出した。まずは、制作資金を何とかしなければならない。インディペンデントの映画作りで一番大きく立ちはだかる壁は、何といっても資金作りだ。映画制作には莫大なお金がかかる。個人でどうこう出来る金額ではない。公的な資金援助がない限り、なかなかクランクインへの一歩が踏み出せないのが実情だった。

私は山﨑と相談し、沢部さんの『百合子、ダスヴィダーニヤ』を原作に脚本を起こし、2004年度の日本芸術文化振興会の映画製作助成に応募した。だが、結果は不採択だった。この助成は同じ企画で再応募することが出来ない。山﨑は脚本を練り直し、沢部さんが4年という時間をかけて寄り添った晩年の湯浅芳子を主人公にし、その回想という形で描くプランを立てた。

沢部さんはこの新しいシナリオに向けて1986年

の出会いから1990年の死までの湯浅芳子との交友を「晩年の湯浅芳子」として書き下ろしてくれた。この4万字にも及ぶ新しい原稿で、私は生身の湯浅芳子を知ることが出来た。ケチでワガママで、エゴイストで乱暴者。とんでもないバアサンである。こんな老人が傍にいたら耐え難いだろうな、と私も思う。だが、どこか憎めない魅力があった。

山﨑は、晩年の湯浅芳子(90歳)をノンフィクション・ライターの久坂みどりが軽井沢に訪ねるところから始まる新しい脚本『越境する女たち—名前のない愛の実験』を仕上げ、私は2005年度の日本芸術文化振興会の映画製作助成に応募した。90歳の湯浅芳子から始まるこの脚本は面白かった。回想で描かれる百合子との出会いも別れも、芳子本人が語るスタイルだからこそ、心に響いた。これならいける。私は自信を持ち、晩年の湯浅芳子は原知佐子さんでどうだろう？　軽井沢の別荘は？　とキャスティングやロケ地のイメージを膨らませていった。

9月になり、日本芸術文化振興会から不採択の通知が届いた。2度目の不採択に私は大きく失望し、力が抜けてしまった。もう諦めるしかないのか……。沢部さんにも申し訳ないとは思ったが、これ以上は手も足も出なかった。

2006年、私は鳥取県の支援事業として尾崎翠原作の『こほろぎ嬢』を撮った。そしてまた忙しい日々が始まり、あっという間に3年が過ぎていった。

私は、机の前の2000年3月のカレンダー「姉妹たちよ・女の暦」(ジョジョ企画)を破り捨てることが出来ないでいた。死の床で、「先生、寂しい?」と語りかけた沢部さんに対し、「寂しくはない、孤独だけれど寂しくはない。同じ魂の人間もいるし」と答えたという芳子の言葉とともに、リリーという名の犬を抱いた晩年の芳子が咥え煙草で微笑んでいる。私は、どうしても自分の中から湯浅芳子を消し去ることが出来なかった。

## ▪15年目の映画化

2009年11月、日本映画監督協会の事務局から、日本芸術文化振興会が「平成22年度芸術創造活動特別推進事業」という映画制作への助成を公募するという情報が入った。通常とは別枠の助成で、締め切りは12

月18日。あと1カ月もないが、このチャンスは逃せなかった。私はすぐさま山﨑に脚本を依頼した。しかし、3度目の挑戦である。2度不採択になった沢部さんの『百合子、ダスヴィダーニヤ』を原作に脚本を作ることは出来ない。山﨑は、沢部さんの原作を離れ、宮本百合子の代表作である「伸子」と「二つの庭」をメインに、百合子と芳子、そして百合子の夫である荒木茂《あらきしげる》★の3人の葛藤に焦点を当てた脚本を提案した。

「伸子」は、百合子が芳子と出会った後の25歳の時に発表した小説で、伸子(百合子)が18歳でアメリカに留学し、15歳年上の古代ペルシア語の研究者・佃(荒木茂)と結婚、5年後に離婚に至る経緯が克明に描かれている。行き詰った不幸な結婚生活から伸子を解放するキーウーマンとして登場するのが素子(芳子)だ。

3度目の脚本は、この3人の運命がクロスする1924年の5月から6月半ばにかけての40日間に焦点をあて、異性愛と同性愛の交錯する確執を描いた。タイトルを『ダアク・モーメントー女と男と女ー』とした脚本を私は祈るような思いで日本芸術文化振興会に送った。

2010年3月、私にA4判の封書が届いた。胸が高鳴った。不採択の知らせの時はいつもペラッとした定形の封筒だ。開封すると中には「助成金交付内定通知書」が入っていた。やっと、やっと念願の映画化への道が開けたのだ。最初に沢部さんの『百合子、ダスヴィダーニヤ』を手にした時から15年の歳月が経っていた。

私は映画化に向けて動き出すことを沢部さんに伝え、脚本を読んでもらった。そして話し合いの結果、沢部さんの著書にしか書かれていない芳子と祇園の愛人北村セイとの関係などを脚本に取り入れることで、原作に『百合子、ダスヴィダーニヤ』を加えることになった。沢部さんは、『百合子、ダスヴィダーニヤ』に新しく書き下ろしたものを加えて出版する計画があるという。これは願ったりかなったりだった。同じタイトルなら映画と書籍、相乗効果になるのではないか。私はシナリオの一部とタイトルの変更を日本芸術文化振興会に申し出て、タイトルを『百合子、ダスヴィダーニヤ』にすることを認めてもらうことが出来た。

しかし、助成金といっても総制作費の5分の1程度だ。何千万円かは自分の力で集めなくてはならない。スタート時点で大きな力になってくれたのが、ラブピースクラブを主宰する北原みのりさんだった。北原さんは「浜野佐知監督を支援する会」を立ち上げ、チラシやツイッターなどで次々と支援カンパを呼び掛けてくれた。まとまった資金援助を、と渋谷のミニシアターで制作&配給会社でもあるアップリンクを北原さんと訪ねたことがあった。代表の浅井隆氏は私たちの話を聞いてくれたが、最後にこう言った。「女2人が主人公なら、オッパイ4つは出るんだろうね」。著名なフェミニストである北原さんを前に、女性を商品と扱って憚らない。私は同じ映画人として心底恥ずかしかった。

支援の方法として、カンパとそれまでの自社制作作品のDVD販売が2本柱だったが、そうそう思うようには集まらない。北原さんから、まずは浜野監督を知ってもらうことが先決なのだから、支援してくれそうな人に集まってもらって『百合祭』の無料上映会をやりたい、という提案があった。確かにどこの馬の骨とも分からない映画監督にお金を出す人は少ないだろう。北原さんの提案は理にかなっていた。だが、『百合祭』は独り立ちした映画だ。私の私物ではない。お金を出して観てもらうのが映画としてのプライドではないか。私は、新しい映画の為に『百合祭』を踏み台にすることは出来なかった。

提案を受け入れられない以上、北原さんに「支援する会」を続けてもらうことは出来ない。私は千葉県・東金市でカフェを営むカドカチェトリ順さんに引き継いでもらえないか打診した。順さんとは2004年の城西国際大学での『第七官界彷徨―尾崎翠を探して』の上映で出会い、2006年に「リリィ・ピンク・プロジェクト」と銘打った『百合祭』とピンク映画の上映会を東金で主催してくれた縁があった。その後も順さんの経営するカフェで東金の女性たちとの交流が続いていた。今にして思えば、図々しい申し入れだったと思う。直接映画に関係する人たちではない。だが、順さんは引き受けてくれた。

4月、東京・青山のウィメンズプラザの会議室で新たな支援する会の発足式が行われた。順さん、武子愛さん、

**荒木茂**（1884~1932）◉言語学者。1905年渡米し、ペルシャ語、ペルシャ文学を研究。コロンビア大学の聴講生となった中條百合子と出会い、1919年結婚。翌年揃って帰国し、女子学習院、東京帝大講師となる。1924年離婚。東大にペルシャ学の荒木文庫が残っている。

坂巻京子さん、渋谷やみぃさん、長田真紀子さん、岩崎眞美子さん、高山敦子さん、西山千恵子さんなどが集結してくれた。皆、仕事を持つ30代から40代の女性たちだ。私はそこで、「どれくらい集めればいいですか？」と問われ、「1千万円」と答えた。皆、ギョッとしたと思う。だが、その場で目標を1千万円と決め、カンパ、ＤＶＤ販売、上映会、講演会、などあらゆる方法を模索していった。結果は、２０１１年3月の映画完成時までに、1千11万５８１９円を集めてくれたのだ。映画のためにここまで頑張ってくれた支援する会のメンバーには感謝しかない。

## ■ロケハン、キャスティング

助成が内定する前の2月、静岡県の駿河湾沼津ＦＣ（フィルムコミッション）・ハリプロ映像協会が主催した「さあ来い、ハリウッド！大作戦」というロケ誘致イベントに参加した。静岡県東部のロケ地になりそうな場所を案内されたが、このイベントで「ロケサポート・伊豆」の土屋学さん、「フィルム微助人《びすけっと》」の金子恭子さん、静岡新聞の石垣詩野さん（それぞれ当時）と知り合えたことは大きかった。このメンバーが中心になって、静岡でも支援する会を立ち上げてくれたのだ。島田市のＦＣ「フィルムサポート島田」の清水唯史さん、静岡東宝会館の森岡功樹さん、浜松シネマ・イーラの榎本雅之さんなど、それまで私の作品を上映してくれた映画館も応援してくれることになり、静岡県の東から西までを網羅したサポート体制が出来た。

映画のメインの舞台は、百合子の祖母が住む福島県安積・開成山の開拓地だ。時代は大正期、静岡にその時代を彷彿とさせるような建造物が残っているだろうか？

ロケ地探しが始まった。県東部は土屋さんと金子さん、県西部は清水さんが担当してくれ、次々と文化財級の建物が候補に挙がった。

百合子の祖母の家は、掛川市にある加茂荘を使わせてもらえることになった。安永2年（１７７３年）から続く庄屋屋敷で、当時、当主が住んでいたが、人が住むことで、現役の建物としてのリアリティがあった。私にとっては願ってもないロケセットだった。

東部では、東京の中條家や百合子と荒木の住居、作家野上弥生子の住居などの候補として、熱海市指定有形文化財「起雲閣」や国登録文化財の「中川家住宅」などが挙がり、そのどれもがイメージとピッタリで満足のいくものだった。

中川家住宅は個人宅だったが、ロケ交渉に行った私が名刺を出すと、その家の女主人が名刺と私の顔を見比べて、「もしかして、ビーチ?」と尋ねられた。ビーチとは、私の中学時代の呼び名である。結婚して姓が変わっていたので気付かなかったが、懐かしいクラスメートとの思わぬ再会だった。

私はロケハンと同時進行でキャスティングに取り掛かったが、芳子と百合子は新人を使いたいと思っていた。男の監督が考える「女」を演じさせられてきた既成の女優は避けたかったからだ。最初に決まったのは百合子役の一十三十一《ひとみとい》★さんだった。知人の音楽ディレクターと話していた時、百合子のイメージを聞かれたので「目力のある人」と答えたのだが、それならピッタリの人がいると紹介されたのがシンガーソングライターの一十三十一さんだった。演技経験はないとのことで一抹の不安はあったが、ライブで歌う一十三さんの小柄な体からはエネルギーが湧き立ち、上へ上へと昇って行こうとするパワーはまさに百合子そのものだった。

また、嬉しかったのが、百合子の夫役として大杉漣さんに出演交渉が出来たことだった。前の2本の脚本には大杉さんに頼めるような役がなかったが、「伸子」を原作のメインとすることで百合子の夫・荒木茂がクローズアップされた。2000年の徳島新聞「県出身映画人新春座談会」で、いつか一緒に映画を作りましょう、と大杉さんと交わした約束を10年後に果たす事が出来たのだ。

百合子の母に吉行和子さん、祖母に大方斐紗子さん、と浜野映画になくてはならない俳優さんたちが決まっていったが、肝心の芳子役が決まらなかった。私の芳子への思い入れが強すぎるのか、なかなかぴったりとこない。そんな時、吉行和子さんの事務所の社長さんから知り合いのプロダクションに適役の女優がいる、と紹介され

**一十三十一(1978〜)**◉シンガーソングライター。ニューヨークで音楽活動した後、2002年にシングル「煙色の恋人達」でインディーズデビュー、04年アルバム「フェルマータ」でメジャーデビュー。11年、映画『百合子、ダスヴィダーニャ』で主演。

たのが菜葉菜《なはな》さん★だった。会った最初の印象では、ちょっと可愛すぎるかな、と思ったが、菜葉菜さんはすでに脚本を読んでいて、レズビアンの役は演じたことがあるが、男の監督の演出は、男役、女役とステレオタイプで面白くない。芳子を演じられたら「男が女を愛するように女を愛する」と公言して生きた芳子の魂の激しさと切なさを演じたい、と言ってくれた。菜葉菜さんは芳子を理解している。よし、菜葉菜さんに賭けてみよう、私は瞬時にそう決断した。

　2010年10月、ついに念願の『百合子、ダスヴィダーニヤ』のカメラが回り始めた。東京の支援する会のメンバーは資金集めに奔走し、静岡の各グループはエキストラの手配や炊き出しなど地元ならではの協力体制を敷いてくれた。だが、撮影は過酷を極めた。静岡県内を西部、中部、東部と移動しながらの撮影だ。連日早朝から深夜まで休みなしの強行軍だった。約3週間の撮影期間中、撮休はたったの1日。反乱が起きても不思議がないくらいのハードな現場だったが、出ずっぱりだった菜葉菜さん、一十三十一さんは本当に頑張ってくれたと思う。

「この愛がなんという名であろうとも、あなたの愛で、あなたという心の城をもって生きる」(百合子)

「私はあなたによって良くされ、あなたも私によって良くされる。私はあなたを愛し、あなたの仕事を愛する」(芳子)

軽トラの荷台に乗った監督と技術スタッフ。人力車と並走するため。

私はふたりのこの言葉が好きだ。諦めなくてよかった。諦めさえしなければ、いつかチャンスは掴みとれる。私は心からそう思った。

### ■完成、そして3・11

2011年3月10日、映画『百合子、ダスヴィダーニヤ』は完成した。東京・調布の東映ラボ・テックでの初号試写（関係者試写）を経て、3月25日に富士フイルム本社ホールでマスコミ試写会の予定を組んでいた。10日の初号試写には菜葉菜さんや一十三十一さん、吉行和子さん、大方斐紗子さんをはじめとしたキャスト陣、原作者の沢部ひとみさんや音楽監督の吉岡しげ美さんなどスタッフ陣、東京の支援する会のメンバーなどが集まって、完成を祝ってくれた。さあ、これからだ。映画『百合子、ダスヴィダーニヤ』を観客の元に届けなければならない。私は達成感と責任感で身が引き締まる思いだった。

翌3月11日午後2時、私は確定申告のために税務署にいた。やっと、日常が戻って来た、そんな心地よさで帰りにスーパーに寄り、お気に入りのワインを探していた時だった。突然、立っている床が大きくうねった。見

熱海の石坂でクランクアップ。菜葉菜さん（左）と一十三十一さん（右）。

**菜葉菜**◉俳優。2005年、映画『YUMENO』で本格的女優デビュー。映画を中心に活躍。出演作に『夢の中へ』『ヘヴンズストーリー』『百合子、ダスヴィダーニヤ』『雪子さんの足音』『赤い雪』など。最近作に『夕方のおともだち』。

上げていたワインの棚から何本ものボトルがゆっくりと落下した。まるでスローモーションを見ているようだった。誰かが「危ない！」と叫んで私は腕を引っ張られた。何が起こったのかわからなかった。表に飛び出してみると、スーパーのかごを持ったままの人たちが、「地震だって！」とスマホを見ながら不安そうに声を掛け合っていた。目の前に東急世田谷線の踏切があった。線路が2本並んだだけの小さな踏切の遮断機がいつまでたっても上がらない。私は500メートルほど離れた駅まで行って線路を越した。自宅に戻り、テレビを点けた私の眼に信じられない映像が飛び込んできた。津波が町を襲っていた。押し寄せる波が逃げる人々の車を次々に飲み込んでいた。瞬時に幼い頃の台風を思い出した。鳴門の海辺にあった私の家は、荒れ狂う波に押し流された。体が震えた。私はテレビの前を離れられなかった。『百合子、ダスヴィダーニヤ』をどうしよう？　私自身が混乱していた。

14日も私はテレビの前にいた。そして、東京電力福島第一原子力発電所3号機建屋から爆発音と共に黒い噴煙が吹きあがり、きのこ雲になっていくのを見た。ヒロシマ、ナガサキ、第五福竜丸、何度も写真で、映像で、

スチル写真より。湖のほとりで語り合う芳子（菜葉菜）と百合子（一十三十一）。

スチル写真より。百合子を繋ぎ止めようとする夫、荒木茂（大杉漣）。

目に焼き付けてきたきのこ雲だった。

　14日午後から東京電力による計画停電が始まった。その日、私はマスコミ試写会用に『百合子、ダスヴィダーニヤ』の35ミリプリントを焼くよう東映ラボ・テックに指示を出していた。東映ラボから連絡があり、14時50分から17時30分の間の停電を東京電力が知らせてきたという。計画停電だから事前に通知はあるが、予定が突然変わることもあるという。ラボとしては作業中に万一停電になった時のことを考えるとプリントを焼くことが出来ない。原発が稼働しなければ電力の供給が出来ないとでも思わせたいのか、東電のやることはあまりにも一方的だった。計画停電はその後も続き、私は3月25日のマスコミ試写会の延期を決めた。

　映画の公開どころではなかった。マスコミが煽り立て「絆」という言葉が席捲した。ミュージシャンも俳優もチャリティが当然となり、生活の糧としての仕事が出来なくなっていった。「絆」という錦の御旗に抗えない風潮が日本中を覆っていた。

　4月26日、私は延期したマスコミ試写会を富士フイルム本社ホールで開催した。「こんな時に試写会だなんて」

『百合子、ダスヴィダーニヤ』パンフレット。

という非難の声も聞こえてきたが、私はもう迷わなかった。200席ほどのホールだが、それまで私を取材してくれた記者やライターの人たちが来てくれ、盛況に終える事ができた。私は、負けない。こんな時だからこそ「映画」という日常が必要なのだ。

### ・ロードショー公開

　5月、静岡市のシネマストリートにある静岡ミラノ座で先行ロードショーが始まった。このミラノ座は、私が高校の頃に通った思い出の映画館だ。あのころから半世紀近くが経っていたが、ロビーも客席もほとんど変わっていなかった。翌年にはシネマストリートの映画館のほとんどが取り壊されるというぎりぎりのタイミングだった。間に合ってよかった。私はここに監督として戻ってきた。

東京でのロードショー公開は渋谷・ユーロスペースで決まった。朝1回のモーニング上映だが、1カ月という長丁場だった。何が何でも成功させなければならない。東京での興行成績が地方での公開を決める目安になる。東京で観客の動員が出来なければ全国展開につながっていかない。正念場だった。

ここで再び集結し、強力にバックアップしてくれたのが支援する会のメンバーだった。700枚を超える前売り券を手分けして売ってくれたのだ。ブレることなく支援してくれることに頭が下がる思いだった。私はこの上映期間の1カ月、毎日劇場に通って舞台挨拶をした。劇場にしてみれば、シビアなタイムスケジュールを組んでいる。ありがたくなかっただろうが、押しかけ舞台挨拶ですね、と笑いながら予告編を調整して5分間の時間を割いてくれた。土日祝はゲストを招いての舞台挨拶と、上映終了後の観客とのお茶会を企画した。集客だけが

ユーロスペースでの舞台挨拶。菜葉菜さん(中央)、一十三十一さん(右)と。

大杉漣さんと主役の二人。

目的ではなかった。私は、やっとたどり着いた劇場公開という場を、華やかで元気なものにしたかった。ゲストには出演者の菜葉菜さん、一十三十一さん、大杉漣さん、吉行和子さん、洞口依子《どうぐちよりこ》さん、音楽監督の吉岡しげ美さんなどが登壇し、吉行和子さんの舞台挨拶には、ミッキー・カーチスさんも駆けつけてくれた。ゲストを交えた観客とのお茶会も和気藹々《あいあい》と楽しかった。このお茶会は浜野映画上映後の恒例となり、今に至るまで続いている。

### ・イスタンブールの国際女性映画祭

２０１２年3月10日から18日までトルコ・イスタンブールで第10回フィルムモア女性映画祭が開催された。この女性映画祭には、山上千恵子監督も『山川菊枝の思想と活動　姉妹たちよ、まずかく疑うことを習え』で参加していた。第10回目のこの年は「The 100th year of Feminist」（映画１００年を女性の視点から再照射する）が特集で組まれ、初日は映画祭主催のワークショップやパネルディスカッションに参加した。『百合子、ダスヴィダーニヤ』は翌11日の上映だったが、私には大きな心配事が

あいち国際女性映画祭2011でオープニング上映。

あった。まさか、これほどのトラブルに発展するとは思わなかったが……。

２０１０年頃から、映画祭での上映素材もフィルムからデジタルに移行していた。だが『百合子、ダスヴィダーニヤ』は35ミリのフィルムだ。私は、事前にデジベ★に変換して送っていたが、10日の時点でまだそれが届いていなかった。海外映画祭では何が起こるかわからない。私は万が一のためにもう1本、同じデジベを持参していたが、それにしても、映画祭指定のＤＨＬで送ったのに何故届かないのだ？　嫌な予感がした。かつて『百合祭』をニューヨークから日本に返送したことがあった。この時は35ミリプリント6巻を3巻ずつに分けて梱包した。ＦｅｄＥｘだったが、輸送中に一梱包3巻が紛失してしまったのだ。問い合わせたが見つからず、宛先不明の荷物はブルガリアのソフィアの貨物基地に集められるのでそちらで探してくれという。ソフィアに連絡してみたが、英語のメールのやり取りでは限界があり、諦めざるを得なかった。ＦｅｄＥｘが保証してくれたのは国際航空貨物法の賠償上限の１００ドル（当時約１２０００円）だけ、という苦い経験があったのだ。

3月11日、12時半からイスタンブール随一の繁華街に面したFitas Beyoglu Haii（シネコン）で上映と私のトークが行われるはずだった。東日本大震災からちょうど1年、私は昨年の今日、日本に起こったことを含めて話そうと思っていた。事前に送ったデジベは届かず、持参したデジベで上映することになったが、映画祭が用意したデッキが映し出したのは、カラーが白黒になり、ヴィスタサイズがシネマスコープになったような映像だった。ギョッとしたが、映像はそのまま流れていく。私は思わず「ストップ！」と叫んでいた。

やがて、責任者らしい女性がやってきて、観客に向かって話し始めたが、私の紹介など一切なく、中止を告げている。観客が立ち上がりかけたので、「私にも話させろ！」と声を上げたが、「観せてもいない映画について、何を話すの？」ととぼけている。激怒した私は、その場で自己紹介をし、映画のストーリーとなぜ私がこの映画を作ったかを話し、2回目の上映が17日にあるからぜひ観に来て欲しい、と観客に訴えた。この時、通訳してくれたのがイスタンブール在住の江里口祥子さんだ。江里口さんは私の怒りを自分の怒りとして観客に伝えてくれ、2回目の上映にむけて多くの労を取ってくれた。江里口さんがいなかったらおそらく2回目の上映も実現しなかっただろう。

このトラブルの原因は、日本とヨーロッパのデジタル方式の違いだった。ヨーロッパはPAL方式だが、日本はNTSC方式だ。映画祭側はPALで持ってこなかった監督の責任、と言い張ったが、NTSCであることは、エントリーフォームにも記載してある。それに、当時は日本国内でPAL方式のデジタルは作れず、カナダに発注するしかなかった。国際映画祭なら当然どちらの方式にも対応できるデッキが用意されているものと私は思っていた。

2回目（実質1回目）の上映は、17日午後3時からイスタンブール現代美術館だった。PALのデッキを調整してNTSCもかかるようにしたという。出来るのなら最初からやれよ、と思ったが、ともかく無事に上映できそうで、私は胸を撫でおろした。観客にはイスタンブール在住の日本女性や、日本語を勉強しているトルコ人女子学生、日本からの留学生など60人ほどの人たちが来てくれたが、更なる問題が起きた。始まってから5分

**デジベ**◉「デジタルベーターカム」の略称。ソニーが開発した業務用ビデオテープの規格。

1回目の上映前にスタッフと。右から2人目が江里口祥子さん。

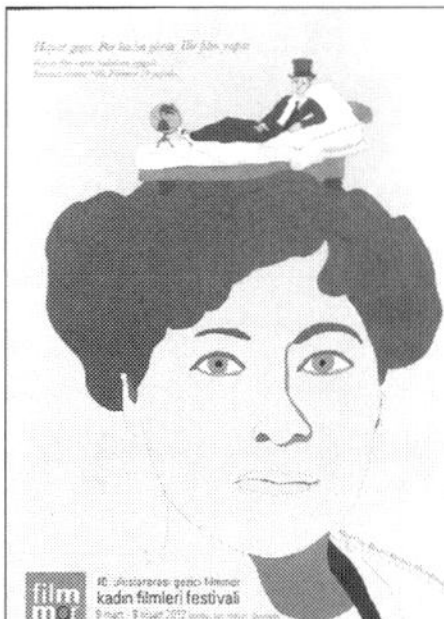


第10回フィルムモア女性映画祭のパンフレット。

フィルムモア女性映画祭に参加した世界の監督たちと。浜野の右隣が山上千恵子監督。

くらいまでの間にモザイクのようなノイズが頻繁に入る。上映の担当者は、最初から傷がついていた、と言い張ったが、そんなはずはない。先に送ったデジベならともかく、予備として持参した新品のデジベだ。傷など無いことは私の目で確認している。どう考えても11日にPAL方式のデッキで無理やり上映しようとしたことでついた傷としか思えなかった。しかし、まあ、見事に謝らない人たちだった。

消えたデジベと傷ついたデジベ、手作りに近い女性映画祭に小さなトラブルはつきものだが、ここまで上映に不安を感じた映画祭は初めてだった。この女性映画祭は「The 100th year of Feminist」を掲げているだけにフェミニズムの運動としての意識が高いのだろう。だが、高い志の前に上映技術がないがしろにされていいわけはない。映画は志のための道具ではなく、作り手の作品なのだ。

だが、うれしいこともあった。映画祭ゲストとメインスタッフでの夕食会の席上、私に「サチ・ハマノ?」と声をかけてきた女性がいた。05年の『百合祭』ヨーロッパツアーで上映してもらったオーストリア・インスブルックの映画館「Leo Kino」のスタッフだった。映画祭のホームページで私の新作が上映されることを知って『百合子、ダスヴィダーニヤ』を観るためだけに来たという。映画祭から映画祭へと作品は広がっていく。こうしてわざわざ来てくれた人のためにもベストな上映で観てもらいたかった。

困難なことが多かったイスタンブール滞在だったが、江里口祥子さんのおかげで何とか乗り切ることが出来た。映画祭参加の成否は通訳で決まる。

03年に同じトルコの首都・アンカラで開催されたフライング・ブルーム(空飛ぶ魔女)国際女性映画祭に『百合祭』で参加した時は、映画祭が用意してくれた通訳が日本に住んだことがあるという20代のトルコ人男性だった。ところが、トークの打ち合わせで映画のストーリーを話した途端、連絡が取れなくなってしまった。高齢女性の性愛を描いた『百合祭』は、イスラムの国で育った彼にとって受け入れがたかったのだろう。このピンチを救ってくれたのがアンカラ大学に留学中の村上育子さんだった。私はいつも現地の日本女性に支えられてきた。

映画祭が終了した翌日、やっと観光の時間が取れた私は、新市街の繁華街タクシムに出かけていった。その時、燃えるような女性たちのデモに遭遇した。トルコ語は全く理解できないが、どうやら女性へのレイプやDVに対する怒りのデモで、その熾烈な怒りはエルドアン首相（現・大統領）へ向けられているようだった。女性への暴力が社会問題になっているトルコで、エルドアン首相が女性の権利を制限するような宣言をしたらしい。上映後の質疑応答で、年配のトルコ人男性から「日本の男は女を殴ると聞いている。インドもそうだし、トルコでもそうだ。そのせいで（芳子と百合子は）女同士で愛し合うのか？」という質問があって驚いたが、それだけトルコのDVは深刻なのだろう。

　女性たちの怒りはすさまじかった。声を上げ、プラカードを掲げ、タクシムの目抜き通りを練り歩いていた。沿道のオフィスビルの2階や3階の窓からもデモ隊に呼応するように垂れ幕がたらされ、女性たちが手を振って共闘の意思を示していた。絶対に許さない、という覚悟と信念がタクシムに渦巻いていた。私は、女性たちの熱気に映画祭での不快な思いが消えていくようだった。

2003年に『百合祭』で参加したアンカラの第6回フライングブルーム国際女性映画祭のパンフレット。

繁華街タクシムで行われた女性たちの怒りのデモ。

## ・スイスのレズビアン映画祭

『百合子、ダスヴィダーニヤ』は、その後もソウル国際女性映画祭、香港国際レズビアン&ゲイ映画祭、ハンブルグ国際レズビアン&ゲイ映画祭など、かつて『百合祭』が参加した女性映画祭やレズビアン&ゲイ映画祭を中心に上映が広がっていった。

2013年11月、私はスイスのチューリッヒに到着した。ルツェルンで開催されるレズビアン映画祭「ピンク・パノラマ」で『百合子、ダスヴィダーニヤ』が上映され、上映後にチューリッヒ大学のシモン・ミュラー教授との対談がセッティングされていた。ミュラー教授は東京外語大学と同志社大学に留学し、宮本百合子の研究をしているという。海外の映画祭で宮本百合子の研究者と日本語で対談出来るのは貴重な体験だった。

チューリッヒからルツェルンまでは列車で40分、駅前からルツェルン湖が広がる美しい街だ。駅では、映画祭の女性スタッフが大きな百合の花束で迎えてくれた。会場は、19世紀のパノラマ絵画が残されている建物の地下の映画館「シュタット・キノ」。『百合子、ダスヴィダーニヤ』は17日に上映されたが、中高年の女性の観客が多く、ミ

第23回香港同志電影展の主催者たちと。

香港の映画祭の記者会見。

ユラー教授との対談も熱心に聞いてくれた。フェミニズムやセクシュアルマイノリティについて若い世代は普通の感覚で受け止めているが、問題意識を持って映画を観に来るのは中高年女性が多いのだとか。

通訳してくれたのは、16歳まで日本で暮らしたというヨウタ・ウエスト君。流暢な日本語での通訳のおかげで、観客の質問にも明確に答えることが出来た。

終了後は、話し足りない観客たちとロビーに設営された「ピンク・バー」でワインを飲みながらの歓談となり、まるで浜野組恒例のお茶会がルツェルンで実現したようだった。

## ・スロヴェニアのL&G映画祭

11月18日にルツェルンを発ち、19日に成田に到着した私は、その翌々日には再び成田からスロヴェニアの首都リュブリャナに向かって出発した。スロヴェニアもリュブリャナも世界地図の中で場所を確認した程度の知識しかなかった。どんな映画祭が待っているのか、いささか心細くもあったが、空港で出迎えてくれたのは、藤田妙子さんという日本女性だった。本職は日本料理をデリ

スイス「ピンク・パノラマ」の舞台挨拶。
右から2人目がシモン・ミュラー教授。
右端が通訳のヨウタ・ウェスト君。

上映後は「ピンク・バー」で語り合う。

バリーで届ける料理人だというが、とても気風のいい女性で、国営テレビのインタビュー、上映後のトークなど通訳としても活躍してくれた。

第29回リュブリャナ・ゲイ&レズビアン映画祭の会場は、映画館「Kinoteka」。『百合子、ダスヴィダーニヤ』の上映は22時からだという。そんな時間から上映とトークでは何時に終わるのか見当もつかないが、代表のブラーネさん(男性)によると、それが普通らしい。クロージングパーティなども深夜11時からだ。

リュブリャナでも驚いたことがいくつかあった。映画館のカフェでブラーネさんと打ち合わせをしていると、いきなり「ハマノサーン」という声がかかった。びっくりして振り返ると長身の女性が笑みを浮かべている。クロアチアで映画の研究をしているワーニャさんは、YouTubeで私の顔を知っていたという。この映画祭のことは知らずに、たまたまお茶を飲みに入ったら私がいたのでびっくりしたらしい。日本の女性監督の研究もしていて、私にも一章を割いていると言っていた。

藤田妙子さんの自宅でのディナーに招かれた時も、驚くようなことがあった。映画祭プログラマーのスザンナさんも同席したが、湯浅芳子の取材をしていた頃の沢部ひとみさんと会ったことがあるのだとか。海外映画祭では、時として「えっ!?」と驚くことが起きる。

『百合子、ダスヴィダーニヤ』の上映当日は、遅い時間にもかかわらず、多くの人たちが観に来てくれた。若い世代が圧倒的に多い。リュブリャナ大学には日本語学科があって学生も観に来ているという。トークは上映後だ。通訳の藤田さんは上映が終わるころに来てくれることになっていた。ところが、上映前に突然名前を呼ばれ、壇上に立たされてしまった。司会のナターシャさんが私の紹介をしているらしい。スロヴェニア語なのでチンプンカンプンだが、そのうち別の女性が現れ、表彰状のようなものを読み上げ始めた。ナターシャさんに尋ねたが、早口の英語で囁かれてもさっぱりわからない。読み終えた女性とナターシャさんが、「コングラッチュレーション!」と私に向かって拍手し、客席からも大きな拍手が沸いた。どうやら『百合子、ダスヴィダーニヤ』が何かの賞をもらったようだが、どんな賞か分からない。情けないが、ともかく観客の拍手に応え、賞状と花束を受け取って感謝の意を表す。トーク直前に来てくれた藤田さんに聞くと「ピンク・ドラゴン賞」で、実質的な審査員賞だという。リュブリャナ市のシンボルがドラゴンで、映画祭のシンボルカラーがピンク。この年から創設された賞で、『百合子、ダスヴィダーニヤ』が第1回目の受賞作となった。

冷や汗ものの受賞式から始まった上映とトークだったが、若い世代が多いだけに歓声や笑い声、拍手も起こった。深夜のトークは、それでも50人位の観客が残って熱心に聞いてくれた。司会のナターシャさんが私のキャリアを詳細に調べたうえで、日本の女性監督の現状や『百合子、ダスヴィダーニヤ』に対する反応など丁寧な質問をしてくれた。トークが終わったのは深夜1時過ぎだったが、ハプニングも含めて忘れられないリュブリャナの一夜となった。

### ・海外浜野組、そして追悼

『第七官界彷徨―尾崎翠を探して』から『百合子、ダスヴィダーニヤ』まで、参加した映画祭の数だけ私は現地で生きる日本女性たちに助けられてきた。パリの林瑞絵さん、田中久美子さん、トリノの井関はる奈さん、ハワイの佐伯英子さん、イスタンブールの江里口祥子さん。

ピンク・ドラゴン賞の賞状。

第29回リュブリャナ・ゲイ＆レズビアン映画祭でピンク・ドラゴン賞受賞。

アドリア海に臨む港町コーペルでも上映とトークが行われた。左端が藤田妙子さん。

その後も交友が続く彼女たちを私は勝手に「海外浜野組」と呼んでいるが、その重鎮はベルリンの松山文子さんだろう。松山さんは、『第七官界彷徨─尾崎翠を探して』で私に世界への扉を開けてくれた恩人でもあった。

1999年に初めてドイツのドルトムント国際女性映画祭で会ったとき、松山さんは「日本特集」のコーディネーターだったが、映画祭スタッフたちからは「フミコ、フミコ」と可愛がられていた。日本特集だけに『ルッキング・フォー・フミコ』の栗原奈名子《くりはらななこ》★監督をはじめ、プロデューサーなどの女性映画人も多く参加していた。私のようなインディペンデント畑の監督にとっては頼りになる存在だったが、時として悪口とも思えるようなことを面と向かってズバッと言ってのける松山さんに怒り出す人もいた。本人はジョークかギャグのつもりなのだろう。私はハラハラすることも多かったが、松山さんのキャラクターは最後まで変わることはなかった。

次に松山さんと会ったのは、ベルリンで開催されたエスノ映画祭だった。この映画祭も松山さんがコーディネートしていたが、16ミリのフィルムに傷がつき、松山さんは主催者側との交渉の矢面に立ってくれた。この時から私と松山さんの間に連帯のようなものが生まれたのかも知れない。松山さんは、実験映画作家であり、チェ・ゲバラの生涯を、髭を生やした女優が演じる『ラ・コマンダンテ』という作品を資金不足で完成させることができない、と言っていた。

変わった人だった。北朝鮮に1人乗り込んで無許可でカメラを回したり、当時ほとんど知られなかった白ロシア共和国（現・ベラルーシ）の映画祭にたびたび参加したりしていた。山崎が松山さんを評して「たったひとりで、ひたすら辺境へ向かう人」と言っていたが、華やかな映画祭などとは距離を取っているようだった。

松山さんはベルリンの古いアパートの屋根裏部屋に住んでいた。私は一度訪ねたことがあったが、ギシギシ鳴る狭い階段を登った部屋は、撮影機材や本が溢れたそっけない部屋だった。何を糧に生活しているのか、まったく分からなかった。松山さんから私生活の話を聞いたことは一度もない。

2011年頃だっただろうか、松山さんが癌で闘病していることを知った。私は心配したが、松山さんは西洋医学を拒否して、北朝鮮から取り寄せたお茶で治す、と笑っていた。

２０１３年10月、『百合子、ダスヴィダーニヤ』が第24回ハンブルグ国際レズビアン＆ゲイ映画祭に招待されることになった。ベルリンからハンブルグまでは特急列車で1時間半ほどの距離で、私は松山さんに通訳をお願いした。松山さんも承知してくれ、私は久しぶりの再会を楽しみにした。映画祭は15日から20日までの６日間で『百合子、ダスヴィダーニヤ』は最終日の20日に上映されることになっていた。

だが、私には一抹の不安があった。日本を出発する前日から松山さんと連絡が取れなくなっていた。何度メールをしても返事がなかった。松山さんとはオープニング・セレモニーの会場で会う約束になっていたが、現れなかった。

オープニングは大きな廃工場をアートスペースにした「ＫＡＭＰＮＡＧＥＬ」で行われ、１０００人以上の観客が詰めかけて満席状態だった。主催者の挨拶では、ロシアの反同性愛法への批判や、ＬＧＢＴのおかれた政治的状況などの話と共に『百合子、ダスヴィダーニヤ』についても言及してくれていた。日本に留学し、平安時代の短歌を研究しているというドイツ青年が通訳してくれたので、何とか話の内容を把握することができたが、松山さんはどうしたのだろう？

私は心配だったが、10年ぶりのモニカ・トゥルート監督との再会や、映画祭のゲストとの交流などに追われていた。18日の昼頃、松山さんから映画祭に連絡があり、夕方到着するという。私はホテルで待っていたが、現れた松山さんを見て、息を飲んだ。頬の肉が削げ落ち、目は窪んで、顔色も悪い。松山さんはいつものように茶目っ気たっぷりに「驚かせようと思って」と笑ったが、一目で普通の状態でないことが分かった。レストランに入ったが、スープを一口飲むのがやっとだった。連絡が取れなかったのは「手術して今朝まで入院していたから」と謝る松山さんを、私は「そんな身体で来なきゃよかったのに！」となじった。「だって、浜野姉は英語も話せないんだから」と松山さん。確かにその通りだが、やせ細った松山さんを見るのはつらかった。

**栗原奈名子**◉ドキュメンタリー監督。ニューヨーク大学大学院在学中に『ルッキング・フォー・フミコ』（１９９３）を制作。２００８年に『ブラジルから来たおじいちゃん』を発表。

翌19日は深夜12時から「トーク・ソファ」というイベントが開かれた。ゲストがソファに座り、インタビューを受ける様子がネットテレビで中継されるイベントだった。登壇するゲストは3人いて、私がトップバッターだったが、松山さんは昼の打ち合わせから深夜の本番まで通訳として付き合ってくれた。

インタビューは仔細にわたり、80年代に私が映画制作会社を設立したキッカケにも及んだ。「プロデューサーも監督も男中心の日本映画界で、女のセクシュアリティをテーマに映画を作るには自分の会社が必要だった」と答えると、会場から大きな拍手が起こった。こうした場で自分の意志や考えを伝えるには通訳がドイツ青年では無理だった。松山さんの体調が心配だったが、松山さんでなければこのインタビューは成功しなかっただろう。松山さんは、私と、私の映画を一番よく知っていた。

映画祭最終日、『百合子、ダスヴィダーニヤ』は上映され、200人位の人に観てもらうことが出来た。中には10年前の『百合祭』も観たという観客や映画祭スタッフなどもいて、うれしい再会もあった。上映後のQ&Aでは「主演の女優二人はどのようにキャスティングした

2010年、ダッカで松山文子さんとリキシャに乗る。

のか？」、「セリフが多く戯曲のような印象を受けるが、その理由は？」などの質問が出されたが、その全てに松山さんは打てば響くような通訳で答えてくれた。

このハンブルグが松山さんとの最後になった。20代で単身ベルリンに渡った、と聞いていたが、日本で、「女」という枠組みの中で生きる事が本当に難しい人だったと思う。私もこの日本社会の中で多少なりとも闘っているつもりだが、松山さんにとってはそんなことも馬鹿らしかったのではないだろうか。

松山さんは私に世界への扉を開けてくれた。私も実験映画作家としての松山さんに対して、もっと何か出来ることがあったのではないだろうかと悔いが残る。

思い出すことは多い。２００５年にパリでドルトムント国際女性映画祭のズィルケ・レービガー委員長にインタビューした時、松山さんが通訳をしてくれた。パリは久しぶりだという松山さんとモンパルナス墓地にあるボーヴォワールとサルトルのお墓にお参りし、ボーヴォワールが行きつけだったというカフェで、一つのケーキを半分こして食べたことが忘れられない。

２０１４年の冬、松山さんはいなくなってしまったが、ベルリンの映画館「Kino Arsenal」のステファニーさんたちが松山さんの遺品を整理し、撮りためた映像や残した作品、チェ・ゲバラを描いた未完の『ラ・コマンダンテ』などをアーカイブとして保存するよう動いてくれたと聞いている。松山さんの作品がベルリンに残るのだ。よかったね、松山さん。

9章

# 女性がピンク映画を観る、ということ

### ■大宮オークラ劇場、最後の日

２００８年２月17日、大宮オークラ劇場が43年の歴史に幕を閉じた。劇場オープンは１９６５年だという。ピンク映画が１９６２年の「肉体の市場」（小林悟監督・大蔵映画配給）からだとすると、ピンク映画の歴史と共に歩んだ劇場といえる。

大宮オークラ劇場は、２階が１４５席のピンク専門館、１階がゲイ・ピンクの小劇場と成人映画館としては大きな劇場だった。駅に近い立地で、地主が商業地として有効利用するための閉館だという。

１月26日、私と山﨑は大宮オークラ劇場を訪ねた。２月９日に山﨑監督特集、17日に浜野監督特集をやりたいという申し出だった。歴史ある劇場のラストデイに選んでもらえたことは光栄だった。佐々木支配人は上映する作品を監督自身で選んで欲しいという。私にも箸にも棒にもかからない作品は山のようにある。自分が好きな作品を選べるのはありがたかった。ならば、女性客を呼ぼう。これは浜野ピンクを女性に観てもらえるチャンスではないか。

私はそれまでに女性限定ピンク上映会を２度経験していた。１度目は１９９９年のことだ。『第七官界彷徨―尾崎翠を探して』が山形フォーラム、盛岡フォーラム、福島フォーラムという東北３県の映画館で、９月から10月にかけて公開が決まり、その都度マスコミ試写会や舞台挨拶などで現地に出向いていた。

９月13日、山形公開に向けたプレイベントとして上映とトークが行われた時のことだ。終了後に映画館の傍の建物の２階に場所を移し、交流会が開催された。支配人の長澤英子さん心尽くしの芋煮や炊き込みご飯が用意され、観客の20人位が残ってくれた。そして思いがけないことに、参加した女性たちが私のピンク映画とピンク映画監督である私に興味を持ってくれたのだ。これは意外だった。「何故、ピンク映画を撮るのか？」という質問に、「男の監督が撮るセックスは男の幻想でしかない。私はセックスを女の側から主体的に撮っている」と答え、浜野ピンクが観たい、と深夜まで盛り上がった。そして、長澤英子さんの発案で、急きょ女性限定のピンク映画上映会が企画されることになった。

翌月、駅から少し離れた山形フォーラム２で女性限定のピンク映画上映会が開催された。作品は『小田かお

る　貴婦人O嬢の悦楽』（１９９６年・エクセス配給）。午後6時から上映が始まった。80席のキャパに１００人以上の女性客が詰めかけ、ロビーは観客で溢れた。当初は企画者の長澤英子さんですら「山形の女性は恥ずかしがりだから」と何人来てくれるのか不安そうだったが、5時を過ぎた頃になると、徒歩で来る人、自転車で来る人、夫や恋人に送られて車で来る人など続々と女性たちが集まってきた。立ち見の観客で劇場のドアが閉まらないという事態に主催者も呆気にとられたようだった。

上映後の交流会では女性たちの発言が相次いだ。

「セックスシーンになると、喘ぎ声だけになって会話が無いのは寂しい」

「いや、私は集中したいから会話なんかないほうがいい」

「セックスは受け身だけじゃないことがわかった」

「自分が気持ちいいことが一番大事」

「女にだって、ポルノを楽しむ権利がある」

女性たちの本音だった。私のピンク映画を観て、女たちが女の性を語る。これこそ私がピンク映画を撮り続けてきた目的ではなかったか。「女の手に女の性を取り戻す」をライフワークに掲げながら、男の観客にしか観てもらえない。それが私のジレンマだった。

女性だけでピンク映画を見る2度目の企画は、２００６年3月、千葉県東金市で開催された「リリィ・ピンク・プロジェクト」での女性限定上映会だった。『百合祭』の上映会を商工会議所で開催し、夕方からライブハウスに会場を移して私のピンク映画が上映されたのだ。20代から70代までの女性たちが集まり、上映後のディスカッションでは次々と過激な質問や発言が飛び出した。皆、ピンク映画を楽しみ、自らの性を自らの言葉で語っていた。

私はこの2度の女性限定上映会で、ピンク映画は男のためだけのものではない、という確かな実感を得たが、男性客しか想定していない成人映画専門館で、女性がピンク映画を観るのはハードルが高かった。そこで、大宮オークラ劇場では周囲をロープで囲った30席の女性専用席が作られたが、40人を超える女性客が押し掛け、佐々木支配人によると「劇場始まって以来の珍事」となった。

上映作品は『桃尻姉妹・恥毛の香り』（２００４年）、『巨乳ＤＯＬＬ・わいせつ飼育』（２００６年）、『ＳＥＸ診断・やわらかな快感』（２００８年）の3本で、うち2本に主演している北川明花《さやか》さんと私の舞台挨拶、ロビーでのサイン会＆撮影会というプログラムだった。その後の打ち上げの席では、初めてピンク映画を観た女性客を中心に、劇場のスタッフ、常連客（男性）などのメンバーで大いに盛り上がった。劇場の売り上げも過去最高を記録したと佐々木支配人に感謝されたが、この日の熱気がその後の「暴走女子と行く！　ピンクツアー」につながっていくことになる。

### ■暴走女子と行く！　ピンクツアー

２０１１年11月、「『百合子、ダスヴィダーニヤ』支援企画・山﨑祭」と銘打たれた山﨑組ピンク映画とゲイ・ピンクの上映会が開催された。主催者は支援する会メンバーの武子愛さんと長田真紀子さん。「企画運営すべて女性、安心して参加出来るピンク映画上映会」として『百合子、ダスヴィダーニヤ』の前売り券付だった。ピンク映画は初めてという女性も多く、上映後の打ち上げでは明け透けな感想が飛び交って、また観たいという声があがった。

２回目からは、旦々舎作品が上映されるたびに男女ミックスでツアーを組んで劇場に観に行くスタイルとなった。ネーミングを「暴走女子と行く！　ピンクツアー」として、２０１２年１月の上野オークラ劇場を皮切りに、浅草世界館（２０１２年10月閉館）、池袋シネロマンなど２０１９年４月までに計20回のツアーが組まれた。劇場では当初、大宮オークラ劇場に倣ってロープで囲った女性専用席が作られたりしたが、回を重ねるごとに予約席を用意してもらい、ツアー参加者の男性が通路側に座り、間に女性を挟むスタイルになった。現在は女性を交えた上映ツアーを企画する監督たちも多いようだが、この「暴走女子と行く！　ピンクツアー」はピンク映画の歴史の中で画期的な出来事だった。

### ■浜野佐知映画祭

２０１３年８月３日から９日までの１週間、私は東京・渋谷のオーディトリウム渋谷で「浜野佐知映画祭」を開催した。『百合子、ダスヴィダーニヤ』をメインに自社作品４本（『百合祭』、『第七官界彷徨―尾崎翠を探して』、『こほろぎ嬢』）とピンク映画４本（うち２本は山﨑組ゲイ・ピンク）を一挙に上映する企画だった。今でこそあちこちで監督名を冠にした映画祭が散見されるが、監督が自ら主催する冠映画祭は、これが初めての試みだったろう。私の一般作とピンク映画を同時に、そして全作品を35ミリフィルムで上映する。これがこの映画祭での私のこだわりだった。

各作品の上映にはゲストを招いた。『百合子、ダスヴィダーニヤ』には菜葉菜さん、一十三十一さん、『百合祭』には白川和子さん、大方斐紗子さん、『第七官界彷徨―尾崎翠を探して』には宝井誠明さん、『こほろぎ嬢』には鳥居しのぶさん、石井あす香さん、リカヤ・スプナーさんが駆けつけてくれた。

大杉漣さんは初日に大きな花籠を贈ってくれ、大方斐紗子さんがゲストの日にはふらりと楽屋を訪ねてくれた。

『平成版阿部定　あんたが欲しい』(1999年・エクセス)上映後にはライターの亀山《かめやま》早苗《さなえ》★さんが登壇してくれた。亀山さんは「時代を創る女たち・浜野佐知―ピンク映画の反逆児」(2012年・婦人公論)でインタビューを受けてから交流が続いているが、気風の良さと、どんなエロ話でも聞いてくれる度量で、ふと気が付くとこちらが素

**亀山早苗**（1960〜）◉ライター。男女関係、不倫、性などをテーマにした著作多数。「くまモン」に魅了され『くまモン力』という著書も。

ゲストの白川和子さんと。

オーディトリウム渋谷のエレベーター横に掲げられたディスプレイ。

ゲストの大方斐紗子さんと。

っ裸にされているという実力のあるライターだ。近年では、「人間ドキュメント・母への恋慕、男社会への挑戦——映画で拓く女の未来、女の性」（2019年・週刊女性）というインタビューでやはり私は丸裸にされてしまっている。そんな亀山さんとのトークは楽しかった。公衆の面前で、女同士で思い切りエロが語れる楽しさなのだろう。今まで私単独のトークや上映後のお茶会、ピンクツアーの打ち上げなどではエロ話も大いにしてきたが、舞台上でセックスをあけっぴろげに女同士で語れたのは、快挙だった。

『川奈まり子　牝猫義母』（2002年・エクセス）のゲストには川奈まり子さんが登壇してくれた。当時、川奈さんは女優から作家へと転身していたが、ピンク映画に出演したことは良い思い出になっていると言ってくれた。

連日、上映後にお茶会を開催したが、ピンク映画の上映日は特に女性の参加者が多かった。集客は、7日間で800人を超え、これを支えてくれたのが支援する会のメンバーだった。支援する会は『百合子、ダスヴィダーニヤ』が完成した1年後の2012年に解散している。その後もピンクツアーなどでメンバーとの交流は続いていたが、この「浜野佐知映画祭」で再び集結してくれたのだ。

2015年4月4日から19日までの土日に限定して開催したのが「浜野佐知ジェンダー映画祭」だ。これは後述する『BODY TROUBLE』（2015年）をメインに、自社作品5本と山﨑組のピンク2本＋ゲイ・ピンク1本を上映した。

会場は東京・十条のシネカフェSOTO（現在は閉店）で40席ほどのこじんまりした客席だが、35ミリフィルムの映写が出来るカフェだった。この映画祭でも女性客のリピーターが多く、上映後のお茶会はお酒も入って深夜まで続くこともあった。

女性がピンク映画を楽しむことが当たり前になった今、私は旦々舎が著作権を持つピンク映画が欲しかった。ピンク映画を上映するには、自分の作品でも配給会社に上映料を払わなければならない。ピンク映画を自由に上映するためには、旦々舎が自ら制作&配給するしか方法はなかった。

# 10章

# 『BODY TROUBLE』

## ■R18とR15

旦々舎は制作配給会社だが、ピンク映画は既存の配給会社の下請けとして作って来た。だが、2007年以降になるとエクセスと新東宝の制作本数が激減した。コンスタントに年間36本を制作するのは大蔵映画だけになった。当然、ピンク映画の監督たちは大蔵に集中し、1人の監督が撮る本数は必然的に減っていった。旦々舎も細々ながら年間4本の大蔵作品を撮り続けていたが、ピンク映画界にもデジタル化の波が押し寄せていた。

私はそれでもフィルムにこだわり、映画用フィルムの販売会社に残っていた在庫を何とか入手してしのいでいたが、こうした会社も次々と廃業していった。カメラや編集機の備品も補充がきかなくなった。もはやこれまで、と私も覚悟を決めたが、デジタルで撮るしかないのなら、デジタルでしかやれない新しい映画作りが出来ないだろうか？　フィルムはネガが1本しかないが、デジタルなら編集によっては同じ素材で違う作品を創ることも可能だ。

私は山崎と相談し、配給会社と旦々舎が制作費を出し合い、R18のピンク映画とR15★の自社作品を同時に作る企画を立て、エクセスに持ち込んだ。

スチル写真より。ミズクラゲの水槽を挟んで、友情出演の菜葉菜さんと宝井誠明さん。

私にとってエクセスは古巣であり、主戦場だった。社長の稲山悌二氏とはピンク映画界における戦友とでもいえるような関係が続いていた。だが、私がエクセスで撮ったのは2002年の『川奈まり子 牝猫義母』が最後だ。10年以上のブランクがある。この企画に乗ってくれるかどうか不安だったが、私はデジタルという新しい時代のピンク映画をエクセスと組んで作りたかった。

『BODY TROUBLE』(2015年・旦々舎)のストーリーは、ある朝起きたら男だった主人公が突然女になっていた、というカフカの「変身」のような設定で始まる。暗い引きこもりのオタクだった裕美は、自分が魅力的な若い女性に変身していることを知る。恐る恐る外に出てみると痴漢やストーカーに付きまとわれ、ネットで相談すると男たちの下卑た答えしか返ってこない。同じ社会でも、男から見た社会と女が見る社会とでは全く様相が違っていた……。

脚本の山崎は、宗教人類学者・植島啓司氏の『男が女になる病気』(1980年)からモティーフを得たと言っていたが、自社作品では初めてのオリジナル脚本だった。男と女では見える世界が違うというジェンダー・ギャップをテーマにしたこの脚本は秀逸だった。これこそ旦々舎が著作権を持つにふさわしいテーマではないか。主人公はジェンダーとセックスの狭間で彷徨いながら、男とのセックスも女とのセックスも経験していく。ピンク映画としても成立するストーリーだった。

3月16日、エクセス配給のR18バージョン『僕のオッパイが発情した理由』と、旦々舎配給のR15バージョン『BODY TROUBLE』がクランクインした。通常ピンク映画の撮影は3日間だが、間に撮休を1日入れて1週間の現場を組んだ。主演は、愛田奈々さん。R15には『百合子、ダスヴィダーニヤ』の菜葉菜さん、『第七官界彷徨―尾崎翠を探して』『こほろぎ嬢』の宝井誠明くんが友情出演してくれた。私は監督ではあったが、R15の仕上げに関しては山崎が構成・編集した。R18にプラスしたストーリーが、まさに山崎テイストだったからだ。

旦々舎設立以来、浜野組の脚本はすべて山崎が書いてきた。浜野作品と山崎作品を観た人に「同じ脚本家

**R18・R15**◉いずれも映倫のレイティングで、R18＋は18歳以上、R15＋は15歳以上が観ることができる。

なのにどうしてこんなに違う映画が出来るんだ？」と驚かれるほどに、山﨑と私は作る映画のタイプが違った。初期の頃は脚本でも意見が合わず、揉めに揉めた。スタッフからも「よく一緒に映画作ってるね」と呆れられたが、どれだけ揉めても私は他の脚本家と組むつもりはなかった。表現の仕方が違うだけで、目指す方向は同じだからだ。私は山﨑を監督にすることで棲み分けを計った。自分のやりたいことは自分の映画でやってね、という苦肉の策だ。以降、旦々舎制作で80本を越える山﨑組のピンクとゲイ・ピンクが生まれた。

私は「1＋1＝2」にならないと気が済まないリアリズムのタイプだが、山﨑作品は人間以外のモノに対する偏愛（フェティシズム）が濃厚だった。作品ごとに固執するモノはちがったが『BODY TROUBLE』では水クラゲで、熱帯魚の店に出張してもらい、スタジオにクラゲの水槽を設置した。山﨑にとって体が透けて見える水クラゲは現実を超えた存在だったのだろう。私は山﨑が編集するR15版に不安を覚えた。

『僕のオッパイが発情した理由』は4月11日に、『BODY TROUBLE』は5月30日に完成した。R18バ

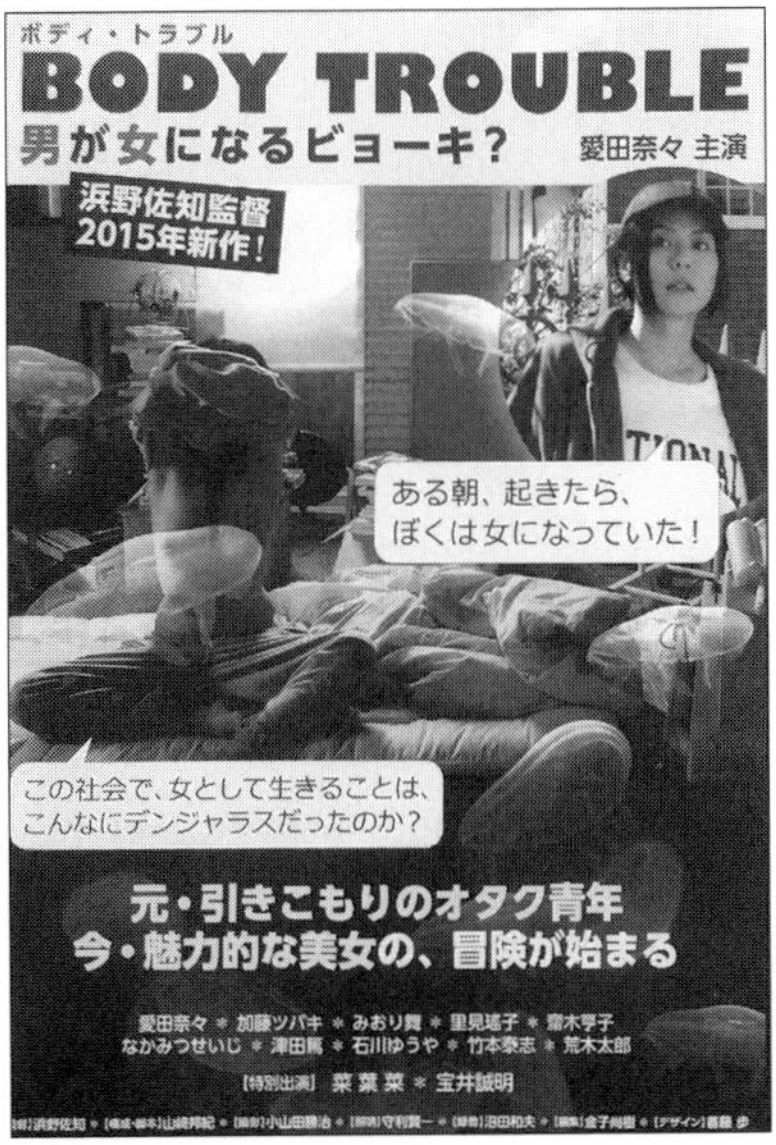


『BODY TROUBLE』のチラシ。主役は愛田奈々さん。

ージョンは面白かった。トイレで立って用を足そうとした主人公が自分の下半身を見て「えっ？　ない！」と驚愕する始まりから、全裸を鏡に映して「ぼくはチンコに戻りたくないんだ！」というラストまで、ピンク映画として成立していた。

対してR15バージョンは、ピンク映画にストーリーをつぎ足したようなチグハグさと、主人公がクラゲと共に消えていくラストがどうにもすっきりしなかった。私は脚本を読み、現場を仕切り、その全てにOKを出したに

もかかわらず、作品の全体が見えていなかった。

『BODY TROUBLE』は、旦々舎が著作権を持つ、いうなれば「ピンク＋アルファ」の作品だ。私はどう公開していくか模索したが、ミニシアターなどではR15という映倫のレイティングが壁になった。ホールなどで上映するにはセックス描写が多すぎた。自由にピンク映画を上映したい、という目的から始まった企画だったが、いざ出来上がってみると一般映画館での上映は難航した。やはり二兎を追うのは無謀だったのか。

2016年から大蔵映画がこの方式で2バージョンを作り始め「OP PICTURES＋」としてR15版をテアトル新宿などの一般館で特集上映を始めたが、R15の年間制作本数18本（2018年）という作品数があってのことだろう。『BODY TROUBLE』はたった1本、そして、まだ誰もやったことのない初の試みだった。

## ・パリの性愛映画祭

『BODY TROUBLE』は「浜野佐知ジェンダー映画祭」を皮切りに「大須にじいろ映画祭」、「よこはま若葉町多文化映画祭」などで上映されたが、2018年になって思わぬ映画祭から招聘状が届いた。「Festival du Film de Fesses」（性愛映画祭）で、エロスをテーマに毎年パリで開催される。5回目のこの年は「日本」がテーマだという。映画祭の創設者はアナスタジア・ラシュマンという女性で、映画会社で働きながらボランティアで映画祭を運営している。

「〝性〟をテーマに掲げると、性の多様性への理解を求める映画祭と思われがちですが、肩ひじはらない楽しい映画祭を目指しています。芸術的な「エロス」を自由にありのまま楽しんで欲しい。それは美しく刺激的で、時に深い思考を促すかもしれません」とアナスタジアさん。

上映作品は神代辰巳監督の『一条さゆり　濡れた欲情』（1972年）などをメインに、田中登、小沼勝、大和屋竺、松本俊夫など12人の監督作品がパリ市内の3館の映画館で上映されるという。錚々たる監督たちの映画とともに『BODY TROUBLE』が上映されるのだ。さらに、アナスタジアさんはパリの日本語新聞「OVNI《オヴニー》」のインタビュー（インタビュアー＆記事・林瑞絵さん）で「大和屋竺や松本俊夫の映像表現は斬新で美学的な探求がある。浜野佐知は男社会の映画界で、性愛を通し女性の視線を注入した画期的な存在です」と語ってくれている。私にとって、これほど名誉なことはない。すぐにでもパリに行きたかったが、この映画祭が開催されるのはちょうど新作『雪子さんの足音』の撮影中だ。これほど映画祭に参加出来ないことを残念に思ったことはない。

パリではこの年、最後のポルノ映画館が閉館したという。林瑞絵さんは「インターネットの発達で映像が個人の楽しみへと傾く時代、集団でエロスをオープンに愉しめる場所は、もはや貴重な存在かもしれない」と記事を締めくくっていたが、日本の成人映画館は、世界でも貴重な存在としてこれからも生き残っていけるだろうか。

### ■北京の国際女性映画祭

２０１５年９月、中国・北京で開催された第３回中国国際女性映画祭で「焦点影人」として私の特集が組まれた。香港の映画祭には2度参加しているが、中国本土は初めてだ。現地で映画祭代表の李丹《リダン》さんに会うと、なんと男性の「チェアマン」だった。満族出身で、漢族の社会では差別される側から運動を始め、クィア・

「焦点影人」は浜野佐知特集を指す。

第3回中国国際女性映画祭パンフレット。

フェスティバルを経過して、女性映画祭につながったという。周囲には人権活動家が多く、映画祭を支援する各国大使館関係者の信頼も厚いようだった。

『百合祭』、『こほろぎ嬢』、『百合子、ダスヴィダーニヤ』、『BODY TROUBLE』の4本が映画祭本部のあるクロスロードセンターを中心に、映画館や文化センター、シネマカフェなど北京市内の各地で2回ずつ上映された。観客の誰もが大いに発言し、『百合子、ダスヴィダーニヤ』上映後のトークでは「100年近く前の日本で、本当に女性同士がこんな議論をしたのか?」「『こほろぎ嬢』で尾崎翠を知った。『百合子、ダスヴィダーニヤ』では同時代の芳子や百合子の考え方や心情に触れることができて、とても有益だった」などの発言が相次いだ。私と観客の質疑応答を熱心にメモしながら、女同士の愛と性の関係について果敢に質問してくる女子学生もいた。1作品だけでなく2本、3本と観てくれるリピーターが多いのも特徴的だった。

大学の女性教授から『百合子、ダスヴィダーニヤ』を教材に使わせてほしいという申し出があったのは、さすがに驚いた。映画祭事務局に預けてあるDVDを使う

上映後、幅広い世代の女性たちのディスカッションが続いた。

ことは了解したが、その後どうなったろう。

一方、私は中国での『BODY TROUBLE』の上映に不安もあった。『百合祭』も『百合子、ダスヴィダーニヤ』も性をテーマにしているが『BODY TROUBLE』は男女や女同士のセックスシーンを直接的に描いている。共産主義の国で、しかも女性映画祭で果たして受け入れられるのだろうか？

『BODY TROUBLE』の中国語のタイトルは『変性記』。男が女になる物語にはぴったりのネーミングだ。映画祭側が内容を理解したうえで上映しようとしていることに安堵した。上映はクロスロードセンターの地下でアングラ的に行われ、観客は女性を中心に両日とも30人位だった。上映後には熱の入ったディスカッションが1時間以上続いた。初めてこういう映画を観たという女性から「セックスシーンが長いが男性向けを狙っているのか」という批判的な質問が飛び出し、それに対して、これは女性も観ることのできるエロティックな表現として監督が撮っているのだと反論した女性がいて論戦になった。また、若い女性から「性同一性障害の人がこの作品を観た時のことを考えて制作したか？」という指

サンディエゴの学会で発言する。隣は宮尾大輔教授。

摘を受けた。返答に窮してしまったが、映画は観る側によって作り手が思いもしなかったような問題を提起する。私自身も考えさせられた。

チームを組んで通訳を担ってくれたのは北京大学や北京電影学院（北京フィルムアカデミー）に通う日本人留学生の北條新之介君や杉本美泉さん、韓国からの留学生于馨さんたちだった。初めての中国本土で、公私共に大いに助けられた。

## ■サンディエゴの学会

2019年5月、2日間にわたってカリフォルニア大学・サンディエゴ校で開催された学会「Feminist World-Building in Japanese Cinema」に『雪子さんの足音』（2019年）と『BODY TROUBLE』が招かれた。「日本映画」をテーマにした学会だけに、アメリカ人や日本人、日系人などの多彩な研究者が参加していた。この学会の司会進行を務めた同校講師のキンバリー・イクラベルジー★さんは、10年以上にわたって「浜野佐知論」を執筆してきた映画学の研究者で、私は東京でインタビユーを受けていた。この年刊行されたばかりの『映画とジェンダー／エスニシティ』（ミネルヴァ書房）に、論文「女が映画を作るとき～浜野佐知の終わりなき再生産労働」が収録されている。キンバリーさんの希望で『BODY TROUBLE』の上映が実現したのだ。

この学会を主催する宮尾大輔《みやおだいすけ》★教授とは、『第七官界彷徨—尾崎翠を探して』が1999年にニューヨークのジャパン・ソサエティで上映された際、当時、東大の大学院生でジャパン・ソサエティのインターンだった宮尾教授と一緒に、16ミリフィルムを担いでニューヨーク州立大学ストーニーブルック校での上映に行ったことがあった。この時の尾崎翠との出会いが、映画学の研究の上で役立っていると宮尾教授は学会の冒頭で語ってくれた。20年目の再会だった。

アメリカの学会で『BODY TROUBLE』が上映出来るとは思ってもみなかったが、10代と思われるよう

**キンバリー・イクラベルジー**◉日本映画学・フェミニスト理論・映画理論研究者。

**宮尾大輔**（1970～）◉映画学・カリフォルニア大学サンディエゴ校教授。著書に『影の美学—日本映画と照明』『映画はネコである—はじめてのシネマ・スタディーズ』など。

な女子学生や、学会参加の研究者など30人位が集まってくれた。この時の女子学生たちの反応が驚きだった。スクリーンに痴漢やストーカーが現れると「キャーッ！」という叫び声があがる。セックスシーンになると両手を握りしめ、息を殺して観つめている。レイプされかかった主人公が反撃すると「ワオーッ！」という歓声と共に拍手が起こる。コミカルな場面になると大きな笑い声が湧く。私の顔にも笑みが浮かんだ。こんな風に観てもらえること、受け止めてもらえることが楽しかった。

映画は上映される場所と観客によって変化する。パリの「性愛映画祭」に選ばれたことと、この学会での体験が、私に『BODY TROUBLE』をもっと積極的に上映していこうと思わせてくれた。

# 11章

# 転機

■弟の死

2014年4月1日、たった一人の肉親だった弟が死んだ。『BODY TROUBLE』の編集の真っ最中だった。2日が通夜、3日が葬式となり、私は仕上げのスケジュールを先送りして静岡に戻った。

弟の病を知ったのは2012年8月27日、『喪服令嬢・いたぶり淫夢』(オーピー映画)のダビングの日だった。大腸がんで静岡市立病院に入院したという。驚いた私は、翌日、弟を見舞った。弟は4人部屋の入口側のベッドにいた。私の顔を見るなり、「姉貴、頼むな」と言った。弟と面と向かって会うのは母の死以来だったかもしれない。母の死から23年が経っていた。

弟は若い頃から母に心配ばかりかけていた。仕事が定まらず、あちこちの街をフラフラしていた。母が弟のサラ金の取り立てに追われたこともあった。母に泣かれて、私が経営していたスナックで働かせたこともあった。スナックの客には人気者だったが、ある朝、売り上げの入った小さな金庫ごと行方をくらませてしまった。

弟は、子供の頃から気が小さくて、人が良すぎた。「ねえちゃん、ねえちゃん」と私の後ばかりついて歩いた。いじめられて泣いて帰ってくるたびに、私がいじめっ子を追いかけまわしてやっつけた。大人になって弟と会う機会も少なくなったが、たった一人の弟だった。

9月5日が手術日だった。手術は8時間にも及んだ。術後の説明で、原発癌は切除したが、肝臓に転移していて「ステージ4」だった。「こんなになるまで気がつかなかったんですか?」と担当医に責められたが、私は弟をこそ責めたかった。何故、こんなになるまで頼ってこなかったのだ。

9月21日に退院し、9月28日から通院での抗がん剤治療が始まった。10月31日に再入院、担当医から、年を越せないかも知れない、と告げられたが、弟本人も覚悟しているようだった。

弟は入退院を繰り返しながら、何とか年を越したが、1月になったある日、突然生活保護を受けたいと言いだした。弟は実家に住んでいたが、実家は私の名義だった。母が生きていた頃、弟の借金を返すために私が実家を買い取って、それを返済に充てていた。だが、無家賃で住む家がある場合、生活保護の対象にはならないという。「姉貴にこの家から追い出されたことにしてほしい」と言われたが、私は東京住まいだし、弟を追い出す理由がない。どうして生活保護を受けたいのか聞くと、「死ぬまでの時間を誰にも迷惑をかけず、ひとりになって自由に生きたい」と言う。私には、その気持ちが痛い程分かった。私も命の期限が切られたら、ひとりで生きることを望むだろう。たとえ肉親でも、家族でも、ひとつ屋根の下で気遣ったり、気遣われたりしながらの生活は、自由とはいえない。

「俺、いつ死んでもいいんだ。だから、それまで好きにさせてくれないかな」

弟は末期癌で働くことが出来ない。資産もなく、家を出ればホームレスだ。生活保護の受給資格は十分すぎるほどある。私は弟の最後の望みをかなえてやりたいと思った。

弟は生活保護を申請した。すぐさま市の福祉事務所から私に電話があった。

「お姉さん、扶養義務者から扶養が受けられる場合は、そちらを優先することになっています。お姉さんは扶養義務者ですよ」と頭ごなしの説得だった。私は、〝お姉さん〟という呼ばれ方に腹が立った。何故、見知らぬ他人から〝お姉さん〟と呼ばれなければならないのだ。

「私にも事情がありますから、弟の扶養は出来ません」と突っぱねたが、福祉事務所の担当者は引き下がらなかった。

「お姉さん、血を分けた弟さんですよね。しかも、ご病気だというじゃないですか。家から追い出すなんて、あなた、血も涙もないんですか？」

カチンときた。うっせーよ！　ふざけたご託ならべてんじゃねえ！　と怒鳴りたいのをぐっとこらえた途端に、「その家ですけど、リフォームするんですよ。弟には出ていってもらいます」と口走っていた。電話の相手は、「お姉さん、どんな事情があるか知りませんが、弟さんとの縁は切れませんよ。血がつながっているんですからね」と捨て台詞を残して電話を切った。

血、血、血？　血ってなんだよっ！　ふざけるなっ！　私は血縁なんて言葉が大嫌いなんだよっ！

私は、実家のリフォームを決意した。すでに30年近くが経過して劣化も目立っていた。母が死ぬまで暮らした家だ。私が引き継いで残そう。2011年からはピンク映画の制作も年間2〜3本になり、東京で旦々舎兼スタジオを維持するための経費も負担になっていた。

4月からリフォームが始まり、弟は生活保護受給者として福祉事務所指定のマンションに移った。家賃4万円は月々の保護費から引かれるというその部屋は、古びてはいるが日当たりのよさそうなワンルームだった。建物にエレベータがついていたことに私は安堵した。抗がん剤の治療の後、階段を昇り降りするのはつらいだろう。

ベッドと、趣味で集めたLPレコードとプレイヤーだけ、という殺風景な部屋だったが、弟は幸せそうだった。死んでいく人を幸せそう、というのも変だが、私には何か生き生きとして見えた。10日に1度、自転車で通院し、抗がん剤の点滴の後は好きなパチンコを楽しんでいた。

春が過ぎ、夏が来て、秋になっても弟は持ちこたえた。1年前、主治医に弟の命は「週単位」と言われたことが嘘のようだった。私が見舞いに行った帰り際、バス停まで見送ってくれるのが常だった。遠くにバスが見えると、そっと私に手のひらを差し出した。私は黙ってその手に1万円札を握らせた。「悪いな、姉貴」、弟はいつもそう言った。こんなことがいつまでも続けばいいのに、と私は心底思った。だが、弟は死ぬ。そのことの覚悟が鈍りそうになっていた。

11月にリフォームが完成した。私は12月末に東京を引き払い、静岡に移った。東京の拠点としてホテル代わりの部屋を借り、行ったり来たりの生活が始まった。

2014年になって『BODY TROUBLE』の準備が始まり、私はほとんど静岡に帰れなくなった。2月になって、弟の主治医から病状の説明をしたい、という連絡があった。私は日帰りで静岡に戻り、弟と共に説明を受けたが、腹水が溜まり始めているという。ギョッとした。主治医の「通院で腹水を抜きながら様子を見ましょう」という言葉の裏には、もう打つ手はなにもない、というニュアンスが感じ取れた。

別れ際、弟は「姉貴、そういうことだよ、じゃあな」と言って手を振った。「そういうことって何だよ?」と返したが、私も弟も腹水が溜まり始めたら死が近づいていることがわかっていた。主治医には、今日明日何があっても不思議ではない、と言われたが、私は3月に『BODY TROUBLE』の撮影を控えていた。「3月いっぱいは忙しいからね、頑張ってよ」と私は冗談めかして弟に告げた。

怒涛の3月だった。Ｒ15版とＲ18版の打ち合わせ、衣裳あわせ、カット割り、私は16日のクランクインまで一度も静岡に帰ることが出来ず、22日にアップしてからも編集に追われていた。弟のことは心配だったが、病院からは特に連絡もなく、病状は安定しているのだろうと思っていた。弟は、3月いっぱいは頑張れ、という私の言いつけを守ったのだろうか。3月31日の朝、弟から電話があった。1週間前から入院しているという。「なんで早く言わないんだよ！」と責める私に、「だって姉貴、今月忙しかったんだろ」と言った弟の声に私は異変を感じた。声がかすれていた。言葉の間からふわっと何かが漏れるようだった。すぐにも帰りたかったが、この日午後4時からオールラッシュがあり、その後には効果の打ち合わせがあった。「明日、朝早く行くからね」という私に、「おう、姉貴、待ってる」と弟は答えた。

日付が変わった、4月1日の午前2時40分、私は病院からの電話で起こされた。電話のベルを聞いた瞬間、私は弟の死を確信した。弟は私を待つことが出来なかったのだ。深夜0時の看護師さんの見回りの時には静かな寝息を立てていたが、2時間後には呼吸が止まっていたという。誰にも知られず、たったひとりで、消えてしまったかのような死は、いかにも弟らしかった。

弟が生活保護を受けてから、ちょうど1年目の死だった。棺の中の弟は、悔いなどないような、幸せそうな顔で眠っていた。

**・WOWOWドキュメンタリー「吠える！」**

２０１４年の10月頃、ＷＯＷＯＷ制作局から「ノンフィクションＷ」というドキュメンタリー番組で私を撮りたい、との申し入れがあった。２００７年にＮＨＫ教育テレビ・ＥＴＶ特集の「愛と生を撮る～女性監督は今～」で私と蜷川実花《にながわみか》、西川美和《にしかわみわ》、河瀬直美《かわせなおみ》、荻上直子《おぎがみなおこ》の５人の女性監督を映画プロデューサーの李鳳宇《りぼんう》氏がインタビューするというテレビ番組に出演したことがあったが、単独での出演依頼は初めてだった。

ＥＴＶ特集では私のキャリアとしてピンク映画にも触れていたが、インタビューはそれぞれの監督の作品とテーマについてであり、私の場合は『百合祭』だった。「10年前には年間数本しかなかった女性映画監督作品が一気に25本と増えた背景には何があるのか?」を探ろうとする森信潤子《もりのぶじゅんこ》ディレクターの取材は綿密で、仙台市シルバーセンターで9月26日から2日間、計8回上映した仙台リビング新聞社と仙台市健康福祉事業団共催の『百合祭』上映会にもカメラが入り、観客の感想などもきちんと拾ってくれていた。

李鳳宇氏のインタビューに答えた「ババアが元気にセックスしながら生きていく」発言もカットされるかと思っていたが、そのまま放映され、NHK教育テレビにしては画期的な扱いだったと思う。ただ、ピンク映画の女性監督として語ることが出来なかったのが残念だった。

WOWOWの石川剛ディレクターは、ピンク映画の現場ロケをメインに据えて、「女性監督が撮る性」をテーマにした番組にしたいという。かつて深作欣二監督が私のドキュメンタリー映画を企画して、具体化せずに立ち消えになったことがあった。あの時、深作監督は「女」の「ピンク映画監督」に興味を持ってくれたのだ。99年頃、ピンク映画の私の現場に来たり、静岡市での『第七官界彷徨—尾崎翠を探して』の上映に来てくれたりした。制作会社にも連れて行かれたが、実現はしなかった。

ピンク映画界も衰退に向かっている。私のピンク映画監督としての時間は残り少ないだろう。それを記録することは私の人生にとって最後のチャンスになるのではないか。私はWOWOWの申し出を承知した。

まずは、ピンクの現場を仕込まなければならない。私は『BODY TROUBLE』で組んだエクセスの稲山悌二氏に相談した。エクセスとしても年間1~2本の制作本数の中で旦々舎に続けて発注することは難しいだろうと思ったが、ちょうど宙に浮いている企画があるという。ジャズシンガーの真梨邑《まりむら》ケイ主演で企画が始まったが、真梨邑さんサイドから脚本にOKが出ず、監督が降りてしまったのだ。真梨邑ケイといえば私でも知っている有名なジャズシンガーだ。WOWOWのドキュメンタリーで取り上げるピンク映画の主役として申し分はない。ヌード写真集を出したり、アダルトビデオやVシネマで濡れ場も演じているという。2001年には『マーメイド~海から来た少女~』という映画で脚本・監督もしている。

私は真梨邑さんと会った。年齢を感じさせない色艶とプロポーションで、主役として十分な魅力を備えていた。

何より華やかなオーラを感じさせた。真梨邑さんが出演してくれるなら今までとは一味違うピンク映画ができるのではないか。私は真梨邑さんの魅力を最大限に引き出す脚本を作ると約束し、真梨邑さんも『百合祭』を観て、監督としての私を信頼してくれたようだった。

山﨑が出してきたシノプシスは、詐欺師とジャズシンガーという両極端な人生をパラレルワールドで生きる女性を主人公にしたストーリーだった。パラレルワールドというアイディアは1987年の『ジュリア ジュリア』(ピーター・デル・モンテ監督)というマイナーなイタリア映画をモチーフにしていた。現実に有名歌手とアダルト女優という2つの顔を持つ真梨邑さんにはぴったりだった。

2015年4月、真梨邑ケイ主演の脚本『アザーサイド～もう一人の私～』はピンク映画として手応えのあるものに仕上がり、いよいよ5月11日クランクインに向けての準備が始まった。ロケハン、ポスター撮り、4日間の撮影現場、その全てにWOWOWのカメラは密着した。現場で男のスタッフを怒鳴り散らす私を改めて映像で観せられると、そのパワハラぶりに「あちゃー」と思うが、これが紛れもない浜野組なのだ。

スチル写真より。パラレルワールドの美人シンガーを演じる真梨邑ケイさん。

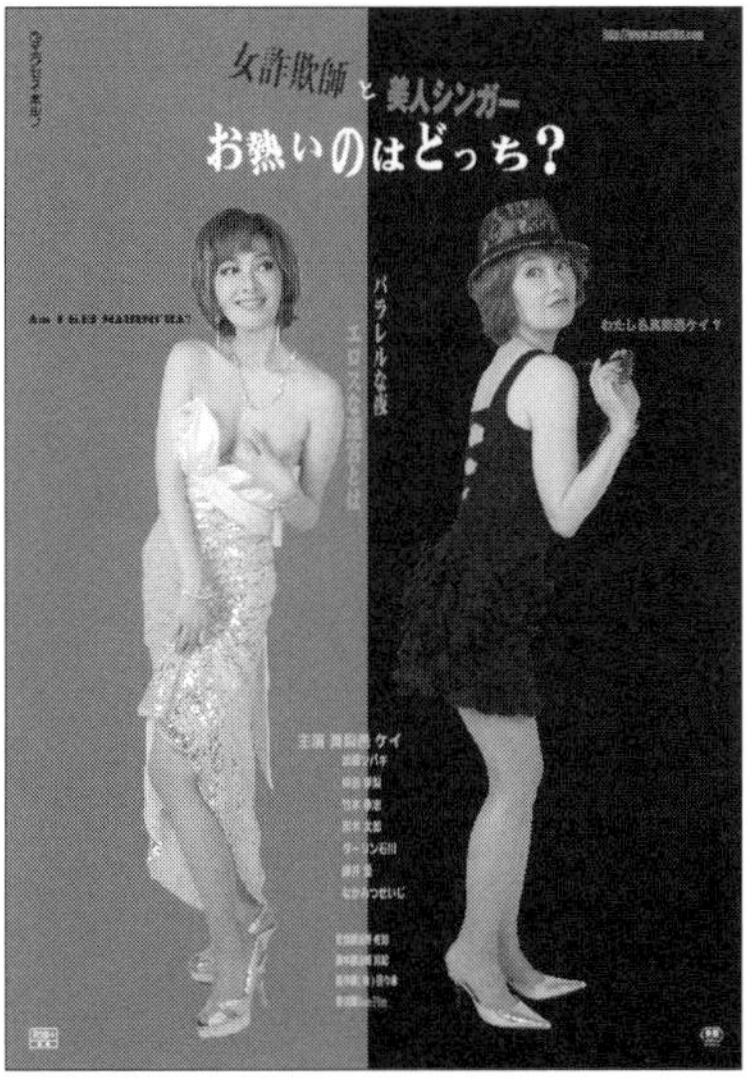


『女詐欺師と美人シンガー　お熱いのはどっち?』ポスター。

6月、公開タイトル『女詐欺師と美人シンガー お熱いのはどっち?』(エクセス配給)は完成した。真梨邑さんのセックスシーンは大胆だった。真梨邑さんの裸体から妖艶さが匂い立つようだった。クランクイン前に、横浜のライブハウスで歌う真梨邑さんの映像を撮らせてもらったが、圧倒的な歌唱力だった。なぜ、これほどのジャズシンガーが、アダルトビデオやピンク映画に出演するのか不思議だった。初号試写後の打ち上げで、お酒の勢いもあって尋ねてみた。真梨邑さんは怪訝そうな顔をして、「歌うことも演じることも私にとっては一緒」と答えた。アーティストとしての表現に上下はない。真梨邑さんはそう言っている。私も映画の世界で同じことを呼号してきた。私は自分の質問を心から恥じた。

石川剛ディレクターの取材はピンク映画だけにとどまらなかった。番組中で誰と対談したいかを問われ、私は安藤桃子《あんどうももこ》★監督の名をあげた。安藤監督との出会いは2009年にロンドンで開催された第17回レインダンス国際映画祭だった。この映画祭は、世界のインディペンデント系の若手・新進監督の登竜門的な映画祭として知られていたが、私は『百合祭』で招待を受けた。キャ

『吠える! 映画監督 浜野佐知~私がピンクを撮る理由~』のタイトル部分。「暴走女子と行く! ピンクツアー」がバックとなっている。

リア的には場違いなのだろうが、映画祭コーディネーターのジャスパー・シャープ★氏が日本映画、特にピンク映画の研究者ということもあったのだろう。

安藤桃子監督はデビュー作『カケラ』で参加していた。レズビアンの恋と葛藤を描いた映画だったが、女のセックスや生理、排泄までも真正面から描いている。乳癌などで欠損した肉体を補うパーツの製作者であるヒロインが、すっぴんで怒鳴り合う。こんなヒロインは女性監督にしか撮れない。26歳の女性監督とは思えないほど骨太の作品だった。

誰に媚びることなく、女の本音に迫る女性監督が出現したのだ。ロンドン大学芸術学部を卒業し、その後ニューヨーク大学で映画を学んだ安藤桃子監督と私は、例えるならばサラブレッドと野良犬だろう。来た道も行く道も大きく違う。

だが、WOWOWの対談は楽しかった。私は世代も環境も超えて、同じ意志と矜持を持つ友を得た思いだった。

WOWOWのドキュメンタリーは、私の映画人としての歴史も追った。映画と出会った静岡のシネマストリート、ピンク映画監督への出発点となった若松プロ（原宿セントラルアパート跡）、「暴走女子と行く！　ピンクツアー」、『第七官界彷徨―尾崎翠を探して』をきっかけとして生まれた鳥取の尾崎翠フォーラムにもカメラは密着した。私はカメラに自分を晒す覚悟を決めていた。私にとっても自分自身の来た道を振り返る初めての機会だった。

7月18日、WOWOWノンフィクションW「吠える！映画監督 浜野佐知～私がピンクを撮る理由～」が放映された。案内役としてのナレーションは吉行和子さんが担当してくれた。さすがにピンク映画の現場で怒鳴り散らしている私を見られるのは恥ずかしかったが、吉行さんのあの独特の声が、ピンク映画監督としての私をも応援してくれている。

番組のラストカットは、尾崎翠の生地、鳥取県岩美町の浦富海岸に佇む私の後姿だった。その私の背に、吉行さんが「さあ、浜野監督、次は何を撮りますか？」と

**安藤桃子**（1982～）◉映画監督・作家。2010年『カケラ』で監督デビュー。自作の小説「0・5ミリ」を2014年映画化。

**ジャスパー・シャープ**◉ロンドン在住の映画史家・日本映画研究者。著書に『Behind the pink curtain』。粘菌研究者でもある。

問いかけて終わる。私は背中を叩かれたようだった。そうだ、立ち止まってはいけない。撮り続けるのだ。私は映画監督なのだから。

### ・尾崎翠生誕１２０年記念イベント「尾崎翠と、追憶の美し国へ」

２０１６年10月、鳥取県岩美町で「尾崎翠と、追憶の美《うま》し国へ」と名付けられた尾崎翠生誕１２０年記念イベントが開催された。２００１年から毎年開催されていた「尾崎翠フォーラムin鳥取」が前年に15年の歴史を閉じていた。『第七官界彷徨―尾崎翠を探して』のシナリオ・ハンティングで初めて岩美の地を踏んでから19年がたった。ちょうど町長選の真っ最中で、初当選した榎本武利町長は映画の撮影に大きな協力をしてくれた。その後も尾崎翠がらみで何度もお会いしたが、翌17年には5期20年で退職されるという。

２本の尾崎翠映画と東京近代文学館で開催したシンポジウム「尾崎翠の新世紀」（２００９年）で併走してくれた鳥取県庁の文化振興課の方々も定年になったり、部署が代わったりしていた。『第七官界彷徨―尾崎翠を探して』の撮影時には、県内の多くの人が知らなかった尾崎翠の名前も今ではスタンダードになっている。これからは鳥取から尾崎翠が発信される機会は少なくなるかも知れない。２０１６年は尾崎翠生誕１２０年だ。この記念イベントを岩美町と組んでやることは出来ないだろうか。

３月初旬、私は生誕１２０年記念イベントの企画を持って岩美町役場に榎本武利町長を訪ねた。映画のロケ以来ずっと交友のある同町の川上寿朗氏（元岩美町役

「尾崎翠と、追憶の美し国へ」チラシ。

場観光国際課長）も後押ししてくれ、岩美町委託事業として取り組むことが出来ることになった。

まずは岩美町にとってのメリットも考えなくてはならない。私は「尾崎翠・追憶ツアー」として全国から参加者を募集することにした。1泊2日のツアーにどれだけの人が岩美町まで来てくれるのか不安の声もあったが、私には自信があった。尾崎翠の読者は全国に存在する。生地岩美町を訪れたいと思うファンは少なくないはずだ。東京の支援する会のメンバーは真っ先に手を挙げてくれたが、友人以外にも関東、関西、中国、四国、九州などからの申し込みが相次いだ。募集開始から1週間後、受け入れ側の都合もあり、40人で締め切らざるを得ない事態となった。

10月1日、会場の岩美町中央公民館には、『第七官界彷徨―尾崎翠を探して』のロケでお世話になった方々など200人以上が集まってくれた。会場入り口には尾崎翠の関連書籍や、懐かしいロケの写真なども展示されていた。

メインの講演は作家の村田喜代子《むらたきよこ》★さんにお願いした。村田さんとは1999年に福岡県女性総合センター（現・福岡県男女共同参画センター。あすばる）で『第七官界彷徨―尾崎翠を探して』が上映された際に、久留米大学の狩野啓子教授の司会で対談したことがあった。岩美町での講演を打診したところ、二つ返事でOKしてくれ、北九州から駆けつけてくれたのだ。

榎本武利町長の挨拶に続いて村田喜代子さんの「筋骨と花束」と題した講演が始まった。「美しい花束を差し出す尾崎翠の手に、力強い筋骨を見出す」と語る村田さんは、講演の最後に「死の迫ったとき翠は、〝このまま死ぬのなら、むごいものだねえ〟と言ったということが定説になっていますが、これは聞き間違えではないかと思います。逆ではなかったでしょうか。〝このまま生きるならむごいもの〟、〝だからもうここで死んでもいい〟と枕辺の人たちに言うほうが自然です。尾崎翠ほどの腹の太い女性が、死ぬのはむごいと、そんな未練なことは言わないでしょう」と言ってくれた。私が映画で描き、ずっと主張してきたことを村田さんも同様に感じてい

**村田喜代子**（1945〜）◉作家。1987年「鍋の中」で芥川賞。黒澤明が『八月の狂詩曲』として映画化。最近作として『飛族』『姉の島』など。

たのだ。私は長年心に引っかかっていた棘がやっと取れたような思いだった。

続いてのプログラムは、私と吉行和子さんの対談だった。18年前、この岩美町で撮った吉行和子さんのファーストカットから『第七官界彷徨―尾崎翠を探して』のロケが始まった。私と吉行さんを結んでくれたのは尾崎翠だ。私は吉行さんをゲストに招いて、この地で尾崎翠について語り合いたかった。吉行さんもこのオファーを喜んでくれた。尾崎翠と吉行理恵さんのこと、ロケ現場でのエピソードなど話が弾んだ。吉行さんは松下文子役の演技プランで「翠が好き、何とか翠の力になりたいっていう気持ちだけでやりましたね。こんな気持ちのいいことって、そうそうないですけど」と言ってくれた。尾崎翠の死の床で松下文子が静かに流す一筋の涙は今でも私の心に焼き付いている。

翠役の白石加代子さんは、早稲田小劇場のトップ女優だった。新劇で15年活動した吉行さんがフリーとなり、まるで流儀の違う小劇場の舞台で「私はここで新しくやっていくんだ」と決心させてくれたのが白石さんだった。「だから余計に、尾崎翠である白石さんに対しての気持

尾崎翠の「筋骨と花束」を語る村田喜代子さん。

ちがプラスされたかも知れませんね」と吉行さんは言う。私はそんなことは何も知らずにキャスティングした。白石加代子でなければ尾崎翠は演じられなかった。松下文子が吉行和子でなければ、翠と文子の友情を超えた信頼と愛はスクリーンに刻めなかった。まるで運命に導かれたような最高のキャスティングだったのだ。

対談の後『第七官界彷徨—尾崎翠を探して』が上映された。上映中、客席からは18年前の自分や知り合いの顔を目にするたびに、小さなどよめきの声が上がった。尾崎翠の実人生パートは岩美町で撮影され、多くの町民の皆さんがエキストラで参加してくれた。尾崎翠と高橋丈雄の別れの駅頭のシーンでは、バス2台を仕立て、岩美町から福知山の加悦SL広場まで遠出をし、帰ってきた時には夜が明けていた。劇中で尾崎翠が踏む昭和初期の足踏みミシンや火鉢なども、町内で調達してくれた。この映画は、岩美町の皆さんが大きな力になっている。

翌日は奇跡のような晴天に恵まれ、ツアー参加者は2台のバスで翠ゆかりの地や尾崎翠資料館を巡り、浦富海岸遊覧船で締めくくった。

吉行和子さんに理恵さんや白石加代子さんについて聞く。

尾崎翠フォーラム15年間の成果である講演録や論文、新しく発見された資料などをまとめた『尾崎翠を読む』（今井書店刊）全3冊もツアー参加者にプレゼントされた。

充実した2日間だったと思う。この尾崎翠生誕120年記念イベント「尾崎翠と、追憶の美し国へ」が尾崎翠に対して出来る私の最後の仕事になるだろう。だが、悔いはない。私は尾崎翠に対して私が持てる力の全てを出し切り、私もまた、尾崎翠の力でここまで来た。これまで私と尾崎翠に関わってくれた全ての人々に感謝します。

# 12章

# 『雪子さんの足音』

### ■マルメ国際女性映画祭

私には心に刻まれた映画祭がある。２００９年４月にスウェーデン第三の都市、マルメで開催された第4回マルメ国際女性映画祭だ。私がこの映画祭に参加することになったきっかけは、フランスのクレテイユ国際女性映画祭のプログラマー、キアラ・ダコさんがコンペティションの審査員として参加していて、『百合祭』を強く推薦してくれたからだった。映画祭、特に女性映画祭は毎回テーマを決めて開催されることが多いが、この年のテーマは、「高齢女性は、何故スクリーンに描かれないのか？」だった。このテーマについて、映画祭ディレクターのヒルデ・セランディアさんは、「世界中の映画を観ても年を取った女性は、主役やアクティブな役では登場しない。50歳以上の女性の経験や考えは映画の中では重要とされていない。私はこの映画祭で高齢になった女性の知恵、才知、力、美しさ、セクシュアリティを扱った映画を探して観せることで、この重要な問題を話し合うことをスタートさせたかったのです」と語った。まさに『百合祭』はテーマにぴったりの作品だったのだ。

私は映画祭初日にマルメ入りをし、南スウェーデンで

左が映画祭ディレクターのヒルデさん。

第4回マルメ国際女性映画祭
パンフレット。

もっとも発行部数が多いという新聞「SYDSVENSKAN」の取材を受けた。記者は有名な女性ジャーナリストだというが、『百合祭』を事前に観たうえでの熱心なインタビューだった。性に解放的といわれるスウェーデンでも高齢者の性愛は難しいテーマだと言っていたが、翌日の新聞には私の写真と「日本のタブーに映画で挑戦している」という記事が大きく掲載されていた。

映画祭会場は、マルメの市庁舎前広場に面した映画館「Spegeln」。3スクリーンを借り切って、映画やディスカッション、ワークショップなどが行われたが、受付前の円柱に大きくコピーした新聞記事が張り出され、朝9時からの上映にもかかわらず、大勢の人たちが観に来てくれた。新聞の威力が大きかったのだろう。

午後は映画祭のテーマでシンポジウムが行われた。冒頭ヒルデさんが「映画というものはまずアイデンティファイ★がポイントです。でもそういう映画は少ない。問題はスウェーデンだけではなく、世界中の男女不平等です。男性が創った映画、男優が主役の映画は〝普通の映画〟と思われ、女性が作った映画、女優が主役の映画は〝女性映画〟だと思われている。私はこの女性映画祭を続

会場入り口の柱に新聞記事が拡大コピーで貼り出された。

アイデンティファイ◉（映画を観て）自己と同一視する、なり切る、一体感を抱く。

けることで、そして、女性がテーマの映画を紹介することで、この不平等を無くしたいのです」と語った。

私もルンド大学で学ぶ生田亜希子さんの通訳で参加したが、プロデューサー、脚本家、監督などの男性映画人と女性映画人が真っ向から激しい議論を戦わせた。この映画祭は2006年に生まれた新しい女性映画祭だ。1979年に世界初の女性映画祭としてクレテイユ国際女性映画祭が誕生してから30年が経ってなお、映画界における女性の扱われ方は変わっていない。ヒルデさんの言葉が胸に突き刺さるようだった。

映画祭の最終日にはクロージング作品としてポーランド映画の『木洩れ日の家で』（2007年　ドロタ・ケンジエルザヴスカ監督）が上映された。撮影当時91歳のポーランドの大女優、ダマタ・シャフラルスカが主演したモノクロームの光と影が美しい映画だった。ヒルデさんの言う「高齢女性の知恵、才知、力、美しさ」は充分に描かれているが、セクシュアリティには全く触れられていなかった。私だったら91歳の欲情を描いただろう。そうだ、『百合祭』を更に超えた高齢女性の欲望を撮ろう。これこそ世界中で私にしか撮れないテーマではないか。そして、必ずこの映画祭に戻ってこよう。私は密かにそう決意した。

### ・とんでもないバーサン

2017年、マルメ国際女性映画祭から8年が過ぎていた。私はこの間、『百合子、ダスヴィダーニヤ』と『BODY TROUBLE』を撮ったが、マルメでの決意を実現させるには至っていなかった。

5月に入った頃、菜葉菜さんの事務所の社長で映画プロデューサーでもある浅野博孝氏から連絡があり、久しぶりに会いましょうということになった。浅野さんは『百合子、ダスヴィダーニヤ』で出会ってから、何事につけても相談したり、頼ったりできる存在だった。学芸大駅近くの居酒屋で浅野さん、菜葉菜さん、吉行和子さんのマネージャーの岩間舞さん、山﨑と私の5人で会ったが、この時に岩間さんに届いた吉行さんからの1本のメールがすべての始まりだった。

「とんでもないバーサンが演りたいって、浜野監督に伝えてね」

今、浜野監督と飲んでいます、という岩間さんのメールへの返信だったが、それを見た瞬間、私は直球で吉行さんの心を受け取ったような気がした。吉行さんの望む「とんでもないバーサン」とは、今あるバーサン像を打ち壊すことではないのか？　もし、１００歳になっても枯れることのない女の欲望を吉行さんに演じてもらえたら、それこそがマルメでの決意にふさわしい映画になるのではないか？

　私と山崎は企画を探し始めた。だが、吉行さんが望む「とんでもないバーサン」の具現化が難しかった。吉行さんのイメージに合っていて、底流にエロスを感じさせるもの。吉行さん主演で映画を作ろう、と決意はしたが、具体化しないまま2カ月が過ぎた頃、木村紅美さんが新作を文芸誌『群像』に発表した。紅美さんは、２００９年のシンポジウム「尾崎翠の新世紀」のパネラーであり、２０１６年の尾崎翠生誕１２０年記念イベント「尾崎翠と、追憶の美し国へ」にも参加してくれている。私は紅美さんが描く人間の根源的な孤独感に惹かれていた。

　紅美さんの新作「雪子さんの足音」は、公務員の湯佐薫(40歳)が20年前に下宿していたアパート・月光荘の

雪子さんの足音
木村紅美
「優しさと欲望が入れ替わってくる。
ちょっと怖いですね。
でもクセになる小説です。」
尾崎世界観
第158回
芥川賞候補作
大学時代の大家・雪子さんの孤独死の記事に、
20年前の記憶がよみがえる……。
講談社

原作の『雪子さんの足音』(木村紅美。講談社刊)。

大家、川島雪子(90歳)が熱中症で孤独死したことを新聞記事で知るところから始まる。大学3年の夏、大家の雪子さんと間借り人の小野田さんのふたりの女性の過剰な好意と親切に窒息しそうになった日々。雪子さんの内奥に秘めた欲望とエネルギーに触れ、底知れない恐怖を覚えて逃げ出してしまった。そして、20年後の今、再び月光荘を訪れる薫の回想で物語は進行していく。

私は一読して、いけるかも知れないと思った。上品で教養があって、優しくて親切で、でも何を望んでいるのかわからない雪子さん。70歳を超えてなお、欲望を心の奥底に持つ雪子さん。この雪子さんの謎と欲望を吉行さんが演じたら、これはとんでもないバーサンが生まれるのではないか。

私は「雪子さんの足音」の映画化を決意し、木村紅美さんに了承を得たが、この作品には原型となる「たそがれ刻はにぎやかに」(2009年・文藝春秋刊『月食の日』所収)という小説があることを知らされた。こちらの主人公・くららさんは洋風アパートでひとり暮らしをしているモダンな老女だ。雪子さんが大家の月光荘は2階建ての古びた安アパートで、吉行さんには似合わなかったが、この洋風アパートならぴったりではないか。さらにくららさんが、誰ともわからない、輪郭だけがうっすら見える透明人間に爪を切ってもらう幻想の場面があった。死期の近い孤独な老女の足の爪を切る、輪郭だけの男。そこにはゾクリとするようなエロスがあった。山崎から雪子さんとくららさんを合体させ、輪郭だけの人間をプロローグとエピローグに登場させて、薫とダブらせるという提案があった。撮影部もCGで後処理をすれば可能だという。だが、この判断が後々どんな困難を生むか、この時は思ってもみなかった。

2017年末には「雪子さんの足音」が芥川賞候補にノミネートされるというニュースが飛び込んできた。翌2018年の1月16日が選考会で、私と山﨑は「待ち会」に参加した。候補となった作家が、それぞれ担当編集者、友人などと一緒に集まって発表を待つ。紅美さんの携帯が鳴る度に場がドキリとする。結果は残念だったが、紅美さんは受賞した時のために仮インタビューも受けたと言っていた。文学の世界ではこんな残酷なことが行われているのだと驚いたが、同時に怒りも湧いてきた。作家に対して失礼すぎるではないか。芥川賞がなんぼのもんじゃい！　と心で毒づいた途端に、私は「受賞作品よりも早く、私が雪子さんを映画化する！」と宣言していた。

私は再び資金集めに奔走した。幸いなことに日本芸術文化振興会の「平成30年度文化庁文化芸術振興費補助金（映画創造活動支援事業）」を受けることができた。

### ・キャスティング

キャスティングは順調に進んだ。雪子さんに吉行和子さん、小野田さんに菜葉菜さん、湯佐薫に寛一郎くん、ほぼ3人の話だ。寛一郎くんとは初顔合わせだったが、祖父に三國連太郎、父に佐藤浩市を持つ期待の新人だ。無口でぶっきらぼうなところはあったが、澄んだ目が印象的だった。私は、アップを多用して3人の眼の中に潜むものを抉り出したいと考えていた。その演出プランに寛一郎くんの眼差しはぴったりだった。

菜葉菜さんには、役者というより菜葉菜さんその人への信頼があった。原作の小野田さんは、自己肯定感の低い、コンプレックスの塊のような女性で、体格のいい不美人という設定だった。菜葉菜さんでは美しすぎるのでは？　という懸念の声もあったが、私は意に介さなかった。役作りは菜葉菜さんに任せよう。どんな小野田さんを作ってくるか、私は楽しみだった。

雪子さんの友人の喫茶店店主に大方斐紗子さん、雪子さんの息子に野村万蔵さん、薫の同僚に宝井誠明くん、と今までの浜野映画の出演者も揃った。更に、佐藤浩市さんの友情出演が決まった。吉行和子さんと同じ事務所で、吉行さんをリスペクトして出演したいという申し出だった。ありがたかったが、本当のところは寛一郎くんを心配しての親心だったのではないかと、私は密かに思っている。

### ・旧エンバーソン住宅

私は映画『雪子さんの足音』をオール静岡ロケで撮ると決めていた。２０１1年の『百合子、ダスヴィダーニヤ』を静岡全県で撮ったことから、フィルムコミッションとの繋がりがあった。『百合子、ダスヴィダーニヤ』のような時代ものとは違ってメインの月光荘を見つければ、後はなんとかなると踏んでいた。ただ、月光荘は吉行さんが雰囲気にあった建物でなければならない。吉行さんが佇んで画《え》になる建物。私は、静岡県内に現存する洋風の近代建築を探したが、「たそがれ刻はにぎやかに」の洋風アパートに見合うものは少なかった。さらに雪子さんの起居する1階と、薫や小野田さんの住む2階をつなぐ階段も必要だ。階段を登ってくる雪子さんの足音が重要なモチーフなのだ。

2018年の正月、動物が好きな私は、静岡市内の日本平動物園に出かけていった。駐車場が満杯だったことから、動物園の入り口から一番離れた場所に停めざるを得なかったが、そのそばにひっそりと旧エンバーソン住宅が建っていた。木造2階建ての洋風建築で、内部にはクラシックな欄干がついたりっぱな階段があった。この階段を昇る雪子さんを想像しただけでゾクゾクするほど、吉行さんがまとう雰囲気にはピッタリだった。

旧エンバーソン住宅は、カナダからキリスト教伝道のために派遣されたロバート・エンバーソン師の自邸として1904年(明治37年)に建てられ、静岡市の指定有形文化財になっていた。私は静岡市役所のシティプロモーション課に撮影を打診した。シティプロモーション課はフィルムコミッションの役割も兼務していて協力を約束して

旧エンバーソン住宅。1904年に静岡市中心部に建てられ、1985年に現在地に移築保存。

くれたが、文化財課が渋っているという。撮影隊は荒っぽい。ロケなどに貸して壊されたら取り返しがつかない。もっともな懸念だった。だが、『百合子、ダスヴィダーニヤ』で国登録有形文化財・旧マッケンジー住宅を撮影に使用させていただいた経緯もあり、また、シティプロモーション課の説得もあってついに撮影許可が下りた。物語の陰の主役は月光荘だ。これで『雪子さんの足音』の輪郭が決まった。

私は旧エンバーソン住宅を中心に、全てを静岡市内で撮影することを決めた。シティプロモーション課の尽力で、静岡鉄道、常葉大学、静岡中央郵便局、と次々にロケ場所が決まって行った。調理製菓専門学校・鈴木学園の生徒さんたちは、班を組んで劇中の料理を担当してくれた。静岡デザイン専門学校の生徒さんは、美術やヘアメイクのアシストで協力してくれた。静岡市を挙げての協力体制が組まれたのだ。

### ■撮影現場

２０１８年6月、『雪子さんの足音』はクランクインした。デジタル撮りは4年前の『ＢＯＤＹ ＴＲＯＵＢＬＥ』で経験していたが、ピンク映画との相乗りで、スタッフは「浜野組」のチームだった。フィルム撮りの緊張感もまだ色濃く残っていた。ＮＧを出さないためにテストを重ねた。本テス、本番、と進むころには現場には緊張感が漲っていた。私はその緊張感が好きだった。それこそが映画の現場の醍醐味だった。

その現場がガラリと変わっていた。デジタルは何度でも撮り直しがきく。撮影部も本テスからカメラを回している。何回でも撮って一番いいカットを使えばいい、というのがスタッフの言い分だった。カメラのフレームに映り込むバレものへの神経の使い方も無造作になっていた。後で消せますよ、と言われたが、それでは私はＯＫが出せない。たとえ後処理で修正が出来たとしても、現場で監督が出すＯＫは完璧な芝居や映像に対してでなければならない。私はそう学んできたし、それが監督の仕事であり責任であると思ってきた。映画作りはデジタルになったことで変わった。現場は、編集のための素材を集める場になっていた。

ピンクで長く仕事をしてきた撮影部や照明部もデジタルの現場の流儀となり、演出部は現場をいかにスケジユール通りに進行させるか腐心していた。

だが一方で、思わぬ味方も現れた。それは各パートの女性スタッフたちだった。デジタルの時代になって、かつてのようなつらく長い修業時代は不要になったのだろう。各パートに女性スタッフは急激に増えた。女同士の連帯も生まれた。デジタルの影響はこんなところにも現れていたのだ。

俳優さんたちの芝居は素晴らしかった。吉行さんは、見事にくららさんと合体した雪子さんを演じてくれた。孤独でいて可憐。そして忍び寄り、絡めとるような老女の欲望。吉行さんは紛れもなく「とんでもないバーサン」を演じていた。

菜葉菜さんが作り上げた小野田さんも見事だった。猫背で、上目遣いで、自信のなさそうな小野田さんが、次第に薫に恐怖を与える存在になって行く。菜葉菜さんでなければ、薫に迫っていく小野田さんの心の悲しみを演じ切ることは出来なかっただろう。

寛一郎くんの演技力にも驚かされた。私が一言いうだけで、全てを飲み込んでくれる。デビューして1年もたたないとは思えないほどの勘の良さだった。

スチル写真より。月光荘の前の雪子さん。薫(寛一郎)を見送る。

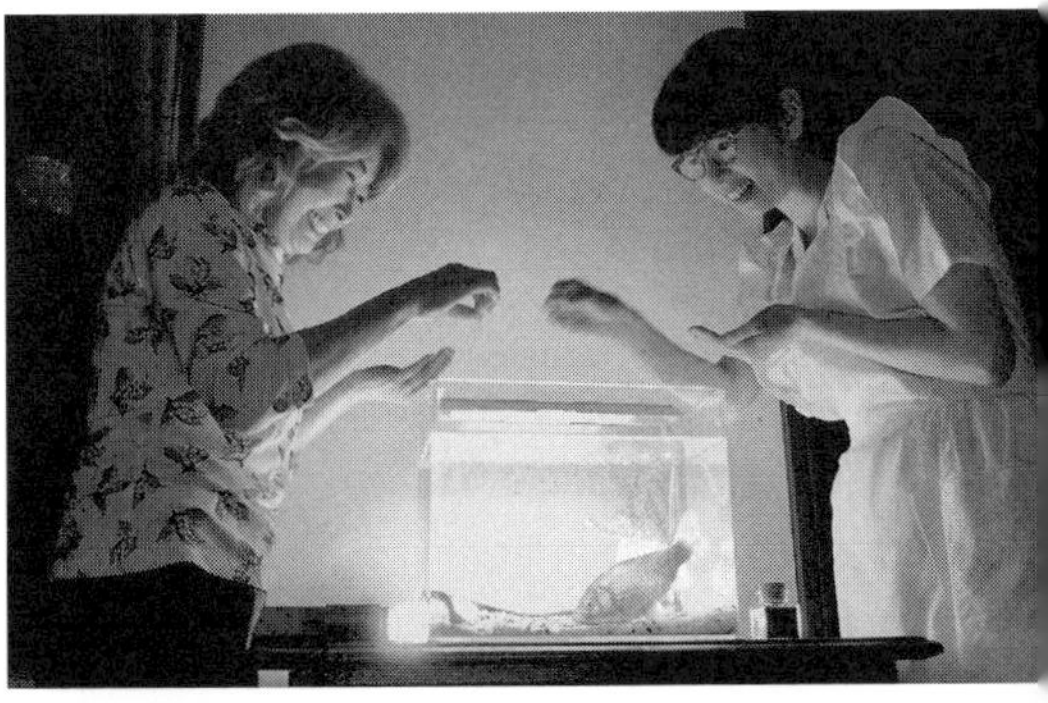

スチル写真より。巨大な金魚に餌をやる雪子さん(吉行和子)と小野田さん(菜葉菜)。

スチル写真より。死の床の雪子さん。

プロローグとエピローグの輪郭だけの人間は、寛一郎くんが演じ、声だけを生かすつもりだった。しかし、私はその芝居を見て、思わず涙ぐんでしまった。この寛一郎くんの表情を輪郭だけにするのはもったいない、と思うほど、雪子さんに対する慈しみが伝わる演技だった。

対する吉行さんは、ベッドに横になったまま、自ら望んで足の爪を切らせる。雪子さんの含羞の表情と短いセリフから、心の奥に秘めたエロティシズムが色濃くあふれ出る。自分の本当の気持ちに気づきかけて月光荘を逃げ出した薫が、20年の歳月を経て雪子さんのもとに戻ってきたのだ。異世界で完結する、もうひとつのラブストーリー。この官能的なシーンで『雪子さんの足音』はクランクアップした。

### ▪ポスプロでの転換

8月に入って編集が始まった。吉行さん、菜葉菜さん、寛一郎くんの演技に見惚れながらの編集は楽しかったが、どうしても輪郭人間がうまくいかなかった。私は撮った映像の処理をCGの専門家に頼んだが、イメージ通りにはならなかった。何度もやり直してもらったが、この

スチル写真より。年月を経て変貌した小野田さん。

素材ではこれが限界、と言われてしまった。満足とは程遠い仕上がりだった。

10月30日『雪子さんの足音』は完成し、日本シネアーツ社の試写室を借りて関係者試写を行った。吉行和子さんを始め俳優陣とその事務所関係の皆さん、スタッフや支援、協力してくれた人たちなどが集まってくれた。デジタルの仕上げは編集もグレーディング★も小さなモニターでの作業であり、大きなスクリーンで映像を観るのは初めてだった。

**グレーディング**◉撮影後に映像の階調や色調を整える画像加工処理。

試写が始まった。プロローグで私は打ちのめされてしまった。輪郭だけの透明人間は、白い靄が固まった、まるでガス人間のようだった。これでは映画とはいえない。何とか救う手立てはあるのか？　私は上映中、そればかりを考えていた。

　翌朝、私はすぐに編集部に連絡し、もう一度撮った映像を確認した。爪を切る寛一郎くんの表情は素晴らしかった。私は現場で寛一郎くんの芝居に涙したことを思い出した。この芝居を生かせばいいではないか。「輪郭人間」を捨てよう。「異世界」は、窓から入る光線の効果で表現しよう。私は再編集を決意した。

　編集、ダビング、グレーディング、と全てがやり直しになった。だが、『雪子さんの足音』は11月10日に「山形国際ムービーフェスティバル」での上映が決まっていた。この映画祭は例年菜葉菜さんがナビゲーターを務め、菜葉菜さん、吉行さん、寛一郎くん、私がゲストとして招かれていた。何としても映画祭に間に合わせなければならない。ポスプロ★スタッフは休日を返上して頑張ってくれ、上映素材のDCPが出来たのが映画祭前日の午前10時だった。受け取ってそのまま新幹線で山形に向かうというぎりぎりのタイミングだった。

「プロローグとエピローグは、この小説の中にはありませんでしたが、効果的でしたね。異次元だから可能な、男と女のエロスが流れています。ぞくっとします」

　吉行さんがパンフレットに寄稿してくれた文章に、私は心の底から安堵した。再編集を決意してよかった。紆余曲折を経たが『雪子さんの足音』にとっては、一番いい結果にたどり着いたのだ。

## ■公開へ

12月1日、静岡市で毎年開催される「ふじの国映画祭」で『雪子さんの足音』がお披露目上映された。翌年

映画『雪子さんの足音』パンフレット。

の2月には静岡東宝会館で先行ロードショーが組まれている。そのマスコミ試写も兼ねて、原作の木村紅美さん、脚本の山崎、私の鼎談が行われた。

　2月の公開初日には、吉行和子さん、菜葉菜さんが舞台挨拶に駆けつけてくれ、満席のスタートを切ることが出来た。静岡東宝会館は、子供の頃から映画に馴染んだシネマストリートで唯一現存する映画館だ。統括マネージャーの森岡功樹氏は『第七官界彷徨―尾崎翠を探して』からずっと私を応援してくれている。2014年にはミッキー・カーチスさんを招いて『百合祭』を、2017年には菜葉菜さんをゲストに『百合子、ダスヴィダーニヤ』を上映してくれた。『雪子さんの足音』でも、ロケハンから現場まで協力してくれた森岡さんに満席という結果で報いることが出来た。

　全国公開は5月、東京・渋谷のユーロスペースから始まった。吉行さんの事務所が依頼してくれた宣伝会社が、マスコミへの通知、初日の舞台挨拶など全てを取り仕切ってくれた。映画パーソナリティの伊藤さとりさんをMCに、吉行さん、菜葉菜さん、寛一郎くんと私が並び、テレビカメラまで入った舞台挨拶は私も初めての経験だ

ユーロスペース初日の舞台挨拶。取材カメラに向かって手を振る。

**ポスプロ**◉「ポストプロダクション」の略。撮影終了後の全ての作業を指す。

った。旦々舎の力だけでは決してこんな宣伝は出来なかっただろう。

6月からは横浜シネマ・ジャック&ベティを始めとして全国展開が始まった。京都シネマ、シネ・ヌーヴォ(大阪)、シネマスコーレ(名古屋)、シネ・ウィンド(新潟)、横川シネマ(広島)など馴染の映画館が主だったが、初めて上映してくれた神戸元町映画館と函館のシネマアイリスで驚きのハプニングがあった。突然吉行さんがプライベートで現れたのだ。更に函館には原作の木村紅美さんもひょっこりと顔を見せ、当日のお客さんには思いがけないプレゼントだったろう。紅美さんは広島のシネマ尾道にも友人と共に来てくれた。原作者も主演女優も映画『雪子さんの足音』を大事に思ってくれている。

### ■あいち国際女性映画祭2019

9月、あいち国際女性映画祭が開幕した。日本で唯一の国際女性映画祭であり、『第七官界彷徨—尾崎翠を探して』『百合祭』『百合子、ダスヴィダーニヤ』に続いて4回目の参加だった。ゲストには吉行和子さんと菜葉菜さんが招かれ、上映前日に開かれた記者会見に私たちは揃って出席した。

記者会見には中国から『紅花緑葉』(2018年)のリウ・ミアオミアオ監督、アメリカから『そして私たちの番がきた』(2017年)のアビー・ギンツバーグ監督と出演者のサツキ・イナさん、日本からは『作兵衛さんと日本を掘る』(2018年)の熊谷博子《くまがいひろこ》監督が参加した。テレビカメラが入り、各作品の監督や出演者に記者たちから質問が相次いだが、大手新聞の男性記者が中国の監督に向かって「女性映画祭なるものはあなたの国にはないと思いますが、こういう映画祭をどう思いますか?」と聞いてきた。

女性映画祭なるもの? 私はカチンときたが、中国

あいち国際女性映画祭2019パンフレット。

の監督は真摯に答えている。この場は女性映画祭の記者会見だ。女性映画祭の歴史も学ばず侮蔑的な言葉で質問する記者がいる。いや、この男性記者は自分の言葉に含む女性蔑視に気付いてもいないのだろう。あなたの国にはないと思いますが、だと？　私は司会者に発言を求めた。

「私は、２０１５年に開催された第3回北京国際女性映画祭に参加しました。浜野佐知特集を組んでくれ、私の4作品が上映されました。スウェーデン大使館が共催する規模の大きな映画祭でしたが、中国だけでなく、アジアにはソウル国際女性映画祭、台湾国際女性映画祭など歴史のある女性映画祭が活発に活動しています。むしろ、一番遅れているのが日本。このあいち国際女性映画祭にしても理事長やディレクターは男性です。せめて作品の選定には女性の眼が欲しい。男社会で女性の抱える問題は世界共通であり、それは女性の視点によってのみ描かれるのです」

記者への怒りに任せて、つい、あいち国際女性映画祭への批判まで口にしてしまったが、これは私の本音だった。主催があいち男女共同参画財団であり、協賛が

記者会見の後、壇上で記念写真。右から熊谷博子、菜葉菜、吉行和子、浜野。

愛知県の企業では止むを得ないのかも知れないが、それにしても女性映画祭のレセプション・パーティに女性の数よりスーツ姿の男性の方が多い、というのは異様な光景ではないだろうか。1996年から続く歴史ある女性映画祭だ。世界に誇れる真の女性映画祭として存続して欲しいと切に願う。

翌日、会場のウィルあいち大ホールで『雪子さんの足音』が上映された。開場前から300人を超える行列が出来、上映中はクスクス笑いやどよめきが起こった。原作者の木村紅美さんも客席で観てくれていたが、私が紹介すると大きな拍手が沸いた。紅美さんは「観客の笑い声と温かな反応が、心底うれしかった」と言っていたが、女性映画祭ならではの観客の温かさだろう。私はやっぱり女性映画祭が好きだ。私は観客の反応を直に感じながら、吉行さん、菜葉菜さんと共に参加できたことが幸せだった。

## ・パリでの上映とコロナ禍

映画には旬がある。映画祭にエントリー出来るのは通常完成から1年以内の作品で、2020年は『雪子さんの足音』にとって勝負の年だった。

3月、フランス・パリのEHESS（フランス国立社会科学高等研究院）・日本研究所主催の「Fenetres sur le Japon（日本についての窓）」と題されたイベントで「浜野佐知特集」が組まれ、13日に『百合祭』、18日に『雪子さんの足音』の上映が決まっていた。

2月に入ったころから新型コロナウイルスの感染が懸念されるようになってきたが、まさかこれほどまでに世界規模で急速に拡大するとは想像もしていなかった。

3月10日に羽田空港を出発し、同日パリに着いた私にEHESSのニコラ・ピネ氏から、フランスでの感染が拡大していて、1000人以上の集会が禁止された、との情報が入ったが、さほどの危機感は持たなかった。

しかし、急きょマクロン大統領がテレビ演説を行い、16日から保育所から大学まで一斉休校が決定され、18日の上映は絶望的となった。私はニコラに申し入れ、『百合祭』と『雪子さんの足音』の上映日を入れ替えた。『百合祭』を観てもらえないのは残念だが、非常事態だ。私は何としてでもパリで『雪子さんの足音』を上映したかった。旧知の映画ジャーナリスト林瑞絵さんが日本語新聞の「オヴニー」で告知してくれ、上映当日にはパリ市民をはじめ、EHESSの学生や教授たち、学術調査でパリを訪れていた名古屋大学の女性教授などが観に来てくれた。上映後の質疑応答では、

「時間軸が交差する構成になっているのは、雪子と薫の関係性を際立たせる意図か？」

「二人の女性の孤独が印象的だったが、特に小野田のトラウマが身に沁みた」

「雪子の世代の女性は恋愛もせず結婚したのではないか。薫に対する気持ちは雪子の解放なのか？」

「二人は母と息子のように見えるが、母が息子を食いつぶすような関係を意識したか？」

などパリの観客の的確な質問は1時間半にも及んだ。

この日を境に急激にパリの日常は変わっていった。食料品店や薬局など生活に不可欠な店以外は一斉に閉鎖となり、外出禁止令が発令され、街頭には銃を持った兵士が立った。

『雪子さんの足音』は、パリに続いてベルギーのゲントで毎年開催されている第11回ジャパン・スクエア映画祭(Japan Square film festival 2020)にも招待されていたが、

パリEHESSでの上映後のトーク。右端がニコラ氏。

ＥＵ間で国境が封鎖され、ジャパン・スクエア映画祭も延期となった。航空機も極端な減便となり、予定半ばでなんとか帰国できたが、日本の状況も激変していた。3月に開催されるはずだった高崎映画祭は中止、各地での上映会も軒並み中止となった。『雪子さんの足音』はこのまま終わってしまうのか？　私は地団太を踏む思いだった。

作り手にとって映画祭参加は何物にも代えられない喜びだ。言語も文化も違う国で観客と映画を共有して語り合う。この感動のためにこそ、苦しい自社制作を続けてきたと言っても過言ではない。それが、コロナ禍で奪われてしまった。

打つ手がないまま上映の場を失くした『雪子さんの足音』を救ってくれたのは女性映画祭だった。２０２１年9月の第22回ソウル国際女性映画祭からオファーがかかった。続けて10月の第8回北京国際女性映画祭での上映も決まった。ソウルも北京もオンラインでの開催だったが、コロナ禍の中、頑張って女性監督作品を世界に発信しようとしてくれている。ソウルと北京の女性映画祭に私はビデオメッセージを送った。現地に行くこと

EHESSのイベント後に打ち上げ。右端が林瑞絵さん。このレストランは翌日から閉鎖された。

はかなわないが、せめて作り手の想いを観客に伝えたかった。

11月にアルメニアのエレバンで開催される第17回KIN国際女性映画祭、12月には前年延期となったベルギーの第11回ジャパン・スクエア映画祭もオンラインで開催されることになった。世界各地で映画祭が動き出したのだ。私も負けない。道は自分で切り開く。それが私の生き方だったはずではないか。

## ■浜野佐知映画祭2020

2020年10月、私は『雪子さんの足音』をメインに3度目の浜野佐知映画祭を開催した。初日は「菜葉菜特集」として『雪子さんの足音』と『百合子、ダスヴィダーニヤ』、2日目は「尾崎翠特集」で『第七官界彷徨―尾崎翠を探して』と『こほろぎ嬢』、最終日は「吉行和子特集」で『百合祭』と『雪子さんの足音』のプログラムを組んだ。会場は、市ケ谷の日本シネアーツ社の試写室を借りた。支援する会のメンバーが交代で受付や感染対策を担ってくれた。4月の緊急事態宣言から会いたくても会えなかった、懐かしい顔、顔、顔、が私の映画

作品紹介ページ。

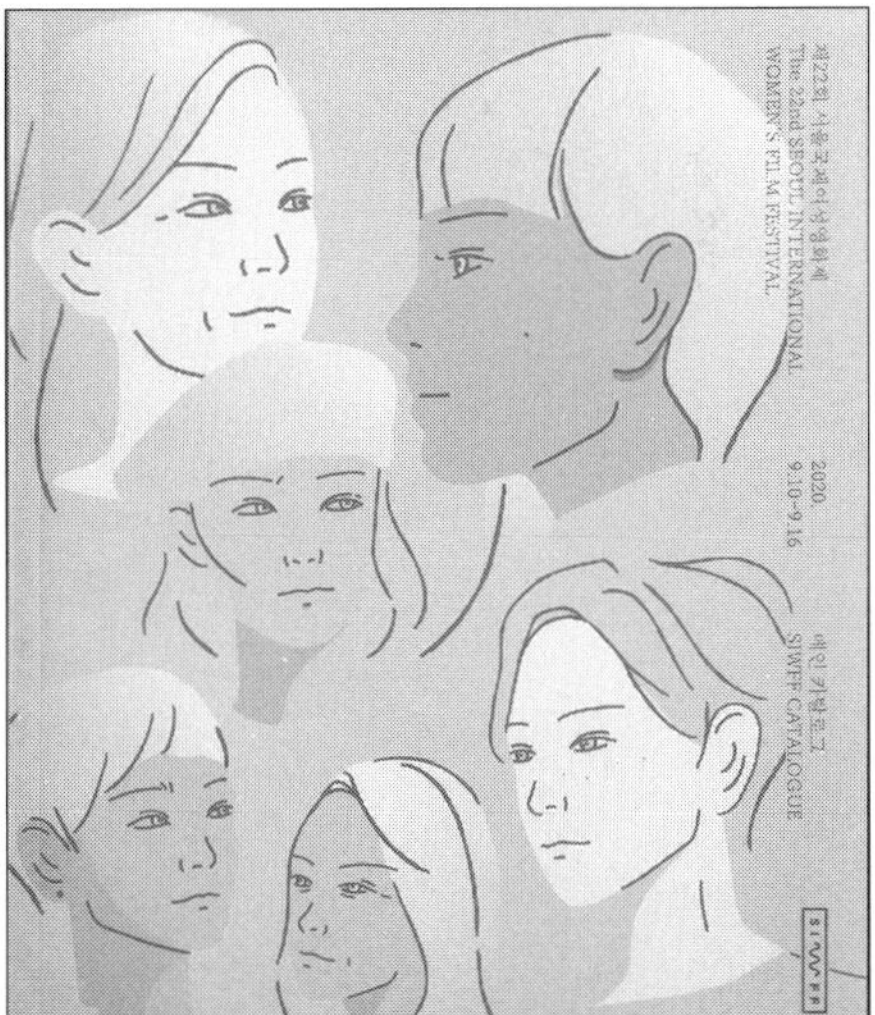

第22回ソウル国際女性映画祭パンフレット。

を観てくれている。

『第七官界彷徨─尾崎翠を探して』に出演してくれた内海《うつみ》桂子《けいこ》さん、矢川澄子さん、『百合祭』の中原早苗さん、原知佐子さん、目黒幸子《めぐろさちこ》さん、野上正義さん、『百合子、ダスヴィダーニヤ』の大杉漣さん、平野《ひらの》忠彦《ただひこ》さん、もう、スクリーンの中でしか会えない。私にとって、私の映画にとって、なくてはならない俳優さんたちだった。共に映画を作れたことを心から誇りに思います。ありがとうございました！

# 終章

## アナザーストーリー

映画監督が「女になれない職業」だった時代が、確かにあった。私が育ったフィルムの時代は、監督はもちろん、撮影や照明などの技術パートも長く厳しい徒弟制度をくぐり抜けなければならず、女はそうした男の世界から締め出されていた。

２０２２年４月、『第七官界彷徨―尾崎翠を探して』が国立映画アーカイブの「１９９０年代日本映画―躍動する個の時代」特集上映で2回上映され、特定研究員の森宗厚子さんが「ＮＦＡＪニューズレター」第15号に発表した「女性が劇映画監督を〝職業〟とし始めた１９９０年代」という論考を読んだ。そこには女が劇映画の監督を〝職業〟とすることができたのは、90年代に入ってからだったことが論証されていた。私はその20年前から「職業としての映画監督」を生きてきた。今や女がなれない職業など、この社会に存在しない。映画監督が「女になれない職業」だった時代へのレクイエムとして本書を記した。

編集室でスタインベックの小さな窓から、バタバタと大きな音を立てて流れるポジフィルムを見つめ、編集されたカット屑を握っただけで、それが何秒分なのかわかった。試写で映像が1コマ(24分の1秒)飛んでいるのを見つけ、「私の1コマを返せ！」と編集部にねじ込んだこともあった。フィルムに刻まれた1コマ1コマが私にとって映画であり、私はフィルムと共に生きて来た。

そんな私の映画人生の傍らに常に寄り添い、支えてくれた生き物たちがいた。最後に彼らについて語ることで終章としたい。

青年群像で働き始めて最初に住んだのが、中央線阿佐ヶ谷駅近くのぼろアパートだった。6畳一間の2階の部屋にはベランダなど無く、小さな植木鉢が置ける程度の柵がついているだけだった。

ある夜、遅く帰ってきて寝ようとすると、猫の鳴き声が聞こえた。不審に思って窓を開けると、柵に一匹の猫がぶら下がっていた。猫は私の顔を見ると、器用に柵をよじ登り、当然と言わんばかりの態度で部屋の中に入ってきた。それが私と「くっしゃん」の出会いだった。くっしゃんはその日から堂々とした態度で部屋に居ついた。水道の蛇口から水を飲み、夜毎私のベッドで眠った。くっしゃんは利口な猫だった。私が出かけるときは、どこからともなく現れ、路地の入口まで送って来た。路地を出た先に飲み屋があり、私は仕事帰りにそこで食事をし、酒を飲んだが、24時を過ぎるとどこからともなく猫の鳴き声がした。店のママに「ほらほら、お迎えだよ。もう帰りな」と言われ、店を出ると必ずくっしゃんが待っていた。どうして私がその店にいるのがわかるのか不思議だったが、迎えに来るくっしゃんが私は愛しかった。

ピンク映画を監督することになった時、カラミの撮り方に悩んだ私を助けてくれたのもくっしゃんだった。男の監督たちが撮るカラミとは真逆の女性主体のセックスシーンを撮りたかったが、いくら性体験があると言ってもまだ23歳だ。私は古本屋で体位集の本を買ってきて、くっしゃんの身体を使って研究した。くっしゃんは嫌がりもせず付き合ってくれたが、いざ現場でその体位で撮ろうとすると男優から無理だとクレームがついた。猫に比べて人間の身体は固すぎた。まるで笑い話だが、私は真剣だった。

青年群像での5年を、私はくっしゃんと共に過ごした。青年群像を離れる決意をして阿佐ヶ谷のアパートを引き払うことになったある朝、突然くっしゃんが死んだ。私は一緒に越すつもりだったが、くっしゃんは嫌だったのだろうか。私とくっしゃんが暮らした狭い部屋でのお葬式には、飲み屋のママさんや近所の人たちが花を手向けに来てくれた。くしゃくしゃの顔をしたブス猫だから「くっしゃん」と名付けたのだが、みんなに可愛がられていたのだ。

くっしゃんは私の中に「猫」という生き物の存在を刻みつけた。

1985年に旦々舎を立ち上げ、2年ほどたった頃、神田川沿いで痴漢電車の撮影をしていた時だった。ふと川を見ると、水面にスーパーのビニール袋が浮いていた。袋はひもで縛られ、川べりの柵に括り付けられている。ごみかと思ったが、袋が微妙に動いている。引き上げてみると、中にはヒヨコほどの大きさの生き物が入っていた。私は撮影を中断して動物病院に駆け込んだ。その生き物は臍緒《へそのお》がついたままの猫だった。命をこんな風に残酷に遺棄する人間がいる。私は体が震えるほどの怒りを覚えた。医者は、生まれたばかりの猫は人には育てられないと言ったが、私は決意していた。この子猫の命を守る。私はどの撮影現場にも「ぴよぴよ」と名付けた子猫を連れて行った。2時間に一度、ぴよぴよにスポイトでミルクを飲ませ、綿棒でつついて排尿させなければならない。「は〜い、監督のオッパイタイム〜」と助監督が嫌味を言う。現場はうんざりしたことだろう。

ぴよぴよは少しずつ大きくなっていったが、親から教えられたものがないからか、猫らしさがまるでなかった。キャットフードには見向きもせず、私の食卓で私と同じものを食べた。排尿や排便は壁に前足を立てて直立不動で用を足した。脳のどこかがおかしくなっていたのだろう、何かでスイッチが入ると目つきが一変し、突如私に向かって襲いかかって来た。止めることの出来ないほどの狂暴さで、私は脚に噛みつかれ、引っかかれて、2度入院するほどの大けがをした。

それでも私はぴよぴよを愛した。ぴよぴよは狂いながらも22年と8カ月を生きた。2010年4月、ぴよぴよの死が近づいていた。病院に連れて行くと、どこにそんな力が、と思うほど暴れ狂った。「これじゃ死神も逃げてくわ」と医者に見放され、私は自宅でぴよぴよに点滴を打ちながら見守った。

その日、ぴよぴよの死を覚悟した私は、胸に抱いて「大丈夫だよ、怖くないからね。大丈夫だよ、私が傍にいるからね」と声を掛け続けた。その時、それまで何の反応もなかったぴよぴよが突然大きくのけぞり、ギャーオゥ！　と絶叫した。それが、ぴよぴよの最後だった。私はぴよぴよを抱き締めて泣いた。眼も開かなかった時から死の瞬間まで、私は23年もの間一つの命を見守ることが出来たのだ。

ぴよぴよがいなくなって12年、私は今でも狂った猫を愛している。

2001年、『百合祭』のクランクインが決まり、私は大方斐紗子さん演じる91歳の北川よしさんが飼っている猫をどうしようかと思い悩んでいた。通常は動物プロダクションから借りるのだが、ギャラが人間並みに高い。それに犬なら繋いでもおけるが、猫は逃げられたらアウトだ。私は動物愛護センターと交渉し、2匹の猫を借りることにした。撮影当日、助監督が連れて来たのは2000年に噴火した三宅島からの3歳の避難猫と、動物愛護センターの前に捨てられていたという2歳の保護猫だった。私は避難猫に三宅島の「みやちゃん」、保護猫に百合祭の百合から「リリちゃん」と名前をつけた。みやちゃんは役者やスタッフの前ではまるで置物のようにおとなしく、カメラが回っている間もじっとしていて撮影には適役だった。しかし、不安なことがあるとばったり倒れて、死んだふりをする。何か全てを諦めているようだった。長引く避難に飼いきれなくなり、捨てられた記憶は、みやちゃんの心に人間不信を植え付けたのだろうか。

一方リリちゃんは、保護猫の寂しさからか誰にでも甘える猫だった。カメラの前に置いてもスタッフにすり寄って撮影にならない。結局、みやちゃんをメインに撮影は終了したが、私には新たな悩みが芽生えていた。2匹とも飼い主に捨てられた猫だ。このまま動物愛護センターに返せば、いつかは殺処分となるのではないか?

私は連れて帰ることを決意した。みやちゃんは一緒に暮らすようになっても決して人との距離を詰めない猫だった。抱かれることを嫌ったが、それでもやっと居場所を得た思いだったのだろう。私が静岡に居を移してからも穏やかに暮らしていた。

14年を共に暮らした2015年、17歳のみやちゃんは体調を崩した。病院で検査したところ、腎臓がもう治療できないほどに悪化しているという。その日、私は7月から連載が始まる静岡新聞夕刊のコラム「窓辺」の打ち合わせがあった。私はもう歩く力もなかったみやちゃんをベッドに寝かせ、バスタオルにくるんでから出かけた。2時間後に急いで戻ると、みやちゃんはベッドにいなかった。みやちゃんは私がいつも座っている座布団の上で死んでいた。あんなに抱かれるのを嫌がっていたのに、最後の最後に私を頼ってくれたのだろうか。

リリちゃんもみやちゃんが死んで寂しかったのだろう。徐々に体調を崩していった。2016年10月、私は鳥取県岩美町で開催された、尾崎翠生誕120年記念イベント「尾崎翠と、追憶の美し国へ」に参加した。その直前、なぜかリリちゃんが気になって、健康診断も兼ね入院させてから鳥取に向かった。鳥取空港から市内に向かうバスの中で携帯が鳴った。動物病院からで、リリちゃんが死んでいると言う。「何で！」。私はバスの中で大声を出してしまった。リリちゃんは癌だった。甘ったれで、いつも私の肩によじ登っていたリリちゃんの癌に私は気付かなかった。ごめんね、リリちゃん。みやちゃんもリリちゃんも私の留守中に死んでしまった。傍にいてやれなかったことが悔やまれてならない。

2001年の『百合祭』の完成から世界中を飛び回っていた私は、その合間を縫ってピンク映画に戻り、『乱痴女・美脚フェロモン』(2004年、オーピー映画)を撮った。主演の北川明花《さやか》さんがかつて国体に出たこともある新体操の選手だったということもあって、山﨑の書いた脚本タイトルは「乙姫伝説」。寂しい男や悲しい男や疲れた男がレオタード姿で舞う非現実的な少女に救われるというストーリーだ。その少女は、男が多摩川で釣り上げた亀がきっかけで現れる。荒唐無稽のストーリーだが、ともかくも生きた亀が必要だ。私は助監督とアクアショップに亀を見に行った。助監督は300円くらいの安い亀を買うつもりだったらしいが、私は水槽に一匹だけいた黒い亀に惹かれてしまった。ホホジロクロカメという種類で値段は10倍の3000円だったが、私はその亀を買った。

撮影は桜が満開の多摩川で行われた。実際に亀を釣り上げることは出来ないので、粘土を丸めた作り物の亀を釣り糸に結んでロングで釣り上げ、次のショットで水から上がった亀をアップで見せる。助監督は乱暴に亀をじゃぶじゃぶ川に浸けるのでハラハラしたが、濡れていなければ繋がらないので止むを得ない。

撮影は無事終了したが、私はここで大変な失敗をしてしまった。助監督に任せたまま亀を一晩ベランダに放置してしまったのだ。4月とはいえ夜は冷える。翌朝、寒そうに甲羅の中にひっこんだままの亀の鼻からは鼻水が垂れ、食欲もない。風邪をひかせてしまった！　私は慌てて近所の動物病院に連れて行ったが、亀など診たこともない老医師で、途方に暮れている。私はネットで爬虫類専門の病院を見つけ連れて行ったが、若い獣医師が亀に向かって「お〜い、どうしてご飯を食べないんだよ〜、食べないと死んじゃうよ〜」とマジで話しかけている。呆れて、早く診てくださいと迫ったが「食べる意欲が無くなったら、死んでも仕方がないというのが私の持論なんですよ」と宣った。ふざけるなっ！　目の前の命を救うのが医者だろうっ！　私は激怒して亀を奪い返し、ネットで亀好きのコミュニティを探して亀を診察するという動物病院を見つけた。受診し、レントゲンを見ると肺が真っ白で、肺炎になっているという。その日から入院することになり、首や手を固定して管に繋ぎ、点滴や流動食を入れる治療が始まった。亀ごときで大袈裟なと思うかも知れないが、私は何としても助けたかった。

亀は3カ月という長期入院を経て生還した。入院治療費は30万円と高額だったが命を救えたのだ。私は心から安堵した。あれから18年、ゴンさんと名付けた亀は今も元気で、我が家の水槽に暮らしている。亀は万年、というが平均寿命は30年くらいだという。あと12年、私はゴンさんより長生きして看取ることが出来るだろうか？

2010年10月、私は『百合子、ダスヴィダーニヤ』のロケで、静岡県熱海市の「茶懐石庭　西紅亭」にいた。この料亭の離れを宮本百合子と荒木茂の家として撮影したのだが、荒木が百合子との関係に絶望して、ふたりで飼っていた2羽の十姉妹を空に放すシーンがあった。私は放したくなかった。ひ弱な小さな鳥だ。野生で生きていけるはずがない。だが、放さなければストーリーとして成立しない。私は助監督が用意した6羽の十姉妹のうち2羽を選んで本番に挑んだ。荒木役の大杉漣さんが涙をこぼしながら鳥かごから十姉妹を空に放つ。一羽は大きく羽ばたきながらまるで自由に向かって飛翔するように消えていったが、もう一羽はおどおどした様子で近くの木の枝に止まっている。急な環境の変化に怯えているのだろう。私は捕まえたかったが、撮影は続行している。放した小鳥の命など誰も興味がないのだ。

翌日のロケも同じ西紅亭だった。朝8時に到着して窓を開け、準備を開始した時だった。バタバタと羽音が聞こえ、小鳥が室内に飛び込んで来た。昨日、木の枝に止まって怯えたようにこちらを見ていた十姉妹だ。戻って来た！ 一晩どれほど心細かったことだろう。十姉妹はホッとしたように動かない。私は小躍りするほど嬉しかった。私は残りの4羽とともに十姉妹を引き取り、5羽のピーちゃんたちはそれから6年近くを賑やかに生きた。

２０１１年3月、東日本大震災が東北を襲い、福島第一原発が爆発する事故が起きた。『百合子、ダスヴィダーニヤ』を完成させ、10月からの渋谷・ユーロスペースでのロードショー公開を控えていたが、9月にオーピー映画で山崎組がクランクインすることになっていた。山崎作品にはクラゲやウーパールーパーなど思いがけない生き物が登場することが多い。そのたびにプロデューサーである私は苦労するのだが、何と今回はニワトリだった。しかも、原発事故で降り注ぐ放射能を浴びたニワトリが黒い卵を産む、というストーリーだ。監督の山崎は嬉々として箱根の大涌谷に黒卵を買いに行ったりしていたが、肝心のニワトリはどうする？　私はネットで荒川沿いの小さなペットショップがニワトリを扱っていることを知り、山崎とともに訪ねた。

店内に入ったとたん、私の目を引いたのは小さなケージに閉じ込められ、身動きすら出来ない白いニワトリだった。「あの白いニワトリは？」という私の問いに「ああ、烏骨鶏だけどね、でもバアサンだからもう卵は産まないよ」。だから、売り物にならない、という店主の答えだった。あの白い烏骨鶏は牢獄のようなケージに閉じ込められ、死ぬのを待っているだけなのだ。この烏骨鶏にしよう。白いニワトリが黒い卵を産む方が画的にも面白いではないか。山崎は撮影が終わったら返却することを交渉していたが、私は返すつもりなどなかった。私はその日から「さくら」と名付けた烏骨鶏の世話を始めた。旦々舎のベランダに土を盛って遊び場を作った。栄養のあるフードと新鮮なレタスをたっぷりと食べさせた。ストレスなく眠れるように大きなケージも用意した。さくらはみるみる元気になっていった。

山﨑作品でデビューしたさくらは、4カ月後に浜野組『SEXファイル　むさぶり肉体潜入』（2012年・オーピー映画）に出演した。性交が免許制となり、セックスを法律で取り締まる近未来の話だったが、脚本タイトルは「ウコッケイ・パラダイス」。さくらありきの企画だった。さくらは撮影現場でも元気で、ある時いきなり卵を産みだした。スタッフたちもびっくりし「烏骨鶏の恩返し」などとからかったが、一晩中苦しそうに、コケッ、コケッと鳴き続け、力を振り絞っているようで見ている方がつらかった。「さくら、もういいよ。もう産まなくてもいいから」と何度も言い聞かせたが、さくらはその後も律儀に毎朝1個ずつ卵を産み続けた。

私と目が合うとさくらは一目散に走ってきて、私の膝の上に飛び乗った。レタスを口にくわえて持ってきて、食べさせろとせがんだ。烏骨鶏であることを忘れるほど、さくらは私に懐き、私にとっても大切で愛しい存在になっていた。

さくらは2014年に力尽きてしまったが、旦々舎での3年はさくらにとって幸せだったと信じたい。

生き物たちと共に映画を作り、その後を共に生きたことは私にとって幸せだった。今、私は『雪子さんの足音』撮影中にロケ地近くの公園で生まれた保護猫のユキちゃんと暮らしている。まだ5カ月の子猫だったユキちゃんは保護した翌日に浴室の高窓から脱走し、私はもう諦めるしかないかと観念したが、最後の望みを託して出て行った窓外に脚立をかけておいた。深夜にかすかに猫の鳴き声がする。慌てて窓を見ると脚立の上にユキちゃんがいた。ユキちゃんは自ら脚立を登って帰って来たのだ。私は私が選んだ生き物たちと共に暮らしてきたと思っていたが、実は私が選ばれていたのだろうか。次に撮る映画には必ずユキちゃんの出番を作ろう。そう私は密かに目論んでいる。

# 浜野佐知フィルモグラフィー

(2022年8月現在)

## ■ 旦々舎制作・配給作品（公開年）

| | 主な俳優 |
|---|---|
| **1998年** | |
| 第七官界彷徨－尾崎翠を探して | 白石加代子／吉行和子／柳愛里 |
| **2001年** | |
| 百合祭 | 吉行和子／白川和子／ミッキー・カーチス |
| **2006年** | |
| こほろぎ嬢 | 鳥居しのぶ／石井あす香／吉行和子 |
| **2011年** | |
| 百合子、ダスヴィダーニヤ | 菜葉菜／一十三十一／吉行和子 |
| **2015年** | |
| BODY TROUBLE | 愛田奈々／菜葉菜／宝井誠明 |
| **2019年** | |
| 雪子さんの足音 | 吉行和子／菜葉菜／寛一郎 |

## ■ ピンク映画・ビデオ作品

［凡例と注記］

- 制作年ごとに示し、各年内は順不同
- プロデュース作品や改題作品は除く
- データ未詳も多く、2022年8月現在確認できた作品のみリスト化した
- 大蔵映画は2001年に制作・配給部門がオーピー映画となった
- ピンク映画のタイトルは、配給会社が業界慣行によって独特の用語を駆使して付けた

特記事項
◆＝的場ちせ名義
★＝ゲイ・ピンク
＊＝ビデオ作品

| 作品名 | 主な俳優 | 配給会社 | 特記事項 |
|---|---|---|---|
| **1971年** | | | |
| 女体珍味 | | ミリオン〈浜佐知子名義〉 | |
| **1972年** | | | |
| 十七才すきすき族 | キスム南 | ミリオン | |
| 発情!! チューリップ姐ちゃん | あべ聖 | 東映 | |
| **1973年以降**（制作年不詳） | | | |
| セックス・ファンタジー（台本タイトル） | | | |
| 三人の女達（台本タイトル） | | | |

| | | | |
|---|---|---|---|
| 青い鳥・セックス相談(台本タイトル) | | | |

## 1982年

| | | | |
|---|---|---|---|
| 衝撃マントル・純生本番 | 山地美貴 | ミリオン | |
| 夏麗子 ディープキッスは♀にして | 夏麗子 | 東映芸能ビデオ | * |
| 夏麗子 青い珊瑚礁・限りなくワイセツに | 夏麗子 | 東映芸能ビデオ | * |
| 日野繭子 艶・夢幻淫蕩 | 日野繭子 | 東映芸能ビデオ | * |

## 1983年

| | | | |
|---|---|---|---|
| 裏ビデオ・生撮りの女 | 野口かおる | ミリオン | |

## 1985年

| | | | |
|---|---|---|---|
| 桃の木舞・SEXドリーム | 桃の木舞 | ミリオン | |
| 密室変態調教 | 日野繭子 | ミリオン | |
| 痴漢電車・みゆきのヤリガイ | 橋本杏子 | ミリオン | |
| 秘祭PART I ザ・レズビアン秘祭 犬と女と女 | | ジャパンホームビデオ | * |

## 1986年

| | | | |
|---|---|---|---|
| 痴漢電車・奥まで覗いて | 神谷琴絵 | ミリオン | |
| 痴漢電車・我慢できない女たち | 風原美紀 | ミリオン | |
| 痴漢電車・あぶない隣人 | 秋本ちえみ | ミリオン | |
| 痴漢電車・異常接近 | 岡田きよみ | ミリオン | |
| 秘祭PART II SMレズ い・た・ぶ・り | | ジャパンホームビデオ | * |

## 1987年

| | | | |
|---|---|---|---|
| 制服ストーリー・巨乳艶熟 | 北村美加 | 新東宝 | |
| び・ら・ん | 木下絵里花 | アリスジャパン | * |
| 高橋めぐみ チェンジリング・夜霧の着せ替え人形 | 高橋めぐみ | アリスジャパン | * |

## 1988年

| | | | |
|---|---|---|---|
| ダブルEカップ・完熟 | 速水舞 | 新東宝 | |
| 冴島奈緒・監禁 | 冴島奈緒 | ミリオン | |
| 痴漢電車・ミニスカートにご用心 | 前原裕子 | 新東宝 | |
| 盗聴魔・妻たちの性態 | 白木麻耶 | にっかつ | |
| 痴漢電車・エッチがいっぱい | 藤沢まりの | 新東宝 | |
| 人妻不倫願望 | 舞坂ゆい | 新東宝 | |
| ザ・スワップ しびれっぱなし | 前原祐子 | にっかつ | |
| 沙也加VS千代君 アブノーマルレズ | 沙也加、千代君 | 新東宝 | |
| 豊丸の変態クリニック | 豊丸 | にっかつ | |
| 性感治療室 卍 | 番匠愛 | 現映社 | * |
| 魔性の微笑 トライアングルラブ | 白木麻弥 | ホルモンビデオ | * |
| エロトマニア・セレクト 肉林パーティ2×2 | 亜里沙 | 現映社 | * |

## 1989年

| | | | |
|---|---|---|---|
| 痴漢電車・やめないで指先 | 今井かんな | 新東宝 | |
| い・ん・ら・ん 乱れ咲き | 前原祐子 | エクセス | |
| 過激本番・乱－みだれる－ | 栗原早記 | 新東宝 | |
| 痴漢電車・朝から一発 | 林こずえ | 新東宝 | |
| 昇天秘儀・名器さぐり | 大沢裕子 | エクセス | |

| 作品名 | 主な俳優 | 配給会社 | 特記事項 |
|---|---|---|---|
| もっと狂ってもっと激しく | 松本まりな | エクセス | |
| 痴漢電車・早くイッてよ! | 鮎川真理 | 新東宝 | |
| どっちの男だ! | 吉本直人、山口健 | ENK | ★ |
| 本番・巨尻責め | 大沢裕子 | エクセス | |
| アブノーマル・ペッティング | 大沢裕子 | 新東宝 | |
| ザ・本番 巨乳いかす! | 樹まり子 | エクセス | |
| 炎の男たち | 津川たかし | ENK | ★ |
| まばゆい青春 | 吉本直人、山口健 | ENK | ★ |
| 淫望 小泉朝子 | 小泉朝子 | 新東宝ビデオ | * |

**1990年**

| 作品名 | 主な俳優 | 配給会社 | 特記事項 |
|---|---|---|---|
| 団地妻・恵子のいんらん性生活 | 白木麻弥 | 新東宝 | |
| 痴漢電車・奥まで押し込め | 樹まり子 | エクセス | |
| 巨尻羞恥責め | 中原絵美 | エクセス | |
| 特別企画 ザ・投稿写真 | 杉本みはる | 新東宝 | |
| 青春肉弾戦 | | ENK | ★ |
| 団地妻・責めて漏らす | 島崎里矢／里美 | エクセス | |
| 全身性感帯 の・け・ぞ・る | 麻宮千聖 | エクセス | |
| 若奥様SM私刑 | 内海鳩子 | エクセス | |
| 団地妻・奴隷にさせて | 世良ケイト | エクセス | |
| 痴漢電車・むりやり奥まで | 早瀬理沙 | エクセス | |
| 団地妻・名器類ばる | 中山美里 | エクセス | |
| 超アブノーマル・ペッティング 異常快楽 | 栗原早紀 | 新東宝〈山﨑邦紀名義〉 | |
| 奴隷調教 ドラゴンファクトリーの男たち | 石井基正 | ENK | ★ |
| 女秘書の生下着・剥ぎとる | 憂花かすみ | エクセス | |
| 早瀬理沙 びとびとプチマンマン | 早瀬理沙 | 現映社ぴあす | * |
| 橘優希 朝一番に突っ込んで | 橘優希 | 現映社ぴあす | * |
| ボディコング女王様 樹まり子 | 樹まり子 | 新東宝ビデオ | * |

**1991年**

| 作品名 | 主な俳優 | 配給会社 | 特記事項 |
|---|---|---|---|
| 団地妻・下半身いじめ | 大友梨奈 | エクセス | |
| いんらん美姉妹・義兄あさり | 吉川りりあ | エクセス | |
| ザ・緊縛オナニー | 早瀬理沙 | エクセス | |
| 貝満ひとみ 何でもいらっしゃい! | 貝満ひとみ | エクセス | |
| ザ・虐待 奴隷秘書 | 森下亜矢 | エクセス | |
| ナマ本番㊙人妻交換 | 前川えり | エクセス | |
| 巨乳・くらいつく | 吉沢あかね | エクセス | |
| 痴漢電車・変態裏わざ師 | 一の樹愛 | エクセス | |
| 桜木ルイ・ぐしょぬれ下半身 | 桜木ルイ | エクセス | |
| エロ本DX 練磨倶楽部 | 早瀬理沙 | 新東宝ビデオ | * |
| 逆レイプ女王さま・女豹の生贄 | 愛川まや | 新東宝ビデオ | * |
| 女教師 いじめて | | 笠倉出版 | * |
| 女教師2 | | 笠倉出版 | * |

| | | | |
|---|---|---|---|
| 真理子 巨乳拷問・人犬獣倫 | | 新東宝ビデオ | ＊ |
| いけない痴漢電車 | | 大陸書房 | ＊ |
| 桜木ルイ・小悪魔の白い乳房 | 桜木ルイ | 大陸書房 | ＊ |

## 1992年

| | | | |
|---|---|---|---|
| ㊙潜入・男子禁制逆ソープ | 摩子 | エクセス | |
| 拷問水責め | 木下みちる | エクセス | |
| 超ボディコンOL・後ろから前から | 橘ますみ | エクセス | |
| ザ・本番 性感帯秘書 | 小林愛美 | エクセス | |
| ㊙性感逆ソープ | 柴田はるか | エクセス | |
| 男街行き快速急行 | 椿寿仁 | ENK | ★ |
| ボディコン・ミニスカONANIE秘書 | 藤小雪 | エクセス | |
| 女子大生監禁 バイブ地獄 | 露木陽子 | エクセス | |
| ㊙潜入・逆ソープ天国 | 藤小雪 | エクセス | |
| ザ・裏本番 女尻狂い | 三田沙織 | エクセス | |
| 超いんらん・色情不倫妻 | 美咲舞 | エクセス | |
| 未亡人シャワーONANIE | YUKO | エクセス | |
| 淫欲の魔手・痴漢日記 | | 大陸書房 | ＊ |
| 柴田はるか オッパイ宅配便・スペルマトッピング | 柴田はるか | 新東宝ビデオ | ＊ |
| 野坂なつみ 逆ハーレム淫蕩の館 | 野坂なつみ | 大陸書房 | ＊ |
| 美崎優衣 SUPER逆レイプ 令嬢男狩り | 美崎優衣 | 新東宝ビデオ | ＊ |
| ボディコン痴漢電車 | | 大陸書房 | ＊ |
| 立花未沙 女体サーカス奇譚・囚われの乳姫 | 立花未沙 | 新東宝ビデオ | ＊ |
| 女子高同窓会 アレがスキ! | 野坂なつみ | 東映ビデオ | ＊ |
| 樹マリ子　完全復活 | 樹マリ子 | アイビック | ＊ |
| リメンバーミー　樹マリ子 | 樹マリ子 | アイビック | ＊ |

## 1993年

| | | | |
|---|---|---|---|
| 巨尻折檻 | 小野なつみ | エクセス | |
| 痴漢電車・あなたとイキたい! | 広瀬由夏 | エクセス | |
| 変態妻・わいせつくらべ | 小林亜樹 | エクセス | |
| 美乳揉みくちゃ | 本田聖奈 | エクセス | |
| 変態姉妹・亭主交換 | 貝満ひとみ | エクセス | |
| お姉さんのONANIE | 国見真奈 | エクセス | |
| 好色不倫妻・吸いつくす! | 沢口梨々子 | エクセス | |
| 失神OL婦人科検診II | 西野美緒 | エクセス | |
| ㊙回転逆ソープ | 小沢なつみ | エクセス | |
| 朝吹ケイト・お固いのがお好き | 朝吹ケイト | エクセス | |
| 逆ソープ 究極の48手 | 泉京子 | エクセス | |
| 本番授業・巨乳にぶっかけろ | 君矢摩子 | エクセス | |
| 君矢摩子 盗撮逆ナンパライブ・98センチの誘惑 | 君矢摩子 | 新東宝ビデオ | ＊ |
| 松下英美 生でドピュドピュ注射して | 松下英美 | 新東宝ビデオ | ＊ |
| 伊豆七島 即ハメ逆ナンパ巡り | | 新東宝ビデオ | ＊ |
| Eカップ女子高戦士ブルマームーン | | 新東宝ビデオ | ＊ |
| ダブルファイナル 精力増強!!お下劣クリニック | | 新東宝ビデオ | ＊ |

| 作品名 | 主な俳優 | 配給会社 | 特記事項 |
|---|---|---|---|

## 1994年

| 作品名 | 主な俳優 | 配給会社 | 特記事項 |
|---|---|---|---|
| 全身性感帯 超いんらん女 | 麻吹まどか | エクセス | |
| 本番熟女・巨乳わし掴み | 君矢摩子 | エクセス | |
| 近所のおばさん・男あさり | 辻真亜子 | エクセス | |
| 巨乳秘書・逆レイプ | 小山美由紀 | エクセス | |
| 近所のおばさん2・のしかかる | 辻真亜子 | エクセス | |
| 水沢早紀の愛人志願 | 水沢早紀 | エクセス | |
| 本番・恥知らずな下半身 | 西嶋綾香 | エクセス | |
| 巨乳修道院 | 森川まりこ | エクセス | |
| 本番熟女・急所責め | 森田久恵 | エクセス | |
| 犬とおばさん | 辻真亜子 | エクセス | |
| どスケベ奥さん・感じる剃りあと | 秋乃こずえ | エクセス | |

## 1995年

| 作品名 | 主な俳優 | 配給会社 | 特記事項 |
|---|---|---|---|
| 本番下宿屋・熟女をいただけ | 小野寺亜弓 | エクセス | |
| 私、大人のオモチャです | 葉月エリナ | エクセス | |
| 景子のお便所 | かとう由梨 | エクセス | |
| 会員制クリニック・女医は未亡人 | 中山美緒 | エクセス | |
| お嬢さんは汁まみれ | 小森まみ | エクセス | |
| 夏を呼ぶ儀式 | | 大蔵 | ★ |
| どスケベ姉妹・巨乳揉みくちゃ | 中井淳子 | エクセス | |
| 白衣の生下着・太股ねぶり | 田中未来 | エクセス | |
| かまきり熟女・長襦袢を剥ぐ | 岩下志乃 | エクセス | |
| 新・犬とおばさん－むしゃぶりつく! | 野際みさ子 | エクセス | |
| 欲望同盟 | 新田岬 | 大蔵 | ★ |
| 小田かおる・貴婦人O嬢の悦楽 | 小田かおる | エクセス | |
| 人妻不倫・のけぞる | 浜田ルミ | エクセス | |
| 女教師・暗黒の罠 | | ビデオ安売王〈中空龍名義〉 | * |
| 強制失禁・新妻嬲り | | ビデオ安売王〈中空龍名義〉 | * |
| 非道・女陰狩り | | モダン企画〈中空龍名義〉 | * |

## 1996年

| 作品名 | 主な俳優 | 配給会社 | 特記事項 |
|---|---|---|---|
| 痴漢電車・貝いじり | 永尾和生 | エクセス | |
| 言葉で濡れる人妻たち | 倉沢萌 | エクセス | |
| 白衣妻・不倫三昧 | 愛田るか | エクセス | |
| 浴衣妻の内股・はだける | 藤崎ひとみ | エクセス | |
| 老人の性・若妻生贄 | 沢田杏奈 | エクセス | |
| 喪服妻奥義・腰は“乃”の字で | 愛田るか | エクセス | |
| 深窓の令嬢・レイプ狂い | 遠藤悠美 | エクセス | |
| 二つのゼロ | 杉本まこと | 大蔵 | ★ |
| 本番熟女・女尻の奥まで | 成瀬美佳 | エクセス | |
| 人妻飼育日記・不倫初夜 | 向井璃砂 | エクセス | |
| 淫獣病棟 | | 新東宝ビデオ | * |

| | | | |
|---|---|---|---|
| マダムボンデージ・喪服妻おとこ喰い | | 新東宝ビデオ | * |
| タクシーねえちゃん・淫乱潮吹きドライブ日記 | | 新東宝ビデオ | * |

## 1997年

| | | | |
|---|---|---|---|
| 本番女医・濡れまくり | 水沢侑希 | エクセス | |
| 変態一家・兄貴の家庭教師 | 水嶋眞由 | エクセス | |
| 好きもの女房・ハメ狂い | 細川しのぶ | 新東宝 | |
| 白衣のおばさん・前も後ろもドスケベに | 鮫島レオ | エクセス | |
| 夫婦㊙性生活・女房はとろとろ | 織田こずえ | エクセス | |
| ねっとり妻おねだり妻Ⅱ・夫にみられながら | 柏木瞳 | 新東宝 | ◆ |
| すけべ教師・引き抜く快感！ | 藤森加奈子 | エクセス | |
| 義母のオナニー・発情露出 | 浅倉麗 | エクセス | |
| 痴漢と覗き・奥さんのすけべ汁 | 北原梨奈 | 新東宝 | ◆ |
| 奴隷美姉妹・新人スチュワーデス | 桜ちより | エクセス | |
| ピンサロ病院 ノーパン白衣 | 麻生みゅう | 新東宝 | ◆ |
| タクシーねえちゃん・淫乱潮吹きドライブ日記2 | | 新東宝ビデオ | * |

## 1999年

| | | | |
|---|---|---|---|
| 女修道院・バイブ折檻 | 紺野沙織 | エクセス | |
| 平成版阿部定・あんたが欲しい | 時任歩 | エクセス | |
| 巨乳三姉妹・肉あさり | 風間今日子 | 新東宝 | ◆ |
| ノーパン女医・吸い尽くして | 葉月ありさ | エクセス | |

## 2000年

| | | | |
|---|---|---|---|
| いじめる女たち　快感・絶頂・昇天 | 時任歩 | エクセス | |
| ノーパン白衣・濡れた下腹部 | 佐々木麻由子 | 新東宝 | ◆ |
| どすけべ夫婦 交換セックス | 時任歩 | 新東宝 | ◆ |
| いじめる人妻たち・淫乱天国 | 黒田詩織 | エクセス | |

## 2001年

| | | | |
|---|---|---|---|
| 微風のシンフォニー | | オーピー映画 | ★ |
| ピンサロ病院4・ノーパン看護 | 望月ねね | 新東宝 | ◆ |
| 川奈まり子・牝猫義母 | 川奈まり子 | エクセス | |

## 2003年

| | | | |
|---|---|---|---|
| やりたい人妻たち | ゆき | 新東宝 | ◆ |
| やりたい人妻たち2・昇天テクニック | 桜田由加里 | 新東宝 | ◆ |

## 2004年

| | | | |
|---|---|---|---|
| 乱痴女・美脚フェロモン | 北川明花 | オーピー映画 | |
| 桃尻姉妹・恥毛の香り | 北川絵美 | オーピー映画 | |
| オーガズムリポート・痴女のSEX相談室 | 北川明花 | 新東宝 | ◆ |
| 異常性欲レポート・激ナマSEX研究所 | 北川絵美 | 新東宝 | ◆ |

## 2005年

| | | | |
|---|---|---|---|
| 四十路の色気・しとやかな官能 | 佐々木麻由子 | オーピー映画 | |

## 2006年

| | | | |
|---|---|---|---|
| 巨乳妻メイド倶楽部・ご主人様たっぷり出して | 綾乃梓 | 新東宝 | ◆ |
| 乱交団地妻・スワップ同好会 | 環あかり | 新東宝 | ◆ |

| 作品名 | 主な俳優 | 配給会社 | 特記事項 |
|---|---|---|---|
| 巨乳DOLL・わいせつ飼育 | 綾乃梓 | オーピー映画 | |
| SEX捜査局・くわえ込みFILE | 北川明花 | オーピー映画 | |
| 魔乳三姉妹・入れ喰い乱交 | 安奈とも | オーピー映画 | |
| **2007年** | | | |
| バイブ屋の女主人・うねり抜く | 北川明花 | オーピー映画 | |
| SEX診断・やわらかな快感 | 富永ルナ | オーピー映画 | |
| **2008年** | | | |
| 変態シンドローム・わいせつ白昼夢 | ミュウ | オーピー映画 | |
| 女豹の檻・いけにえ乱交 | Clare | オーピー映画 | |
| **2009年** | | | |
| 魔性しざかり痴女・熟肉のいざない | 針生未知 | オーピー映画 | |
| 色情痴女・密室の手ほどき | 倖田李梨 | オーピー映画 | |
| **2010年** | | | |
| セクハラ女上司・パンスト性感責め | 浅井千尋 | オーピー映画 | |
| **2011年** | | | |
| 和服姉妹・愛液かきまわす | 浅井千尋 | オーピー映画 | |
| **2012年** | | | |
| SEXファイル・むさぼり肉体潜入 | 大城かえで | オーピー映画 | |
| 喪服令嬢・いたぶり淫夢 | 万里杏樹 | オーピー映画 | |
| **2013年** | | | |
| 熟女ヘルパー 癒しの手ざわり | 咲本はるか | オーピー映画 | |
| **2014年** | | | |
| 僕のオッパイが発情した理由 | 愛田奈々 | エクセス | |
| 性の逃避行・夜につがう人妻 | 竹内ゆきの | エクセス | |
| **2015年** | | | |
| 女詐欺師と美人シンガー・お熱いのはどっち? | 真梨邑ケイ | エクセス | |
| **2016年** | | | |
| 黒い過去帳・私を責めないで | 卯水咲流 | エクセス | |

【リスト作成協力】 ドロップアウト・カウボーイズ／太田耕耘キ(ぴんくりんく)

# 『百合祭』映画祭＆上映会リスト

［凡例］

- 上映年ごとに示し、海外と国内に分けて表示した
- 2022年８月現在確認されたものを列記した

## 2001年

東京国際女性映画祭

あいち国際女性映画祭

ウィングス京都女性映画祭

シネマスコーレ（名古屋）公開

東京ウィメンズプラザにて自主上映会

渡辺淳一文学館にて自主上映会（北海道）

岡山市立オリエント美術館にて自主上映会

北海道立文学館主催上映会

徳島新聞社主催「翔たけ！21世紀の長寿社会」にて上映

青森県男女共同参画センター主催上映会

ウィメンズネット旭川設立5周年記念上映会

名古屋ワーキング・ウーマン主催上映会

日本女性会議2001にて上映

## 2002年

トリノ国際女性映画祭（イタリア）＝長編劇映画部門準グランプリ受賞

香港国際映画祭

モントリオール世界映画祭（カナダ）

台湾国際女性映画祭

ボルドー国際女性映画祭（フランス）

シエナ国際映画祭（イタリア）

ケベック市映画祭（カナダ）

ピッツバーグ大学＆カーネギー美術館共催上映会（アメリカ）

コロンビア大学ドナルド・キーン日本文化センター主催上映会（アメリカ）

黒崎東宝劇場（北九州市）公開

とちぎ女性センター・パルティ女性映画祭

しまね女性センター映画祭

入間市男女共生セミナー主催上映会（埼玉県）

大阪府男女協同社会つくり財団主催上映会

高齢社会をよくする会ふくやま主催上映会（広島県）

埼玉県男女共同参画推進センター主催上映会

高齢社会をよくする女性の会ふくしま主催上映会

狛江市立西河原公民館主催上映会（東京都）

郡山高齢社会をよくする女性の会主催上映会（福島県）

山形県男女共同参画センター主催・山形市・酒田市・新庄市・長井市連続上映会

お茶の水大学フェミニズム研究会主催上映会

いわき女性交流ネットワーク主催上映会（福島県）

仙台リビング新聞社主催上映会

石川県女性センター主催「フェスティバル2002」にて上映

徳島県勝浦町主催上映会

南勢志摩市民グループNPO「チャ・チャ・チャ倶楽部」主催上映会（三重県）

とよなか男女共同参画推進センター主催上映会（大阪府）

## 2003年

ミックスブラジル国際映画祭（ブラジル）＝ベスト長編ドラマ賞グランプリ受賞

フィラデルフィア国際G&L映画祭（アメリカ）＝レズビアン部門ベストワン賞

ベルリン国際レズビアン映画祭（ドイツ）

マルディグラ国際映画祭・クイアスクリーン(オーストラリア)

ロンドン国際L&G映画祭(イギリス)

ミネアポリス/セントポール国際映画祭(アメリカ)

フライング・ブルーム国際女性映画祭(トルコ)

トロント国際L&G映画祭(カナダ)

ミラノ国際L&G映画祭(イタリア)

ニューヨーク国際L&G映画祭(アメリカ)

ロサンゼルス国際L&G映画祭(アメリカ)

バンクーバー国際L&G映画祭(カナダ)

オースティン国際G&L映画祭(アメリカ)

インディアナポリス国際L&G映画祭(アメリカ)

タンパ国際L&G映画祭(アメリカ)

ロチェスター国際L&G映画祭(アメリカ)

ハンブルグ国際L&G映画祭(ドイツ)

シカゴ日本総領事館&日米協会共催「日米150年祭」の日本映画女性監督特集(アメリカ)

第七藝術劇場(大阪府)公開

埼玉県桶川市市民グループ・シアターメイト主催上映会

山梨県立総合女性センター主催上映会

日本ラインフィルムコミッション連絡協議会主催上映会(愛知県)

名古屋市女性会館主催上映会

桑名市・ネットワークinくわな主催上映会(三重県)

財団法人横浜女性協会主催「映像サロン☆女性がつくる映像」

山形県教職員組合最上地区支部主催上映会

美濃加茂商工会議所・女性会主催上映会(岐阜県)

北九州市立男女共同参画センター主催上映会

武生市男女共同参画室主催上映会(福井県)

「はあとふるムービー～映画で身につけよう人権感覚～」鳥取県鳥取市、倉吉市、米子市で連続上映

福岡映画サークル協議会主催上映会

帯広市教育委員会主催上映会(北海道)

宇治市男女共同参画支援センター主催「女性の表現フェスティバル2003」にて上映(京都府)

## 2004年

ミシガン国際L&G映画祭(アメリカ)

メルボルン・クィア映画祭(オーストラリア)

クィア・ザグレブ国際映画祭(クロアチア)

ルーマニア国際ゲイ&レズビアン映画祭

ブリュッセル・ピンクスクリーン映画祭(ベルギー)

ガールフェスト・ハワイ(アメリカ)

サンフランシスコ国際レズビアン&ゲイ映画祭(アメリカ)

Pikes Pwak Lavender Film Festival(アメリカ)

シアトル国際レズビアン&ゲイ映画祭(アメリカ)

ミシガン州立大学アジアン・スタディズ・センター主催、在デトロイト日本国総領事館共催「Film Series Featuring Japanese Women Film Directors(日本女性監督特集)」(アメリカ)

LARZISH-INTERNATIONAL FILM FESTIVAL OF SEXUALITY AND GENDER PLURALITY(インド)

東京国際レズビアン&ゲイ映画祭

シネマアートン下北沢(東京)公開

調布映画祭2004(東京都)

青森市男女共同参画プラザ主催「カダール誕生祭」にて上映

東洋大学「中高年齢期に関する研究～高年齢者のセクシュアリティ」にて上映

NPO法人なはまちづくりネット主催上映会(沖縄県)

## 2005年

クレテイユ国際女性映画祭(フランス)

アジア・ヨーロッパ交流基金＆クレテイユ国際女性映画祭共催”フォーカス・オン・アジア”にてフランス・パリ、オーストリア・インスブルック、ドイツ・ベルリンの映画館で上映

スタンフォード大学ヒューマニティ・センター主催「FACES AND MASKS OF AGING（加齢の素顔と仮面・日本の高齢者の生き方が示唆するところ）」学会にて上映

Czech Film Festival FEBIOFEST（チェコ）

FarOutFest Sant Cruz International LGBT Film Festival（アメリカ）

Korean Queer Culture Festival（韓国）

Rainbow Mission（Hungarian Gay Lesbian Bisexual and Transgender Festival（ハンガリー）

KIN International Women's Film Festival（アルメニア）

女《ひと》・男《ひと》フェスタさいたま主催上映会

財団法人沖縄女性財団＆NPO法人なはまちづくりネット共催上映会

港区男女平等参画センター主催上映会「リーブラで出会う女性の作品」

群馬県大泉町教育委員会生涯学習課主催上映会

女の空間NPOフィンレージの会主催「レッツ・トーク・不妊！ 2005」にて上映

札幌市男女共同参画センター「女と男のトーク・セッション2005」にて上映

愛知淑徳大学公開セミナーにて上映

大阪府岬町人権推進課主催「みさきウィッシュ講座」にて上映

## 2006年

イマージュ・ダイユール（フランス・パリの映画館）

北海道ユニバーサル上映映画祭in HOKUTO2006

やまなし映画祭2006「桜座で車座」

港区男女平等参画センター主催「リーブラ映画祭2006」

静岡市女性会館主催上映会「アイセルシネマ館in清水」

立命館アジア太平洋大学の学生主催上映会（大分県）

NPO法人さっぽろ自由学校「遊」主催上映会

「リリィ・ピンク・プロジェクト」上映会（千葉県東金市）

男女平等参画千葉の会主催「性と健康を考える」にて上映

大阪市立浅香人権文化センター主催「男女共同参画社会づくりに向けた地域教育事業」にて上映

## 2007年

岡山映画祭

山口情報芸術センター主催「コミュニティシネマ山口presents・山口未公開日本映画特集」

ボランティアステーション主催上映会「老年の性愛はタブーですか？」（武蔵野市）

世田谷区立男女共同参画センター主催「らぷらすシネマ・世田谷の女性監督の表現世界」

墨田区立すみだ女性センター主催「すずかけシネマ＆トーク」

仙台市健康福祉事業団＆仙台リビング新聞社共催上映会

## 2008年

クィーンズランド大学の学会「第9回インターナショナル・ウーマン・イン・アジア・カンファレンス」にて上映（オーストラリア・ブリスベン）

にいがた女性映画祭2008

城西短期大学＆城西大学国際学術文化振興センター・女性センター主催上映会「老いらくの愛と性」

平成19年度宝塚市男女共同参画プラン推進フォーラム主催上映会（兵庫県）

鶴ヶ島市ハーモニーふれあいウィーク特別イベント「映画監督・浜野佐知の仕事」（埼玉県）

大分県消費生活・男女共同参画プラザアイネス＆NPOぷぷら共催「アイネス男女共

同参画ウィーク2008」にて上映

神戸アートビレッジセンター「映画監督・浜野佐知の全貌～尾崎翠からピンク映画まで～」

横須賀市市民部人権・男女共同参画課＆市民グループ葉月の会主催上映会「老いらくの愛と性」(神奈川県)

## 2009年

マルメ国際女性映画祭 (スウェーデン)

レインダンス国際映画祭(イギリス)

関西クィア映画祭

明治学院大学大学院社会学専攻主催上映会

四街道市男女共同参画フォーラム実行委員会主催上映会「女も男も自分らしく輝いて生きる!」(千葉県)

## 2010年

カメルーン国際女性映画祭 "Mis Me Binga"

アルゼンチン国際L&G映画祭

京都シネマ「浜野佐知監督特集」

箕面市、箕面市人権協会北芝地域協議会、箕面市教育委員会、箕面市人権教育研究会、箕面市在日外国人問題研究会、Teamヤミナベ主催上映会「Yes、アドレナリン！GoGoドーパミン！～エロスなトゥナイト！～生きるチカラにあふれた爺婆の生き方に出会う～」(大阪府)

静岡県男女共同参画センターあざれあ＆『百合子、ダスヴィダーニヤ』を支援する会・静岡共催上映会

大阪市人権協会主催上映会

目黒区男女平等・共同参画センターにて上映会

## 2011年

静岡シネマパークフェスティバル2011

千代田区男女共同参画センター主催「女性映画監督特集」

## 2013年

フィルムファクトリー花道主催「伊豆ONE映画祭」(静岡県)

浜野佐知映画祭(渋谷オーディトリウム)

## 2014年

静岡東宝会館主催上映会

Wonen Make Sister Waves(波を作る女たち)主催「シニア女性映画祭」(大阪府)

ヒューマンネットワーク仙台主催上映会

## 2015年

中国国際女性映画祭(北京)

浜野佐知ジェンダー映画祭(十条・SOTO)

松永文庫主催「前田有楽映画劇場」上映会(北九州市)

武蔵野プレイスにて上映会(武蔵野市)

## 2016年

立川市女性総合センター・アイムホールにて上映会(東京都)

神宮一丁目シネマ上映会(東京都)

## 2017年

文化庁海外派遣監督映画祭(横浜市シネマ・ジャック＆ベティ)

男女共同参画センター横浜北主催「アートフォーラムフェスティバル2017 あざみ野サロン」にて上映

## 2018年

スイス・バーゼルの映画館Neues Kino(ノイ・キノ)

ジャパン・ファンデーション・トロント主催「PRIDE Film Series」(カナダ)

茅ヶ崎映画祭(神奈川県)

## 2020年

浜野佐知映画祭2020(市ヶ谷・日本シネアーツ試写室)

**浜野佐知**（はまの・さち）
1948年徳島県生まれ。高校時代に映画監督を志し、1968年ピンク映画の業界へ。1971年監督デビュー。1985年旦々舎設立。以後、監督・プロデューサーを兼任し、300本を超える作品を発表。1998年から一般映画の制作・配給も手がける。主な作品に『第七官界彷徨―尾崎翠を探して』(1998年)、『百合祭』(2001年)、『百合子、ダスヴィダーニヤ』(2011年)、『雪子さんの足音』(2019年)など。著書に『女が映画を作るとき』(平凡社新書)。2000年第4回女性文化賞受賞。

女《おんな》になれない職業《しょくぎょう》
いかにして300本超《ほんちょう》の映画《えいが》を監督《かんとく》・制作《せいさく》したか。

2022年9月22日　初版発行

2600円＋税

著者　浜野佐知
パブリッシャー　木瀬貴吉
装丁　安藤順

発行　ころから
〒115-0045
東京都北区赤羽1-19-7-603
Tel 03-5939-7950
Mail office@korocolor.com
Web-site http://korocolor.com
Web-shop https://colobooks.com

ISBN 978-4-907239-64-0
C0036

mrmt